KU-190-703

LEABHAIR THAIGHDE
An 57ú hImleabhar

AN tOILEÁNACH LÉANNTA

Mairéad Nic Craith

An Clóchomhar Tta
Baile Átha Cliath

50717

An Chéad Chló 1988

©An Clóchomhar Tta

Coláiste
Mhuire Gan Smal
Luimneach
Class No. 818.92|CRI
Acc. No. 98300

Clóbhuaileadh i bPoblacht na hÉireann

Do mo thuismitheoirí
Tomás agus Mairéad

CLÁR

NODA

A1[1]   Tomás Ó Criomhthain, *Allagar na hInise,* An Seabhac, eag. (Baile Átha Cliath, 1928).

A1[2]   Tomás Ó Criomhthain, *Allagar na hInise,* P. Ua Maoileoin, eag. (Baile Átha Cliath, 1977).

O[1]   Tomás Ó Criomhthain, *An tOileánach,* An Seabhac, eag. (Baile Átha Cliath, 1929).

O[2]   Tomás Ó Criomhthain, *An tOileánach,* P. Ua Maoileoin, eag. (Baile Átha Cliath, 1973).

SOT   Tomás Ó Criomhthain, *Seanchas Ón Oileán Tiar,* S. Ó Duilearga, eag. (Baile Átha Cliath, 1956).

AN RÉAMHRÁ

Is é cuspóir an leabhair seo a thaispeáint cén éifeacht a bhí ag an saol lasmuigh den Oileán Tiar ar cheapadóireacht Thomáis Uí Chriomhthain, maidir le hábhar, le déanamh agus le teanga na ceapadóireachta sin. Ar an intinn sin, chuireas romham grinnstaidéar a dhéanamh ar cheithre ghné faoi leith dá bheatha. Oiliúint Thomáis, a chairde, a chuid léitheoireachta agus a chuid scríbhinní a bheidh idir chamáin agam. Thoghas na gnéithe seo toisc go measaim go léiríonn siad go héifeachtach a dhul chun cinn sa léitheoireacht agus sa chumadóireacht, agus is beag tagairt a dhéanaim dá mhuintir féin, mar nárbh iadsan a spreag é chun dul i mbun oibre.

I dtús báire, sa chéad chaibidil, bheartaíos ar chumas Thomáis sa Bhéarla agus sa Ghaeilge a léiriú. Tugaim tuairisc ar an gcuma ar thug sé faoin mBéarla ar bhunscoil Chaitliceach an oileáin, agus tugaim roinnt litreacha i mBéarla a chuir sé ag triall ar a chairde chun a chaighdeán sa teanga sin a mheas. Pléitear leis an chaoi ar chrom sé ar léamh na Gaeilge. Ina dhiaidh sin is ea a chímid an Criomhthanach ag cáineadh phobal an Bhéarla agus ag moladh lucht na Gaeilge–crónán mar mhaithe leis féin, cuid mhór.

Níor leor an cumas teanga amháin, áfach, chun Tomás a mhealladh dul i mbun na léitheoireachta agus na scríbhneoireachta. B'iad a chairde ar an míntír, sa Bhreatain, agus ar mhór-roinn na hEorpa a chothaigh a spéis sa litríocht agus is iad na scoláirí seo is ábhar don dara caibidil. Tugaim tuairisc ar na timirí Gaeilge, Seosamh Laoide, Cormac Ó Cadhlaigh agus Fionán Mac Coluim, a raibh Tomás mór leo. Déanaim cur síos leis ar na hollúna Marstrander agus Flower a bhain amach go luath é. Ar ndóigh is é Brian Ó Ceallaigh an té is tábhachtaí a ndéantar cur síos air, mar b'eisean a ghríosaigh Tomás chun tabhairt faoi *Allagar na hInise* agus *An tOileánach*.

'Leabharlann Thomáis' is teideal don tríú caibidil, agus sa mhír seo den saothar dírítear ar na leabhair a léigh Tomás agus conas a chuaigh siad i bhfeidhm air. Ar dtús cruthaím go raibh sé tugtha

vii

go mór don léamh. Déanaim cur síos ar an mbailiú leabhar a bhí aige ar an oileán, agus léirím a thagairtí féin dá chuid léith-eoireachta. Ríomhaim na leabhair a bhronn a chairde, Brian Ó Ceallaigh, Robin Flower agus an Seabhac, air agus labhraím ar an mbaint a bhí aige le leabhair Sheosaimh Laoide agus an Athar Mac Clúin. Tugaim cuntas chomh maith ar an ábhar léith-eoireachta eile a raibh cur amach ag an Oileánach air.

I ndeireadh thiar, sa chaibidil dhéanach, scrúdaítear mórsha-othair an Chriomhthanaigh: *Seanchas ón Oileán Tiar, Allagar na hInise* agus *An tOileánach*. Cuirtear fianaise nua ar fáil chomh maith i dtaobh an díolaim ainmneacha a chuir sé le chéile don Lochlannach, Marstrander. Tugaim tuairisc ar fhás agus ar fhor-bairt na lámhscríbhinní seo go léir agus déanaim trácht ar an gcuma ar foilsíodh na trí cinn tosaigh dóibh. Agus cé gur as na lámhscríbhinní féin atá na sleachta ar fad bainte agam i gcás leabhair Thomáis, agus iad curtha síos agam díreach mar a scaradar lena láimh féin, déanaim tagairt leis do na heagráin chlóbhuailte agus don leathanach a bhfuil (nó ar chóir go mbeadh) an sliocht áirithe le fáil, mar áis don léitheoir ar mhaith leis an chomparáid a dhéanamh.

BUÍOCHAS

Ba mhaith liom mo mhórbhuíochas a ghabháil ar dtús leis an Ollamh Seán Ó Coileáin a bhí mar stiúrthóir agam agus mé ag gabháil den saothar seo. Thug sé idir chabhair agus spreagadh dom ó thosach deireadh agus is é a bhí foighneach liom i gcónaí. Táim faoi chomaoin go mór ag beirt–Niamh Bean Uí Laoithe agus Cáit Bean Uí Chonaill–a thug deis dom féachaint ar an mbailiú leabhar a bhí ag a n-athair críonna Tomás Ó Criomhthain. Táim buíoch chomh maith do Esther Bean Uí Dhonnchú a chuir dírbheathaisnéis neamhfhoilsithe a hathar Cormac Ó Cadhlaigh ar fáil dom i dteannta roinnt scríbhinní a chuir Tomás Ó Criomhthain chuige. Mo bhuíochas leis do Fhinín Ó Siochfhradha a thaispeáin cnuasach a athar Pádraig (An Seabhac) dom.

Daoine eile a thug cabhair dom is ea an tOllamh Bö Almqvist agus Bairbre Ní Fhloinn sa Choimisiún Béaloideasa a thug cead dom cóipeanna a dhéanamh de na litreacha a chuir Tomás go dtí Flower. Táim faoi chomaoin go mór ag Magne Oftedal agus ag Jan Erik Rekdal in Ollscoil Oslo a thug tuiscint níos fearr dom ar shaothar Mharstrander. Thug Ken Hannigan in oifig na dTaifead Poiblí cabhair bhreise dom agus mé ag léamh na dtaifead a bhain le bunscoil Chaitliceach an oileáin. Chuir na leabharlannaithe sna hinstitiúidí seo comhairle orm chomh maith: an Leabharlann Náisiúnta, Coláiste na Tríonóide, Acadamh Ríoga na hÉireann, agus an Coláiste Ollscoile i gCorcaigh.

Mo bhuíochas ar leith do bheirt–James Stewart agus Seán Ó Lúing–a chuir cóipeanna dá gcuid aistí neamhfhoilsithe ar fáil dom. Thug beirt eile–an tAthair Brian Ó Ceallaigh S.P. agus Seán Ó hAragáin–eolas breise dom i dtaobh Bhriain Uí Cheallaigh. Mo bhuíochas do Charmel Bean Uí Spealáin a chuaigh i mbun na clóscríbhneoireachta go héifeachtach.

Thug na daoine eile seo cabhair dom chomh maith: An tOllamh Seán Ó Tuama, Pádraig Tyers, An Dr. Niall Buttimer, Úna Nic Éinrí agus Uaitéar Mac Craith.

SEÁN Ó CRIOMHTHAIN, A BHEAN EIBHLÍS, TOMÁS Ó CRIOMHTHAIN AGUS MUIRIS Ó
SÚILLEABHÁIN

BÉARLA AGUS GAEILGE AG TOMÁS

Sa chéad chaibidil seo, déantar mionscrúdú i dtús báire ar bhunscoil Chaitliceach an Bhlascaoid. Mura mbeadh gur bunaíodh bunscoil náisiúnta ar an oileán le linn óige Thomáis, ní dócha go bhfoghlaimeodh sé an Béarla choíche. Ina theannta sin, déantar scagadh anseo ar an gcaighdeán a bhain sé amach sa teanga sin. Is í aidhm an chuntais seo ná a chruthú go raibh taithí agus cleachtadh ag Tomás ar an mBéarla agus gurbh acmhainn dó aistriúcháin Bhéarla ar leabhair áirithe le Gorcí agus Loti a léamh ar chuma éigin. Níor thug Tomás riamh faoi léamh na Gaeilge ar scoil. Ní mhúintí an t-ábhar seo sna scoileanna náisiúnta i gcaitheamh na haimsire sin. Dá dheasca sin, mar a léirítear ar ball, bhí Tomás scothaosta go maith nuair a luigh sé isteach ar léitheoireacht na Gaeilge ar dtús. I ndeireadh thiar, tá dearcadh Thomáis i leith an dá theanga á léiriú againn.

Bunscoil Chaitliceach

I mí Márta na bliana 1824 is ea a saolaíodh an té ba chionsiocair le scoil Chaitliceach a chur ar bun ar an mBlascaod. Pádraig Ó Mongáin ab ainm dó.[1] Rugadh agus tógadh é láimh le Baile an Bhuinneánaigh i dtuaisceart Chiarraí. Chuaigh sé le sagartóireacht agus bhí sé tamall mar mhac léinn i bPáras. Oirníodh ina shagart é i gCill Airne i Márta na bliana 1848 agus d'fhan sé sa cheantar úd ar feadh breis is bliain. Ansin aistríodh go dtí an Daingean é, mar ar chaith sé leathdhosaen bliana mar shéiplíneach leis an Athair Eoghan Ó Súilleabháin. Ina dhiaidh sin a fuair sé paróiste an Fheirtéaraigh.

Ar an deichiú lá de Dheireadh Fómhair sa bhliain 1854 (an bhliain a tháinig Tomás ar an saol de réir dealraimh)[2], ceapadh an tAthair Ó Mongáin mar shagart paróiste i gceantar an Daingin. Ar ndóigh, mar is léir cheana, bhí sean-chur amach aige ar an dúiche seo. Bhí tríocha bliain slán aige ag an am seo, agus fonn dúthrachtach oibre air. Bhí an flosc céanna gnó agus saothair ar an Dochtúir Daithí Ó Muircheartaigh, an t-easpag nua a bhí ar Chiarraí. Dá bharr sin, d'oibrigh an bheirt acu as lámha a chéile chun feabhas agus slacht a chur ar chúrsaí an pharóiste. Chinn an

t-easpag ar scoileanna agus séipéil dhaingne stóinsithe a thógáil
ar fud Chiarraí. B'é cúram agus dualgas an Athar Ó Mongáin an
t-airgead a bhailiú i bparóiste an Daingin. Mar thoradh ar
iarrachtaí agus ar shaothar na beirte, tógadh trí shéipéal ann an
tráth úd.[3] Ina theannta sin, d'oibrigh an bheirt acu ar a seacht ndícheall
chun cosc a chur le leathnú an Phrotastúnachais sa cheantar.
Bíodh go raibh an tAthair Ó Mongáin mór le Parson Swindall,
agus cé gur mhinic a thugadh sé cuairt air, choisc sé ar mhuintir
na háite aon chumarsáid ná caidreamh a bheith acu leis na
Bíoblóirí. Níos luaithe ina shaol, in aimsir an Ghorta, tháinig olc
air nuair a chonaic sé na hoileánaigh ag freastal ar scoil Phrotas-
túnach an Bhlascaoid.[4] Bhris ar an bhfoighne aige agus thug sé
fúthu go fíochmhar. Tugann Tomás cuntas dúinn ar an scéal:[5]

Is sé an T'athair Ó M-iongáin, an Sagart Paróiste, a bhí air bheatha na
h'áite-seo an núair-sin, Sagart a bhainn raomsach asta [Na Pro-
tastúnaigh]. Dá dhainneacht a chuireadar róampa, bhí sóart com-
heacht aca. mar bhí an gabhanntar a tosaniúghadh annuair-seo, 7
breabeanna beaga le tabhairt amach aca, 7 dá fheabhas a tá an
Saoghal fé láthair, tá raigínn le fághail chuin í a ghlacadh; Núair a bhí
an tig-scoile-seo súas aca, bhí an Sagart sa n'Oileán lá, 7 do ghlaoidh
sé chuige air na daoine, Dúbhairt sé leó go m'beadh curóag-liath a
sgréachaig air bharra an T'siminné na scoile-sin. 7 ná beadh aoine ann
chuin í bhagairt. Agus Teampall leó, a bhí thúaidh a naice leis féin, go
m'beadh sé gan áitreamh, 7 é an fhotharaigh, go m'beadh a smut féin
aige gach n'duine as, gan fear fág-sion air. Agus go raibh daoine na
láthair a mhairfheadh le sion fhisceint 7 na dhíadh. Sinné, an com-
hradh go raibh an bonn leis, 7 an fhúaimeant. Sé an comhradh a bhí
fíor é.

Bhí an tAthair Ó Mongáin ar fiuchadh le fearg nuair a thóg sé an
cibeal agus an raic seo, ach ar ndóigh níor thógtha ar na
hoileánaigh bheith ag freastal ar an scoil Phrotastúnach. B'í scoil
an tsúip chomh maith í agus dháiltí súp agus min bhuí go rialta ar
na daltaí inti. Ní foláir a mheabhrú nár tháinig muintir an oileáin
slán ón nGorta ach oiread le haon duine eile agus gur mhinic
nach mbíodh de theacht isteach acu ach an méid a bhronnadh na
Protastúnaigh orthu. 'Dhein Rev. Gayer agus Parson Moriarty
agus Parson Hamilton... fóirithint mhór ag roinnt praisce ar
dhaoine, pé acu Caitlicigh nó Protastúnaigh iad, i rith an
Ghorta.'[6] Ag an am gcéanna, caithfidh gur chuir na cúrsaí seo
buaireamh mór ar an Athair Ó Mongáin agus gur mhéadaigh siad
ar a dhíograis agus gur spreag siad a thuilleadh é chun bunscoil
Chaitliceach a oscailt ar an oileán gan mhoill.
I Lúnasa na bliana 1863 thug an Dochtúir Ó Muircheartaigh

turas ar an oileán chun leanaí a chur faoi láimh easpaig ann. An Tiarna Mac Aogáin a bhí lena chois ar an gcuairt sin, agus de réir litreach a scríobhadh fiche blian dár gcionn, ghoill drochstaid na háite chomh mór sin air gur bhronn sé cúig phunt is fiche ar an Dochtúir Ó Muircheartaigh chun teach scoile a thógáil ann agus bunscoil Chaitliceach a oscailt[7]. Tapaíodh an deis láithreach agus réitíodh an teach scoile. 'With this money a house on the island was purchased + fitted up as a school.'[8] Ní raibh ach an t-aon seomra amháin i dteach na scoile. 20' x 13' x 84' na toisí. Ní fada a thógfadh saothar dá leithéid seo agus a chomhartha lena chois mar bhí an tógáil déanta i gcomhair na hathbhliana.

Tomás ar Scoil
Ar an séú lá d'Eanáir sa bhliain 1864 is ea a cuireadh scoil an Bhlascaoid ar bun.[9] 9337 uimhir rolla na scoile, agus an tAthair Ó Mongáin a bhí mar bhainisteoir uirthi. Fostaíodh Áine Ní Dhonnchadha sa scoil seo ar an gcéad lá d'Fheabhra.[10] Ina dhírbheathaisnéis, *An tOileánach,* tugann Tomás tuairisc dúinn ar Áine agus ar na múinteoirí eile a bhí aige. Cé go bhfuil an cuntas seo ar a laethanta scoile suimiúil ann féin, ní i gcónaí a bhíonn sé cruinn ar fad. Ar ndóigh níor thógtha ar an gCriomhthanach an scéal a bheith amhlaidh, mar blianta fada i ndiaidh dó an scoil a fhágáil a bhí an leabhar á scríobh aige. Seo thíos i dtús báire a chuntas ar an lá a tháinig Áine isteach don oileán ar dtús:[11]

Tháinaidh lá ana bhreágh lá Domhnaigh do 'beadh é, do thug rud éigin bád-mór ó Dhún Chaoin isteach, ní raibh aon cur-amach air naomhóga an uair-sin ná is fada na dhíaidh go raibh, anuair do shroith an bád an Caladh, dúbhairt na daoine go raibh bean-Uasal innti, ach bí bean í ná Maighistreás scoile. Air chlos an sgéil-sin dham-sa níor chuir sé paoínn suilt orm, mar is Sidé an T-aom díreach do bhíos a tosaniughadh air bheith ag gimeacht a slat-fhíach dam féin ó Thráigh go cnuc 7 gan aoinne a faire am dhíaidh anúair-seo mar bhíos am chleithaire fir dar-leó.

Chrom Áine ar bheith ag teagasc i scoil an oileáin ar an Luan. Ní raibh Tomás mar scoláire aici an chéad lá, áfach. Deir sé gur éalaigh sé uaithi an lá sin. 'Seadh! dé lúain Taréis bídh na maidinne do bheith caithte ní raibh fear an bhríste-ghluis le faghail, bhí na giorachailí olamh chuin scoile ach ní raibh an feáire le faghail, Cuireadh Máire amach air ma Thúairisc, ach thug sí cúnntas chuin ma Mhathar go reabhas a lorag dhonnán'.[12] Cé thógfadh air é? Bhí naoi mbliana slán aige faoin am seo agus gan aon taithí ar léann ná ar leabhar roimhe sin aige. Ar aon nós d'fhreastail sé ar scoil ar an Máirt, agus is cosúil

gur ar an lá seo a chuala Tomás Béarla don chéad uair. Tuigimid
ón tuairisc san *Oileánach* gurb é an Béarla a labhair Áine leo an
lá sin nuair a theastaigh uaithi scaoileadh leo. Luann Tomás an
t-iontas a bhí air, agus an gheit a baineadh as, nuair a chuala sé
an focal 'playtime' uaithi ar dtús. 'Bhainn an focal-so leatha as
ma shúile, mar n'fheadar cad é an sóart bríghe do bhí leis'.[13]
'Home now, abhaile anois' a dúirt Áine leo nuair a tháinig am
scoir.[14]
Caithfidh gur thug Áine faoi léitheoireacht an Bhéarla a
mhúineadh dóibh go luath ina dhiaidh sin. Is é is dóichí gur trí
mheán pictiúirí a dhein sí é seo a chur i dtuiscint dóibh. Seo thíos
cur síos ag Seán Ó Criomhthain (mac Thomáis) ar conas mar a
mhúintí léitheoireacht an Bhéarla dó féin. Ní foláir nó bhí na
modhanna múinte ceannann céanna ag Áine, ach amháin nach
móide go ndéanadh sí an focal Gaelach a scríobh. Rud eile, an
múineadh a fuair Seán sa Bhéarla bhí baint nár bheag le saol an
oileáin aige: an t-asal, an chaora, an coinín, an gabhar agus, gan
amhras, an bád:

Pictiúir asail a bhí ag an múinteoir agus scríobh sé 'asal' ar thaobh
amháin de, agus scríobh sé 'donkey' nó 'ass' ón taobh eile. As sin
amach ansin gheibheadh sé pictiúir caorach, nó pictiúir coinín nó
pictiúir gabhair, agus go mórmhór gheibheadh sé pictiúir na mbád
agus na seolta, agus chuireadh sé an Ghaeilge agus an Béarla orthu.
Thosnaigh sé ansin le sinn a chur ag léamh an Bhéarla, cúpla abairt
bheag anois as leabhair shimplí. Ach an bhfuil a fhios agat é, nuair a
bhíomar ag éirí aníos, nó ag fás suas, faoi mar a déarfá, tháinig dúil
againn ann.[15]

Bhí leabhair Bhéarla ar scoil an oileáin leis. Deir Tomás gur thug
sé 'leabhair 7 páipéair Thall 7 abhus na m'builc bheaga' faoi
deara an chéad lá ar scoil dó agus ní móide gur i nGaeilge a
bhíodar.[16] I Meitheamh na bliana sin 1864 a deonaíodh leabhair
ar dtús ar an áit. 'Books for 30. Granted on condition that
teacher be qualified at expiration of 6 months from 1.2.'64'.[17]
Cad iad na leabhair iad seo? Ní fios go cruinn baileach, ach
b'fhéidir nach mbeimid ag dul rófhada amú, má deirimid gurbh
iad na leabhair chéanna iad, a bheag nó a mhór, a bhí ag Seán Ó
Criomhthain na blianta ina dhiaidh sin. 'Ó bhí leabhar Béarla ar
scoil leis againn. Ní fheadarsa cén ainm a bhí air siúd anois,
Macbeth nó rud éigin.... Bhí sé againn ina leabhairín beag. Bhí
Macbeth agamsa an dá bhliain dhéanacha sarar fhágas scoil....
Agus bhí ceann eile againn a dtugaidís *Ballad, Fact and Fancy*
air. Bhí.'[18]
Ní foláir nó chuaigh sé dian ar Áine agus ar na múinteoirí eile

a lean í, an Béarla a chur i dtuiscint do pháistí an Bhlascaoid. I
litir a scríobh an tAthair Liam Mac Aogáin, bainisteoir na scoile,
fiche bliain ina dhiaidh sin dúirt sé go raibh sé beagnach
dodhéanta an teanga a chur abhaile orthu:

The observations I made as to the *Irish* difficulty I meant to apply not
only to the Blasket Island School but all my schools. You must have
observed yourself in your visits to these schools that the children
understand scarcely a word of what they read–that they do not in fact
understand an *unusual* question asked of them by the inspector, priest
or teacher.

English is in truth a *modern* or *foreign* language to these children–a
language which they hear not a word of in their homes or intercourse
with one another. The present mode of teaching them English is like
introducing a National school with its English books and English
everything ready made into the heart of France with a view to
teaching the children there English without any *graduated intro-
duction*. This method of teaching English in Irish-speaking districts
has been in operation for the past half century and has signally failed–
and this thro' no fault of the teachers. My curates, my teachers and
myself have frequently tried to prepare a class of the smarter children
in the *English* catechism for confirmation and the invariable result has
been an *almost* complete breakdown.

The efforts of the children in endeavouring to learn a new language
by trying to forget the old and every-day one seem to have a most
stupefying effect on them.[19]

Ar an tríochadú lá de Mheitheamh a fuair Áine a pá. £3.17.9 a
bhí le fáil aici don tréimhse cúig mhí a bhí caite aici ar an
mBlascaod. I mí Meán Fómhair fuair sí £2.6.8 agus i mí na
Nollag bhí £3.10.0 breise tuillte aici. Íocadh £5.4.7 as fearas don
scoil an bhliain sin leis. As sin amach d'íoctaí £3.10.0 go coitianta
in aghaidh na ráithe léi.[20]

Tá sé spéisiúil breathnú ar líon na ndaltaí a bhíodh ag freastal
go coitianta ar scoil an Bhlascaoid an tráth úd. Choimeádtaí
cuntas oifigiúil in aghaidh na ráithe ar an tinreamh scoile. Tá na
huimhreacha leagtha amach i bhfoirm cláir anseo agam.[21]

Ráithe dár críoch		Meán-Tinreamh Scoile
30 Meitheamh	1864	19
30 Meán Fómhair	1864	31
31 Nollaig	1864	31
31 Márta	1865	30.3
30 Meitheamh	1865	22.9
30 Meán Fómhair	1865	22.2
31 Nollaig	1865	20.4

Ráithe dár críoch		Meán-Tinreamh Scoile
31 Márta	1866	[in easnamh]
30 Meitheamh	1866	[in easnamh]
30 Meán Fómhair	1866	20.1
31 Nollaig	1866	21.1
31 Márta	1867	19.6
30 Meitheamh	1867	17.9
30 Meán Fómhair	1867	14.9
31 Nollaig	1867	15.2
31 Márta	1868	18.9

Is léir an gclár seo go mbíobh an tinreamh scoile sách ard le linn d'Áine bheith ag múineadh i scoil an Bhlascaoid. Caithfidh gur an-mhúinteoir ab ea í agus go raibh a ceard go paiteanta aici agus a rá gur mheall sí an oiread sin chuici agus gan aon taithí ar scoil roimhe sin acu. Ní foláir nó bhí uaigneas ar mhuintir an oileáin ina diaidh nuair a cuireadh fios abhaile uirthi. Bhailigh sí léi uathu ar an dara lá is fiche d'Fheabhra sa bhliain 1868 chun fear de mhuintir Granville a phósadh.[22]

D'fhág sin an scoil dúnta folamh ar feadh coicíse, go dtí gur tháinig Cáit Ní Dhonnchadha, deirfiúr d'Áine, ar an bhfód.[23] Ar an séú lá déag de Mhárta a ceapadh mar bhunmhúinteoir ar an oileán í,[24] agus mar is gnách le haon mhúinteoir nuacheaptha riamh, dhein Cáit na scoláirí a bhreithniú go maith i dtús báire. Más fíor do Thomás, b'é a dícheall iad a mhúineadh bhíodar chomh tapaidh, chomh tabhartha suas sin. Seo cuntas Thomáis ar an scéal agus ní abraim ná go raibh sé claonta:[25]

Bhí leabhair bheaga nuadh aici seo á Thabhairt amach. Bhí an clár-dubh go gnothach aici-seo, a lat 7 a leigheas gach nígh do bhíodh air, 7 Thagadh dhá shúil mhóra dhi, mar is beag do chuireadh sí air ná go n'déineadh duine éigin é réightach, 7 do béigeant di é neartiú.

Bhí anna dhúil aige h'ógaibh an Oileáin-seo ansa n'obair nua-so, 7 ó nuair go raibh do bhí míannach fé leith iongeanta chuin foughlaim.

Cuid againn 7 míannach Rí ann, míannach na mara −7 na farraige móire iongeanta eile, an siolladh gaoithe do ghlúaisaidheach ó bhruachaibh na mara, a buadhla ansa clúasa gach maidean ortha a glanna na h'innichean 7 na smúite as a b-plaosc.

Ar an lá déanach den mhí sin ní raibh an punt féin tuillte ag Cáit−aon scilling déag agus ocht bpingin chun a bheith cruinn. Ina dhiaidh sin, trí phunt deich scilling in aghaidh na ráithe a bhíodh aici á fháil.

Le linn do Cháit bheith ag teagasc ar an oileán, más fíor do Thomás, thug beirt chigire cuairt uirthi, chun í a chur faoi thriail. Nuair a ghluais an chéad fhear díobh chucu, deir Tomás go raibh an scoil trína céile aige. Bhí spéaclaí á chaitheamh aige agus gan aon taithí ag muintir an oileáin ar a leithéidí. Ní fada go raibh na leanaí ag séideadh is ag magadh faoi. Tháinig cochall ar an gcigire agus ghlan sé leis as an áit go diair, ach ní dhearna gan tabhairt faoi mháistreás ar dtús:

Níor bh-fada gur bhuail sé isteach thríd an d'tig bhí duine amhus 7 duine Thall 7 bas air a m'béal aca, 7 na cailíní ba mhódh do leig duine aca gáire, 7 níor ró fhada gur fhreagair duine eile í, an cigaire 7 a cheann sa spéir aige, a féachaint air a bhfhalla, a féachaint sa fratheacha, a féachaint air na scoláirí tamall eile.

A mhuire arsion Rí, a g'cogar liomsa, 'Tá cheire súile ann ar seisean, Tá 7 solus dá réir iongeanta, arsa mise leis, n'fheaca riamh– Roimis-seo a leithéid do dhuine ar seisean, –aon úair do chasach sé an ceann, do bhíodh sgáil na shúile, fé dheire do phléasc a raibh istig air gháiraí– an chuid mhór go leir, 7 an chuid bheag a sgréachaig leith eagla, IS beag nár Thit an Mháighistreás le náire, 7 do Tháinaidh ana bhuile air an g'Cigaire, Dianfhaidh sé lá murdail arsion Rí aríost ana íseall liom féin, nua n'feadar an b'feacaidh aon duine riamh aon duine eile go raibh cheire súile ann ar seisean, Sé-so an chéad duine riamh do chonnaic na h'ogaibh go raibh spéacalaí air.

Do thug an Cigaire greada mhaith cainnte do'n Mháighistreás, eallagar nár Thuigeasa, ná éinne air scoil, 7 as a n'greada cainnte sin do–do laimhsigh a mhála bothair 7 do bhuail an dorus amach, do chúaidh air bórd an bháid do bhí braith leis 7 níor tháinaidh an Bhlascaod riamh ó-thoin.[26]

Ach mura bhfaca scoláirí an oileáin an fear sin níos mó, níorbh fhada go raibh an dara duine ar a shála. Is é is dóichí gur mar gheall ar ghearán a bhí déanta ag an gcéad duine a thug sé seo cuairt ar an áit. De réir dealraimh, d'éirigh go geal le scoláirí an oileáin sa triail seo. Bhronn sé scilling ar an mac léinn ba chliste agus ba stuama i ngach rang. Chruthaigh Tomás go tofa an lá sin, mar b'eisean a bhuaigh an scilling sa rang ina raibh sé, de réir a chuid cainte féin pé ar domhan é. 'Bhí an Cigaire go geal-gháiriteach le línn imeacht dó. Thug sgilling do'n té b'fheárr IS gach ranng, agus air shínne na sgilling ár ranng-na, ní hé an Rí shroith í, mar is mé-féin do fuair úaigh í'.[27] Ag deireadh na bliana sin, d'éirigh Cáit as a post ar an oileán.[28] Ar chuma na deirféar roimpi ghlan sí léi amach chun pósta. Trí ráithe a bhí caite ann aici agus fé bhun tríocha scoláire ag freastal go rialta uirthi. Deir Tomás ar imeacht dhi, 'ní reabhas am ollamh a m'Béarla ná naon ghaor do'.[29]

Ar an aonú lá déag d'Eanáir na bliana 1869 fostaíodh Roibeard Mac Gabhann ar scoil an Bhlascaoid.[30] De réir cosúlachta, múinteoir fuar gan mhaith ab ea é, agus doicheall dá réir ar na

scoláirí roimhe. Fad a bhí Roibeard os a gcionn, níorbh fhéidir
leis smacht ná comhairle a chur orthu. Deir Tomás nár thug sé
ach trí mhí ar an oileán, mar go raibh ag dul de aon lámh a
dhéanamh ar na leanaí. 'Níor b'fhada go raibh fead á dhéanamh
fé Roibeárd aige garsúan, 7 gáire aige gíarsaigh, 7 a bhicó
pantalóga móra graoidhe a doll go dí an scoil ansa n'aom
úghad,–Daithin Roibeárd go maith ná fíadfheadh sé an bheart do
dhéannamh na measc, 7 níor Thug sé againn ach Trí mhí'.[31]
Tagann an cuntas oifigiúil leis seo. Ag deireadh mhí an Mhárta sa
bhliain 1869, díoladh £3.6.8 le Roibeard as a chuid saothair.
Bhíodh beirt is tríocha nó níos mó ag freastal air le linn na ráithe
sin. Níl a thuilleadh tuairisce air sa chuntas oifigiúil ina dhiaidh
sin, áfach, agus dhealródh sé gur bhailigh sé leis as an áit an tráth
sin, agus gur fágadh an scoil dúnta go ceann bliana agus ráithe.
Cé nach mar a chéile ar fad an téarma aimsire ag Tomás tá
tagairt aige don bhearna nua seo ina chuid scolaíochta: 'bhí
bliadhain nách mór dúnta aige an scoil anuair-seo'.[32]
    Ar an ochtú lá d'Eanáir sa bhliain 1870 d'éag bainisteoir na
scoile, an tAthair Ó Mongáin, agus gan ach sé bliana agus dhá
scór slán aige. 'Ní raibh sé láidir riamh ina shláinte, agus bhí sé
croíbhriste toisc mí-ádh an tsaoil a bheith ar a mhuintir. Púir
mhór don bparóiste ab ea é agus chuireadar leac chuimhneacháin
dó sa tséipéal [Séipéal Naomh Uinseann i mBaile an Fheir-
téaraigh] mar chomhartha buíochais.'[33] Breis is dhá mhí ina
dhiaidh sin, ar an 13 Márta 1870, ceapadh an tAthair Liam Mac
Aogáin mar shagart paróiste ar an Daingean. 'Bhí dlúthchaid-
reamh ag an Athair Mac Aogáin le pobal an pharóiste. Deirtear
go raibh sé chomh haerach le héinne sa pharóiste.'[34] B'eisean a
bhí mar bhainisteoir nua ar scoil an oileáin, agus níorbh fhada
gur fostaíodh múinteoir nua i gcomhair na scoile sin, agus gur
osclaíodh athuair í.
    Ag deireadh Mheitheamh na bliana 1870 ceapadh Mícheál Ó
hAnaifín mar oide scoile sa Bhlascaod.[35] De réir Thomáis sean-
duine caite míshláintiúil ab ea é; dar leis nach raibh i gceist ag an
sagart ach an bhearna a líonadh go ceann tamaill ar chuma éigin:

Sgriosiúghnach d'fhear mór árd, laom do beadh é, 7 cumadh
dhroithshláinteach air, 7 cumadh chríonna na Theannta sion air. Bhí
sé pósta 7 a bhean a naonnacht leis 7 beirt leanbh aca, Bhí Trí cosa
fé'n mnaoí, cos chliste, cos ghearra, 7 cos mhaide... níor bh-fhada ó'n
n'áit iad. Ó Pharóiste an n'feirtéaraigh an fear, 7 do Threibh Dhún-
Chaoin do beadh an bhean.
    Do bhaineadar tig na scoile amach, mar do bhí deibhilt ansa Tig
chuin na múinteoirí do loniú ann, Do ghlacheadar seilimh ann....
Seana-Shaighdiúir do fuair cupla gráinne ansa n'aram do beadh é, 7

do bhí raol sa ló aige, ní raibh sé na chumas a bhróga do dhúnna ná cromadh chuige do dheascaibh an ghráinne do chúaidh na chlíothán.... .

Bhí oidí scoile tearc an úair úghad, 7 do chúaidh do'n t'Sagart aon duine fhághail, 7 anuair do b-fhada leis do bhí an scoil gan aoinne, do chuir sé é-seo ann go ceann Tamail. Ní raibh so an aon Choláiste ríamh, ná é ró-mhaith air a m'bunscoil ach oiread. Pé sgéal é beo leis a léighean air siubhal air maidin dé lúain.[36]

Ní raibh aon duine as láthair ó scoil an Bhlascaoid an chéad lá a bhí an múinteoir seo is déanaí ag múineadh inti. Theastaigh uathu a fhios a bheith acu cad é an sórt an fear nua, gan amhras. Deir Tomás 'ní raibh aoine a n'asnamh air an scoil an lá-so, muinnteóir nuadh darnó, is beag nár chuaidh na daoine aosta a fhéachaint cunnas mar bheadh an Maighistir a déannamh.'[37] Mar is léir ón gcuntas oifigiúil, áfach, ní fada bhí an scéal amhlaidh, agus ba ghairid go raibh an tinreamh ag titim. Seo thíos tinreamh scoil an Bhlascaoid idir Márta 1870 agus Márta 1876. Aithneofar láithreach bonn go bhfuil na huimreacha seo íseal go maith, go háirithe nuair a chuimhnítear go mbíodh beirt is tríocha ar scoil go coitianta ag Roibeard bliain roimhe sin. Agus, mar is léir ó na huimhreacha thíos, is in olcas a bhí an scéal ag dul de réir a chéile.[38]

Ráithe Dár Críoch		Meán-Tinreamh Scoile
30 Meitheamh	1870	21
30 Meán Fómhair	1870	22.7
31 Nollaig	1870	20.9
31 Márta	1871	23
30 Meitheamh	1871	20.8
30 Meán Fómhair	1871	21.2
31 Nollaig	1871	19.9
31 Márta	1872	24.9
30 Meitheamh	1872	20.4
30 Meán Fómhair	1872	17.1
31 Nollaig	1872	15.8
31 Márta	1873	12
30 Meitheamh	1873	17.3
30 Meán Fómhair	1873	19.7
31 Nollaig	1873	18.6
31 Márta	1874	19.2
30 Meitheamh	1874	12.6
30 Meán Fómhair	1874	12.9
31 Nollaig	1874	13.5
31 Márta	1875	14.6
30 Meitheamh	1875	16.1
30 Meán Fómhair	1875	19

attendance

Ráithe Dár Críoch		Meán-Tinreamh Scoile
31 Nollaig	1875	18.1
31 Márta	1876	18.0

Thugadh na cigirí turas ar scoil an oileáin go rialta i gcaitheamh na mblianta seo. B'fhéidir gurbh iad uimhreacha ísle an rolla faoi deara na cuairteanna seo, nó cuid aca ar a laghad. Seo thíos blúirí as cuntais na gcigirí le linn na haimsire sin.[39] Sa bhliain 1871, tar éis dó an rang a cheistiú agus a bhreithniú, thug cigire áirithe mar thuairisc ar na scoláirí go raibh an Béarla á phiocadh suas go tiubh acu cé nach é a bhíodh á labhairt eatarthu féin acu: '[They] use Irish as their ordinary language but appear to be learning English very successfully and on the whole to be benefitting by the school'. Léiríonn an cuntas seo go mbíodh béim láidir ar an mBéarla thar aon ábhar eile i gcuraclam na scoile, agus gur air sin is mó a bhíodh an cigire ag faire. An bhliain ina dhiaidh sin, 1872, bhuail an cigire chucu arís. Thaitin an scoil agus na scoláirí go maith leis, an dul chun cinn a bhí déanta acu, agus mhol sé iad mar leanas: 'I am happy to find that considerable progress has been made since last inspection by the pupils in the acquisition of the English language also that fair progress has been made in reading, writing and arith.[c]'

Ní raibh an caighdeán seo buan, áfach, agus faoi cheann dhá bhliain eile, tar éis don chigire cuairt eile a thabhairt ar an scoil is amhlaidh a bhí díomá air agus fearg ina theannta sin. Níorbh aon ionadh an múinteoir bocht bheith buartha cráite, tar éis dó sciolladh mar seo a fháil sa chuntas oifigiúil: 'If (teacher) expects to retain his salary from the Board, he must show that the pupils are deriving true benefit from his instructions.' Rinneadh gearán crua leis an mbainisteoir chomh maith. 'Statements of Inspector (That the Sch has retrograded in profy since last Insp[n]. that proficy is simply nothing. and recommending withdr[l] of saly from teacher.) brought under notice of Man[r]. Man[r]. requested to state whether anything can be done for improvement of school which appears to be worthless.'[40] Dóbair go mbrisfí Mícheál as a phost ar an oileán agus go dtabharfaí bata is bóthar dó ach tugadh síneadh breise dó le súil go rachadh an scéal i bhfeabhas: 'Writer informed that salary has been continued for a time on further trial but if after such trial the teacher be again found incompetent it will certainly be withdrawn'.[41]

Cad faoi deara an drochmheas seo? Ní gá ach breathnú ar an tinreamh scoile. Más rud é nach mbíodh ach dáréag ag freastal ar scoil gach lá, caithfidh go mbíodh formhór na ndaltaí in easnamh go rialta. Mura raibh na páistí ar scoil, conas ab fhéidir iad a mhúineadh? An chéad bhliain eile 1875, d'ardaigh na huimreacha beagáinín. Nuair a tháinig cigire eile don scoil thug sé a phas do Mhícheál; is amhlaidh a bhí iontas ar an bhfear nua a fheabhas a bhí na daltaí múinte aige. 'I did not expect to find anything like proficiency and intelligence among these children'. Ach ní raibh na cosa tugtha fós ag Mícheál leis mar ag deireadh na bliana, cheistigh an Roinn an bainisteoir, an tAthair MacAogáin, toisc na huimhreacha a bheith ag titim: 'attention of manager called to low average. Roll book problems'.[42] Bhí cigire ag teacht faoi dhéin Mhíchíl arís. Ba dhóigh le Tomás go raibh an t-oide sceimhlithe ina bheatha roimhe seo agus gurbh in é faoi deara crith cos agus lámh a theacht air:

Cé gur laom buidhe an conntanóas do bhí air a Maighistir, ba dhóil leat nár bhé an fear Céadhna anauir-seo é. Tháinaidh spionna beag súas an aghaidh, féin mar bheadh duine do bheadh beagán íadrom na chéil, 7 ní deirim na go raibh sion a baint leis, anuair-seo pé rud eile de bhí na Theannta air....

Bhí gach n'duine beag 7 mór again air bheagán cainnte anuair-seo, ach pé gnó do bhí deir lámha againn á dhéanamh go ciuin, Níor bhada dham gur ghaibh an Máighistir chugham 7 figúirí air shlínn aige, 7 dubhairt liom íad a chaitheamh súas có luath 7 do b'fhéidair liom é, ba bhéarna réigh liom-sa sion do dhéannamh 7 do dhinneas gan mhaoíll, is sé an Cigaire do chuir chuige féin íad, ach ní raibh sé na chumas íad a cur le chéile.[43]

Is é is dóigh le Tomás gur chuir na himeachtaí seo go léir isteach ar shláinte an mhúinteora; buaileadh breoite gan mhoill é. 'Tuisc ná raibh an T-oide ró shláintiúbhail Do Thug sé T-aom breóteachta as an g'crioth-eagla do chuir an Cigaire Air'.[44] Tagann sé seo leis an gcuntas oifigiúil. Ón deichiú lá d'Fheabhra go dtí an t-aonú lá is tríocha de Mhárta sa bhliain 1876 bhí Mícheál gan a bheith ar fónamh agus ghlan sé leis as an áit ina dhiaidh sin.[45] Deir Tomás 'cé go raibh an scoil air osgailt gach lá, Dubhairt an Maighaistir liom go m'beadh sé baodhach go deó dham ach seasamh a measc na n'gramthaisc, 7 go m'beadh an Rí am, chóngnamh'.[46] Sa chuntas oifigiúil tá tagairt shuimiúil do bheirt 'mos' (is é sin 'monitors' is dócha) a bheith ar scoil an Bhlascaoid ar feadh tamaill idir Márta agus Meitheamh na bliana 1876; tharlódh gurbh iad Tomás agus a pháirtí, Pádraig Ó Catháin, an bheirt sin.[47] Seo thíos cur síos Thomáis ar an tráth úd:

Bhíos féin 7 an Rí ár dhá mhuinnteóir air feag mí, 7 ní á bhreith as-so é, ba bheirt sin ná raibh le modhla, mar pé rud do bhí ár g'cumas do

dhéannamh, ní leigfheadh an mi-artúan ná na crosa dhuin é dhéan-
namh, bhí balcairí díannta ládair air scoil an Bhlascaoid anuair úghad,
7 ba mhódh go mór do bhíodh clis na cúirtéireacht air siubhal again ná
dínntiúbhairí an léighin. ach pé sgéal é do breacach an mí amach air
an g'cumadh-so, gan bhúairt gan bhrón.[48]

Is léir ó chuntas Thomáis gur fhág sé an scoil le himeacht
Mhíchíl, bíodh gur fostaíodh Pádraig Ó Dálaigh ann ag tús mí na
Bealtaine an bhliain chéanna.[49] Ar aon slí bhí Tomás mós críonna
le bheith ag freastal ar bhunscoil a thuilleadh: bhí bliain is fiche
slán aige ag an am seo agus aon bhliain déag acu caite ar scoil
cheana aige, fiú mura mbíodh fáil ar scoil ná ar mhúinteoir i
gcónaí aige ná fonn mór scolaíochta air féin uaireanta eile
b'fhéidir.

Béarla Thomáis
Ceist thábhachtach a chaithfear a bhogadh agus a phlé ná cén
caighdeán a bhain Tomás amach sa Bhéarla. Is í an tslí is fearr
agus is éifeachtaí, dar liom, chun an caighdeán seo a mheas, ná
féachaint ar na litreacha i mBéarla a scríobh sé. Fós, ach oiread
leis na litreacha Gaeilge ní hé taobh na teanga féin amháin a
bhfuil tábhacht leis iontu agus caithfear a cheart a thabhairt do
gach taobh díobh. Seo thíos an chéad litir a sheol sé go dtí Robin
Flower agus 29 Lúnasa 1910 mar dháta uirthi. Tá an chéad leath
den litir seo scríofa i nGaeilge. Ina dhiaidh sin feictear meascán
den Bhéarla agus den Ghaeilge agus oiriúint aige á dhéanamh
don fhear eile:

> Dear young Gentelman I dont like to finish this letter in Irish for fear
> that you wouldent understand the whole of it although I rather write
> to you in Irish than in English. Táim cortha ó'n mbóthar I am tired of
> the road, ní'l aon chabhair agam o d'fhágais me
> I have Know help since you left me....
> Dear Sir,
>   let me Know if you please if you understand this letter for if I
> think that you would understand what I send you in Irish I wouldent
> be [tired] of writting to you untill tomorrow morning[50]

Bhí an freagra chun a shástachta, ní foláir, freagra nach bhfuil
fáil air ach oiread le haon scríbhinn eile dár chuir an Bláithín
riamh go dtí é, mar is i nGaeilge ar fad na litreacha as sin amach.
    Ba mhinic áfach a sheoladh Tomás litir nó cárta poist go dtí
bean chéile Flower (Íde Máire Flower). Uaireanta is istigh in aon
chlúdach amháin leis na litreacha go dtí Flower a chuirtí iad seo
chuici. I mBéarla briste a scríobhtaí an comhfhreagras de ghnáth,
ach, mar a deireadh Tomás go coitianta leis an mbean chéanna,

ba le hómós di a bhreacadh sé síos an blúire pearsanta di: 'I think I would be a long time writting the Irish before Bláithín would make me stop but that wouldent do, for I have as much Respect for you as I have for Himself'.[51] B'fhearr leis go mbeadh a giota féin le léamh aici i ngach litir go dtí Flower. 'Now I am not going to give Mr Flower, all the Honnor. of course if this letter was all Irish when he would read it he would throw it on the table, but I will make him, not to do so, and that he must hand it to You to reade your own portion of it, yourself'.[52] D'admhaíodh sé i gcónaí nach raibh a chuid Béarla cruinn ná ceart, mar nach raibh an teanga sin ar a thoil aige, ná é ina thaithí ach chomh beag. 'Dear Madam. as I wouldent thrust Bláithín to translait the Irish for you. because, He wouldent but what he likes himself, I will send you always a bit written in your own language, if not well, I hope you will excuse me'.[53] Fós b'fhearr leis litir lochtach, lán de bhotúin a scríobh go dtí í, ná bheith ina thost:

> This Irish letter wouldent Please the two of ye of course And I am going to Please the Mistress as well as you.
> Dear Mrs Flower...
> and whatever I am going to say with you, I am doing so willingly, and in your own language wheather it is good or bad I hope you will excuse me.[54]

B'é an scéal céanna aige féin é, ar an slí eile timpeall, mar ba mhinic a bhíodh air cur suas le Gaeilge bhriste ó dhaoine eile: 'M[r]. Flower might not translate, what's in the Irish. So I will write this bit in your own language, Hopping you will excuse bad English, The same as I do bad Irish very often'.[55] D'admhaigh sé go dtéadh sé crua air a chuid tuairimí i nGaeilge a thiontú go Béarla 'hardly I can write anny bit in English, after writting 12 Irish ones'.[56] Thagadh mearbhall air sna hiarrachtaí seo, agus bhíodh dul na Gaeilge ar na habairtí Béarla aige agus ar an lámh féin, dar leis: 'Dear Madam you must excuse me in this writting for my hand is out of order after writting the Irish-one'.[57] Agus pé Béarla a bhíodh aige, agus é i mbláth na hóige, bhí sé imithe as a thaithí, go háirithe maidir len é a scríobh, nuair a chuaigh sé in aois 'hardly I can write my name in English now, for I am spoiled by M[r]. Flower. Writting Irish always to him'.[58] Ar aon nós, níor chuir an fhadhb seo as dó rómhór, mar thuig sé nach mbeadh aon locht ag bean chéile an Bhláithín ar an rud a déarfadh sé, más go bacach féin é:

> I am writting this 'exmas' eve, The small lamp on the table, none inside to bodder me, For all, I rather write seven letters in Irish, than

one in this tongue, Writting the Irish I do be always every day in the
year and nights as well, some of the Irish letters are running in heare,
What harm, I know to who I am Writting, I know well she will excuse
the faults, I know well you would do more than that for me, if I nead
it, it is time for me to Know who you are.[59]

Is léir ó na blúirí a bhreacadh an Criomhthanach go dtí í go
mbíodh cion agus ardmheas ag na hoileánaigh eile chomh maith
uirthi. Bean bhreá, mhórchríoch ab ea í dar leo. 'If you would
hear the Ielanders talking among themselves and the respect they
do give you since you left the Island, you would be fond of them,
and the whole of them would like to heare a good news from ye,
as well as I do, believe me'.[60] I litir eile, mhol Tomás go cranna
na gréine í, agus dúirt nár casadh a leithéid ar mhuintir an
Bhlascaoid riamh roimhe sin: bean uasal a bhí chomh híseal leo
féin, agus meas acu ar a chéile dá réir. Chuir sé in iúl di go
mbeadh fáilte Uí Cheallaigh ag gach oileánach idir óg is aosta
roimpi i gcónaí. Chuir sé comhairle uirthi an Ghaeilge a phiocadh
suas óna fear céile agus gan ligean dó filleadh gan í féin a
thabhairt leis:

Dear Mrs. Flower,
      I think I will send you a few lines in your own language as well
as I can, I knew well that all the Inhabitance of this Island, young and
old, small and large is very much oblige to you, and states that the
like's of you had never crossed the sound before you made yourselve
so lo and little like themself.
      as for me I am sending you my best regard and respect make
Bláithin teach you the Irish and dont let him cross again without being
in his Company, and when you will come againe we will be teaching
the Irish to you, and we wont mind him. Long life and good health
increasing always to Ye. Mise 7 ma mhíle beannacht chuaibh 7
beannacht Dé.
Tomás Ó Criomtain B[lascaod] M[ór].[61]

Ba mhinic a chuireadh sé cuireadh uirthi bualadh isteach go dtí
an t-oileán. 'Dont let Bláithín come here again without being in
His company if you can'.[62] Beidh na fáiltí geala roimpi aon uair a
thiocfaidh sí. 'Bláithín might come to this Island again this year,
and I dont Know will you be with him or not, believe me, you
would be welcome by young and old.'[63]
      Ar ndóigh bhíodh a chúis féin ag Tomás leis an mbean seo a
mholadh. B'fhiú go mór dó caidreamh a dhéanamh léi. Ar
theacht aimsir na Nollag sa bhliain 1911, sheol sí féilire go dtí é.
'I am very much oblige to you, for sending me the nice Calender,
I have it hanging down, and all the boys in the Village will make
use of it as well as myself. I think'.[64] Lean sí den nós céanna ar

feadh na mblianta ina dhiaidh sin. 'I have your gentle present
hanging on the wall safe–and sound. And I am very much oblige
to you, God may spare you and all of ye. I have a present alway,
that none else arround heare can have it'.[65] Bhíodh Tomás
an-mhórálach as an mbronntanas seo mar nach raibh a leithéid
eile ar an oileán, ná fiú in Éirinn ar fad dar leis, agus thais-
peánadh sé do chách idir chara is chuairteoir é. Níor lú a gcuid
iontais siúd ná a chuid féin, más fíor:

> Manny the Strangers that visit this Island this year all of them came in
> to my house, All of them surprised about the Calender, where it was
> got, The reploy. from the Noble Laidy from London'.[66]

> I have received your present, which made me alful glad to get it, it is a
> present that know one else can tell me that he got such a present
> himself from annywheare. such calender's cant be got in Kerry. and I
> think all over Ireland, for everybody that comes in to me, and look's
> at it do be surprised, whatever place he came from.'[67]

Na figiúirí a bheith scríofa go soiléir soléite air ba mhó ab ansa
leis. 'I have received your Present, such a Calender we never saw
before, for the number is to be seen, from anny part of the
house, that you would look from, though all the little presents I
got I was in the absent of any calender only for you. I am very
much oblige to you'.[68] B'in an locht is mó a fuair an Rí ar an
bhféilire a bhí aige féin go raibh na figiúirí an-mhion agus
an-dhlúth ar a chéile air, agus go gcaithfí seasamh lámh leis sula
bhféadfaí iad a dhéanamh amach:

> He [an Rí] dident see the new calender yet. When he will he will say it
> is worth a pound, the same as he says always. he can see the date he
> says from the chair in the corner, and that's not the way with those
> ones he get's himself from Dublin. He must rise and stand long side
> the wall to have a look at them with his four eye's, such a calender is
> not hanging in annywhere in West Kerry it mident be in Ireland. My
> blessing to you that send it to me, and the Blessing of God.[69]

Uaireanta, ní bhíodh d'fhéilire ar an oileán acu ach an ceann a
d'fhaigheadh Tomás sa phost uaithi seo: 'Dear Madam the onely
calender in this Island is your's alone, none from America none
from anywheare, I am very thankful to you'.[70] Bhíodh súil in
airde ag na hoileánaigh leis an bhféilire seo gach Nollaig, agus
mura scroichfeadh sé an t-oileán in am, ábhar cainte acu go léir
idir óg is aosta ab ea é. An amhlaidh a bhí dearmad déanta ag
bean chéile Flower ar é a chur go dtí Tomás? Ba mhó aige an
tabhartas seo ná aon ní eile ab fhéidir le duine a chur chuige mar
bhí lón bliana ann:

I have received your present, just when it was wanting, Dec 28th I am very thankful to you. if you would heare the noise, by those comming in and out. O. the old calender is gone, and you have know new one from Bláithín, ye will see a one from England there before long not from Bláithín, but from His Mistress. who sends them always. They wouldent give a fig for anny other one. I am glad when I hope that ye are well together at home this Xmas, and I hope as well, that ye will be seven times better in health, and Wealth the time you will be looking out for the next new calender as it is expected to come by the Isleanders, when they saw this one. If ye get's out of my memmory it is a wonder as I must visit the present from Coulsdon every day in the year. And by telling the thruth the whole of the Blaskets is giving ye the honnor. they dont give to none else.[71]

Níor chaill Tomás an deis riamh chun tréaslú leis an mbean seo, agus nuair a saolaíodh a céad leanbh di, dhein sé comhghairdeas léi féin go pearsanta. Bhí sé ag súil leis go bhfillfeadh sí arís ar an oileán gan mhoill: 'I am very glad to hear that you are well and has more in the family. I dont Know can you get any way to come again along with Bláithín. himself, will be lonesome after you if he is going to come and We, Iselanders of course would have many Welcomes before you'.[72] Chuireadh sé tuairisc na leanaí go minic, rud nach mbeadh coinne agat leis, agus a laghad cuntais atá againn ar a chlann féin uaidh. 'I like to Know how is yourself and the little Girl getting on, I am sending my thousand Blessings to ye all'.[73] Is minic leis í ag tagairt don ghirseach seo ina chuid litreacha: 'I like to Know how is yourself and little baby getting on, I wish ye well.... Beabara is walking now I suppose, and She has a set of teeth of course, for grinding biscuits for herself'.[74] Mhól sé don mháthair togha na haire a thabhairt don pháiste seo, mar bhí dóchas aige go bpiocfadh sí suas an Ghaeilge ó mhuintir an oileáin. 'Take good care of the little child for she is the only girl that will bring the proper Irish from here with her'.[75] Nuair a saolaíodh an dara páiste do mhuintir Flower, ba chúis áthais agus bróid do Thomás é gur baisteadh ainm Ghaelach uirthi, go háirithe ó b'í ainm a sheanmháthar féin í. 'I like to hear that you are well, and I am fond of the Baby. for I like her name, Síle, an Irish name... I wont forget Babara, how is she'.[76] Ina litreacha go dtí bean chéile Flower, dhéanadh Tomás tagairt dá fear céile leis. 'And I am going to help M^r. Flower, to be an Irish Professor the same as Mr. Marstrander'.[77] Uair amháin nuair nach raibh aon chuntas sroichte chuige ó Flower le fada, tháinig imní air ina thaobh agus chuir sé a thuairisc ar a bhean. An é nach ndeachaigh na litreacha eile chun cinn nó an bhfuil Bláithín gan a bheith ar fónamh?: 'I am not writting too much in this letter, for I am not thrusting it to go a head. I thought I would have the new address long ago, and my thought is laitly that there something in the matter with M[r]. Flower'.[78] Uair eile is í a chuirfidh a aigne chun suaimhnis i dtaobh conas atá acu; is mó an tsúil atá aige le freagra uaithi ná uaidh féin:

> I am writing this bit of Irish to M[r]. Flower, but not Knowing wheather he is at home or not, I wish he was, I am verry sorry that I couldent get ye're account in any way [?], if he is out from home. I am thrusting you to send me an answer, and let me Know how are ye getting on, I know well that this thrust in you wont fail. for I know before this who you are.[79]

Le linn an chogaidh bhíodh an-bhrú oibre ar Flower, agus ba mhinic a thugadh sé an chluas bhodhar do litreacha Thomáis. Siúd ag scríobh go dtí a bhean arís ansin é; níorbh é a dhearmad gan tagairt a dhéanamh don bhronntanas. Ba dhóigh leat nárbh é an ceann a bhí tagtha ar fad é, ach an ceann a thiocfadh b'fhéidir:

> I am going to Write a few lines in English to you, because I wrote a letter in Irish, to M[r]. Flower some time ago. And I dident get anny answer since, He might be out somewhere in some Office about the war, He might be in someWhere from home. Whereever he is. let me know if you please. You know Madam, that I dont be very well Pleased annytime, Without having the account of M[r]. Flower and that's my right. for He is the best man to me under the sun. I wasent a rich man last Christmas before He send me his Kind Christmas-box, that made me rich enough. so I am not very well Pleased untill I will get account from him wherear He is.[80]

Bhí Tomás an-cheanúil ar Flower toisc caitheamh a bheith i ndiaidh na Gaeilge aige, agus, gan amhras, caitheamh ina dhiaidh féin dá réir sin. Ach níor cheart a mheas gurbh é a scéal féin amháin a bhíodh ag déanamh tinnis do Thomás i gcónaí; ba dhóigh leat gur tábhachtaí leis cúrsaí an fhir eile uaireanta:

> Dear Madam, how is M[r]. Flower getting on, and your Children, I thought some time ago. that I neadent be inquiring about Him in English. the two of us were so fond of Irish I dont blame Him, for I Know he has too much to do.
> I gave Him a good council in the last letter I send to him, the best I had. for I Wouldent like to hear that he would be in any danger or throuble. I told him too, to send me a few lines for Xmas, to let me know what place he'd be.[81]

Bhí a thuiscint féin ag Tomás ar an gcogadh agus é i bhfad ó láthair. B'é a thuairim i gcónaí go raibh muintir Flower i mbaol. Níor mhaith leis go n-imeodh aon ní ar aon duine acu. Ach ní raibh le déanamh aige ach an scéal a fhágáil faoi Dhia:

I do be affraid of ye every day by hearing about those Air-Ship's, for
all, I am glad that ye are out from London. for that's the first place in
England, the Enemy is looking out for. I am affraid if they wont make
Piece in time, England will do it when it is too late. dont let M[r].
Flower out there. for another While. the Almighty God might soon
put an end to it. and patience is Worth a good deal.[82]

Níor fhill Flower ar an oileán i gcaitheamh na haimsire seo go léir
atá i gceist thuas. Ghoill sin go mór ar Thomás, mar bhraitheadh
sé uaidh go mór é. Ligeann sé air uair amháin, mar mhagadh, go
dtabharfaidh sé faoi Londain anonn ón uair nach bhfuil Bláithín
ag teacht anall chuige:

Dear Madam I can tell you that this year looK's very quare to me,
After the throuble I got myself when my Son died, I thought when M[r].
Flower would come to this Island, and the rest of the noble men that
used to come always, that they would lightened my sorrow, and
shortened the time for me, but when the time is gone and dident see
none of them during the year as usual, believe me that the Old
Master. as M[r]. Flower call's me isent much value. This frighful War is
the cause of everything. I think there is very little under the Sun that
dont feel it. Tell M[r]. Flower, when the War will be over, that I will
cross the Irish-Sea out to him. then the children might have Irish out
there. He might laugh when he will hear this.
    The people in England is afraid of the Germans of course, for he
has too much ways, to make some harm always. but the coast and the
borders outside is more in danger, I am satisfied as ye are so fear in in
the Country. They had a wright to make some settlement, before
They will destroy all the People how is the Children getting on, how is
all belongs to You, I might write a couple of lines in Irish to Himself
down here.
    May the Almighty God protect and save ye from all danger's that's
going about.[83]

Thugadh Tomás tuairisc di ar chúrsaí an oileáin ó am go ham.
Deir sé i mblúire amháin go rabhadar i gcruachás agus iad ag
maireachtaint ar an gcaolchuid, agus go raibh cúrsaí an Chogaidh
ag cur orthu go mór. 'There is sixpence a Pound on the suggar,
here, Plour 21 + half-sack. We are afraid that they couldent be
got for love or money before long. we are feeling the War here
badily I can tell you'.[84] Ina dhiaidh sin áfach, fuair na hoileánaigh
cabhair éigin nuair a briseadh long 'An Quabra' láimh leis na
Blascaodaí.[85] Ach cé gur thug gach aon duine a chuid féin leis
aisti ní mór a bhí ag Tomás den slad. Deir sé go bhfuil sé
ró-chríonna chun aon bhaint a bheith aige lena leithéid de
chúram–ní raibh sé ach timpeall a dó is trí fichid ag an am–agus
gan an tsláinte a bheith go maith aige le tamall anuas:

We are mooving on here in the same way, all the Iselander's is well
They picked many things from the wrecked vessel, that gave them a
good help for living for a good while all of them but myself alone I
dident stir for I was old: and not very sound in health either.
While things were sheape, I was mooving on from day to day, but now
as they are dearer I must give up soon I think. The great War, is in the
same way yet. they might soon make piece with the healp of God.[86]

Nuair a bhí an Cogadh curtha díobh acu ba mhór an faoiseamh
dóibh é: 'All the people liKe's to heare, that this great War is
over'.[87]

Is beag eile i dtaobh mhuintir an oileáin a d'insíodh Tomás ina
litreacha go dtí bean chéile Flower. Ag cur ceisteanna agus ag
lorg scéalta a bhíodh sé formhór an ama. Luaigh sé an Rí léi uair
nó dhó. Thuig sé go mbeadh spéis aici ann, mar ba i dtigh an Rí a
chuireadh muintir Flower fúthu, nuair a thagaidís i dtír ar an
oileán. Ar ndóigh, níorbh iad sin amháin a d'fhanadh ina theann-
nta. The King and business is well, He is getting anny amount of
demands from People all arround, to Keep room for them, this
Island will be flocked with People next Summer'.[88] De réir
dealraimh, nuair a chuaigh an Rí in aois, thit sé chun feola go
mór. B'ábhar grinn acu go léir an méid sin agus go háirithe ag an
seanpháirtí: 'The canoe couldent carry the King now he is so fat.
I told him the other. day. as he had the name of a King. that he
ought to be out helping King Geoarge. if he has the name it-self
he is short in the drop I suppose he is slow for going out
anyway'.[89] Ach níor bhaol dó dul thar fóir leis an magadh mar bhí
an Rí pósta lena dheirfiúr féin, agus b'eisean a stiúraigh Flower
ar Thomás ar dtús mar a stiúraigh sé Marstrander roimhe. Ba
mhaith leis ina shaol agus ina shláinte é: 'The King, and his
family is well. All the Blaskets'.[90]

Is í an litir dhéanach a luafar anseo ná ceann a scríobh Tomás i
mBéarla go dtí George Chambers. 10.1.1934 a dáta. Bhí an aois
ag cur ar Thomás ag an am sin, agus is léir go raibh sé ag dul dian
air an Béarla a chur le chéile agus a bhreacadh síos.

I want to let you know that I Like you very much. I think it is
the only way for doing so is to drop you few lines But to tell the truth
it comes very Difficult on me to write in English for to tell the truth as
you know what I am writing I hardly understand it. But if you know
Irish Language I tell you That you would get it.
I hope you are enjoying life the same as you want to do so
that's what some people would say. But that is not the way may be.
But I hope not.
We do feel tired these days after working from 7 in the morning
to 6 in the evening.

The young lads here have an English phrase since you left, you used to say 'Fine morning' and They have the same since. Good bye now and a Happy Long life. T. Crohan.[91]

Ar fhianaise na litreacha seo, ba dheacair géilleadh don mhéid a dúirt Seán Ó Criomhthain i dtaobh a athar, go raibh 'Béarla idir scríobh agus léamh go hiontach aige',[92] cé go ráineodh go raibh i gcomórtas lena thuilleadh acu. Is mó de chuma na fírinne atá ar chaint Thomáis féin sa litir thuas: 'But to tell the truth it comes very Difficult on me to write in English for to tell the truth as you know what I am writing I hardly understand it.' Bíodh an méid sin féin mar shampla ar an tslí a mbíodh dul na Gaeilge ar na habairtí Béarla i gcónaí aige; ar chuma éigin mar seo a bheadh an abairt Ghaeilge: 'Ach chun na fírinne a rá, tagann sé an-chruaidh orm scríobh i mBéarla, mar, chun na fírinne a rá, fé mar is eol duit, an rud atá á scríobh agam is ar éigean a thuigim é.' Is é rud a dúirt sé le Marstrander nuair a chuir sé siúd an cheist air an raibh Béarla aige, 'Ní-l Béarla mór agam a Dhuine Uasail',[93] tuairisc atá ag teacht go maith le fianaise na litreacha Béarla seo. Fós ní fhágfadh an méid sin ar fad ná go bhféadfadh sé leabhar Béarla a léamh gan chabhair ó aon duine agus go mbeadh tabhairt suas air de bhreis ar an gcuid eile, nó ar an 'ngramaisc' mar ba bhéas leis a thabhairt orthu trí chéile. Is sa chiall seo, ní foláir, is cóir caint a mhic a thuiscint: 'Bhí sé in mháistir ar an mBéarla, faoi mar a deiridís, agus is minic a thugadh na seanda-oine "Scólaire Dhónaill" ar Thomás Dhónaill, ar an eolas agus an léann a bhí aige ar an mBéarla'.[94] Agus, mar is gnáthach riamh le muintir na Gaeltachta, bhí ardmheas ar an mBéarla ina theannta sin aige. Féach, mar shampla, an tuairisc atá aige ar an Rí (an t-aon duine amháin eile a mbíonn aon seasamh aige ina chuid scríbhinní) in *Allagar na hInise*. Ní hamháin go bhfuil an Béarla ag an Rí féin, ach tá sé ag na hainmhithe chomh maith leis, comhartha ar an údarás ríoga atá aige os a gcionn:

Dirdim súas fós chuin úachtar a bhaile 7 is sí an chéad-ghuth eile a chloisim guth an Rí. Tuisc é-féin a bheith pearsanta acfuinneach ládair, bhí fúaim a gutha dá réir, a labhairt leis a m'bó, 7 leis a n'asal leis a madra 7 tuisc oidechuis dhá theangan a bheith air, do bhíodh gachara abairt is gach teanga aige, 7 ba dhóil leat gur módh a thuigeadh na hainibhaighthe an Béarla féin úaidh ná an ghaedhluinn.[95]

Léamh na Gaeilge
Ní raibh léamh ná scríobh na Gaeilge ag Tomás ón scoil. Deir a mhac Seán: 'ní raibh aon Ghaeilge á mhúineadh ná á theagasc ar scoil na mBlascaodaí le linn Thomáis a bheith ar scoil ná tar éis

Tomás á fágaint ach an oiread. Ní bhfuair Tomás riamh eolas ar conas a ainm a scríobh as Gaeilge ar scoil na mBlascaodaí'.[96] Seo a mhíniú ar na cúrsaí sin: 'Ach ní raibh sa "scoil cheart", faoi mar a glaoití uirthi, ach Béarla amháin, mar theastaigh ón rialtas ar leis í an teanga a bhí ag na hOileánaigh a ghlanadh amach as chomh tiubh te agus ab fhéidir é, rud a bhí dodhéanta agus nár deineadh riamh'.[97] Chonaiceamar cheana gurb é an Béarla a bhíodh ag déanamh tinnis do na cigirí agus nach mbíodh súil acu le haon ní fónta i bhfoirm Béarla uathu seo, mar a dúirt duine acu: 'I did not expect to find anything like proficiency and intelligence among these children'.

Ní fios go cruinn baileach cathain a thug Tomás faoi léith-eoireacht na Gaeilge ar dtús, ach tuigimid go raibh sé anonn go maith sna blianta an tráth sin. Ba dhóigh lena mhac Seán go raibh Tomás scothaosta go maith sula raibh d'acmhainn aige an Ghaeilge a léamh agus a scríobh. 'Is dóigh liom go raibh sé glan trí fichid bliain nuair a thosaigh sé ar í a scríobh agus ar í a léamh'.[98] Tuigimid ó Thomás féin go raibh léamh na Gaeilge aige sular casadh Marstrander riamh air sa bhliain 1907. Is léir gur léigh Tomás alt nó dhó den leabhar *Niamh* dó,[99] agus go raibh Marstrander lánsásta leis. 'Táir go maith' a dúirt sé leis.[100] Léiríonn an eachtra seo go raibh ar a chumas an teanga a léamh, pé ní i dtaobh í a scríobh, agus é breis beag agus leathchéad bliain.

Amuigh ar an míntír a luigh Tomás isteach ar léitheoireacht na Gaeilge ar dtús. Mar seo a dheineann sé féin cur síos ar an scéal:

Saoim bhlíannta roimis-seo, de bheireadh amuth air an d'Tir-mhóir orrain go lán-mhinnic a g'comhnuidhe an-sa dhúbhluachar. Ansa Tig gur ghnách liom stad, do bhíodh a g'clann air Scoil do shíor. Do bhí an Teanga-Ghaedlach á mhúinne air Scoil Dhún-Chaoin sa n'aom-so, có luath le aon Scoil i n'Éirinn ma Thúairim.

Do bhíodh Clann an Tíghe-seo á léigheamh Sgéalta gan staonna dham gach úair do bheireadh orram na d'Teannta, nua gur rángaig dúil agam féin ansa ghnó, 7 gur b'éigeannt dóaibh leabhar do Thabhairt dam-féin, 7 duine aca air a cheart do bheith a meabhariúghadh an eachrainn dam do bhí á leaneamhaint, leitir búailte, leitir sínnte, leitir cabhartha, mairseo, 'T-sráid'.[101]

Ní luann Tomás sloinne na muintire seo a bhfanadh sé ina dteannta, ach tuigimid óna mhac gur de mhuintir Mhuirchear-taigh ab ea iad. 'Bhí fear iontach i nDún Chaoin a dtugaidís Seán Ó Muircheartaigh air, agus bean de mhuintir Chriomhthain ab ea máthair Sheáin agus gaol gairid cóngarach go maith ag Tomás léi. Nuair a bheireadh an tsín amuigh ar Thomás ón mbaile

d'fhanadh sé sa tigh seo, agus bhíodh léitheoireacht agus scríobh-
neoireacht ar siúl ag clann Neil Chriomhthain'.[102]
Tuigimid ó Thomás féin gur tháinig sé isteach ar léamh na
Gaeilge gan dua. Ar ndóigh bhí an teanga féin tugtha aige leis ón
gcliabhán agus gan uaidh anois ach na comharthaí. Mar a dúirt sé
féin 'Tuisc, go raibh ma cheann lán di, agus má bheadh abairt
bhacach a Teacht Trasna orram –ní raibh agam ach é lorrag am
innichin féin, bhi an réighteach le fághail agam ann, gan
baceamhaint le cách'.[103] Rud eile, bhí an cló Rómhánach ar eolas
aige cheana ón scoil, agus níl aon amhras ná go gcabhródh sé sin
le tuiscint a fháil ar an gcló Gaelach. Deir Seán Ó Criomhthain,
an mac: 'Níor ghá do Thomás puinn de bhata chun rith isteach i
léamh na Gaeilge. Is minic adúirt sé dá mbeadh gach rud eile sa
tsaol chomh furaist le hí a léamh agus a scríobh ná beadh age sna
daoine ach codladh.'[104]

Béarla agus Gaeilge

An túisce a bhí sé ábalta ar í a léamh agus a scríobh, thugadh sé
tús áite agus onóra don Ghaeilge i gcónaí agus a chúis aige. De
bhreis ar í bheith ina teanga dhúchais aige, bhí pinginí beaga á
mbaint aige aisti, cabhair mhaith chun maireachtála. Nuair a bhí
An tOileánach á chríochnú suas an chéad uair aige dúirt sé 'IS mó
spreallaire do chloisim á rádh, ná fhuil aon mhaith ansa Teanga
Dhúthchuis, ach, ní mise a deir sion, mar is sé rud a deirim go
m'bein ag eagal na déirce mar a m'bheadh í'.[105] Is baolach go
mbíodh a chuid féin den chníopaireacht ag baint leis agus nuair a
mhaíonn sé tar éis don *Oileánach* agus don *Allagar* a bheith
curtha dá láimh aige

> IS fada do bhíos-sa díomhaoín geallaim duit
> gan paoínn do bharra ma Sgríbhínn féin,
> Ach, do leannas do'm láimh gan prás gan airgead
> Ach, le h'aoírde gradaim do'n d'Treabhchus gaedheal,[106]

ní raibh an fhírinne ar fad aige á insint agus mar a léireofar sa
chéad chaibidil eile, ba mhinic ag éileamh ar Bhrian Ó Ceallaigh
bocht é agus gan é aige féin le tabhairt, b'fhéidir, gach ní ón
bpeann agus ón bpáipéar go dtí an punt agus an péire bróg. Agus
na daoine a luaitear san aiste dhéanach thíos bhíodar go maith dó
leis. Marstrander, 'An tArd-Ollamh sa t'ógannach Uasal' ó
chríocha Lochlann aduaidh, agus Flower, an 'Faraire mear
tapaidh' anall ó chathair London. Mar sin, má chuir sé a bhean-
nacht le lucht labhartha agus le lucht staidéir na Gaeilge, agus
beannacht Dé ina teannta, bhí a bhun féin leis an gcaint aige. Cé
gur mhaith leis an teanga a dhul chun cinn gan amhras, ní mar
gheall ar an náisiúntacht amháin é, mar atá á thabhairt le tuiscint

aige sna dánta seo thíos. An chéad cheann acu is as *Allagar na hInise* dó.[107]

A' ghaedheala ná fuil staonnadh oraibh ceapaim,
   Ach, a teagasc do oidhche is lá,
Is léirmhaith úbhar saothar le tamall,
   Go farsaing i d'tirínn fághbhail [= i dtírín Fáil],
Ma léir-bheannacht féin chughaibh gan bhladar,
   IS ceann farris ó Ríogh na n'Grást,
Ó Sé-Súad a léiraidh úbhar m'bearta,
   Chuin ár d'Teangan a shaoradh ó'n mbás.

A léir Chlanna Gaedheal-so glac meanamin,
   Ná ceapaidh gur crúaidh é an cás,
Ach séannaidh locht béarla 7 bladair,
   Tá na Sladaighthe shíor sa náit,
Tá an T'Aon-Mhac air úbhar d'taobh 7 Muire,
   Mar thuigim-se is fóngheannta í an pháirt,
Féach, Tá ár laéthe níos gile,
   A n'diaidh chéile seadh deineadh an Airc.

Nách baoth-mheata tréigh-lag fann-marbh,
   an aicme a tá liúghain-ne a b'páirt,
ná géileann an naon-chor dá'r n'dlighthe,
   Sa thuisceint gur fíor ár d'táisc,
Ní'l aon-Tír fé léiriúghadh na Cruinne,
   gan a d'teanga mhin féin na m'bráid,
Ach, méid-seo dár n'gaebhlaibh a mileadh,
   Ná, creidid a n'Dia ní foláir.

Tá an méid-seo agam féinaidh le tuisceint,
   Is tuigig-se úagham an táisc,
Ná staonfhaidh ár n'Gaedhluinn a Thuile,
   faid a ficfear an ghrían air bháin.
An Blascaod-so nách féidair a chluchadh,
   nár ghlac eagladh riamh roimh námhaid,
Beidh gaedhluinn gan staonnadh ann á spreagadh,
   Go statfhaidh an fíar dá fhás.

Labhraíonn Tomás go coráistiúil toirtéiseach sa chéad dán eile, ceann a foilsíodh cheana in *Saothar Dámh-Sgoile Mhúscraighe* (1933).[108] 'Cairde' a thugann sé ar an lucht éigse atá ag teacht le chéile go neamhscáfar chun a gceird a chleachtadh ina dteanga dhúchais. Ábhar misnigh agus dóchais dó an dámhscoil seo agus is follasach go bhfuil súil in airde aige go mbeidh an Ghaeilge faoi réim arís in Éirinn. Agus iad siúd ar beag acu an Ghaeilge, féadfaidh siad a bheith amuigh as an tír láithreach:

Mo chara sibh liúm sa Mhumhain mar fharairí groidhe,
Do chuir reacht dúinn ar siubhal chun an smúid seo ghlanadh ar ár
  dtír
Mara mbeadh m'iargcúltacht, is mé brúighte isteach ins an aois,
Badh thapaidh mé chughaibh mar chongnamh faraibh sa luing.

A Ghaedhil sa na n'Gaedheal sa chré do cheapas a bhís,
Mar fead uait ná glaodh sa Bhlascaod níor chlos dom le suím,
Ó's rud é gur éaluigh an t-éag úd tharat mar chím,
Cuirim fáilte 'gus céad rómhat féinig, 'fharaire an ghrínn.

Seo sinn le chéile gan staonadh, gan codla, gan sgíth,
Deinimís réadabh 'dhruim sléibhte 'gus cumar is claidhe',
Má bhuaileann linn méirligh nách léir linn ná bacaimís díobh
Ach fíor-sgoth na Gaedhilge thabhairt saor linn chun Banbha arís.

Ár mbaedheachas don Aon-Mhac a thug cae dhúinn chun labhartha
  arís,
Is thug ár ndlighe féin dúinn nách baoghal dúinn ár dtreasgairt fé
  thíos.
Preabaim le chéile lucht éigse is staire do ríomh',
Is téigheadh galla nách méinn leo ár nGaedhluinn uainn treasna thar
  tuinn.

An téama céanna atá againn sa chéad dán eile. Tugann Tomás an
teideal traidisiúnta 'Caitlín Ní Uallacháin' ar Éirinn anseo. Dar
leis, go bhfuil Caitlín treascartha tréithlag, toisc go dtugann cuid
dá muintir an chluas bhodhar do theanga a sinsir. Baineann sé
feidhm as samhail spéisiúil chun lagsprid Chaitlín a chur in iúl,
nuair a deir sé gurb ionann í agus 'fir a luing go m'beadh a maoír
air lár'. Deir sé gur theip ar an misneach aici nuair a d'éag na
sean-Ghaeilgeóirí dúthrachtacha, agus nuair a fágadh feallairí na
Gaeilge i mbláth a maitheasa.

Freagra air ghaol na ngaedheal go Dámh-Scoil

A Chara ghraoidhe do channan laoí go bog, binn, breágh,
  gach abairt díobh mar shiolla as phíob chuin suainn do bh [?]
Ní chloisim paoínn a cur tógaint craoidhe air na Fianna Fáil
  ná fós aríos air Chaitlín Ní Uallacháin.

Tá Cáit gan bhríghe le fada shaoím más fíor an Trácht
  mar bíonn feallairí air chuid dá chluínn do shíor is ghnáth
ní chuirid le'n a chéile cruínn chuin a fuasgailt dhfhághail
  Do dhineann díoth do Chaitlín Ní Uallacháin.

Tá a teanga bhínn a doll a nísg ní mór na páirt
  Tá cuid dá Chluínn a dinge síos chuin í chur as dát
Is ionnan í agus fir a luing go m'beadh a maoír air lár
  Go cailid slíghe mar Chaitlín ní Uallacháin.

Na farairí do chuaidh uaghainn an chíll do bhí géileadh Cháit
IS na ropairí do bhíodh á n'díol Táid ann na ndeáidh
ná ait mar shlíghe go bhfuil cuid dá Cluínn á Saoradh ó'm m'bás
Agus feallairí air Chlann Chaitlín Ní Uallacháin.[109]

Is cinnte go raibh Tomás ar buile nuair a chum sé an t-amhrán
déanach seo thíos, nó go raibh sé ag ligean air a bheith, mar
tharlódh nach mbeadh ann, agus in amhráin eile mar é, ach an
port a mbeifí ag súil leis uaidh. An uair seo is ar lucht labhartha
an Bhéarla a dhíríonn sé agus go mór mór orthu siúd a raibh
teacht ar Ghaeilge acu ach nár spéis leo í. Iad seo a bheith tar éis
droim láimhe a thabhairt di a chuireann an bréantas ar fad air:

Is fada mé an stad is am staonadh, gan bogadh ma bhéil ar aon nídh
'S, mé marbh ag locht labhartha béarla, á spreagadh ar nós éanla ar a
gcraoibh
Is eaglach dóaibh fearrag an Aon-Mhic, a tabhairt maisle dár
n'Gaedhluinn mar bhíd
Agus Feasta mór-mhagadh dhóaibh féin é a d'tasdal na h'Éireann
gan í.

Nách marbh nách meata nách tréigh lag, an aicme bheag bhréan-so
dáirím
na seaseamh ar mhachairaighe Éireann, gan dadeamh acht béarla do
shíor
ní labharaim Feasta ar dhaoine aosta, mar is deacair i chur i gcéill
dóaibh aríst
cé go bhfuilim trí-fichid mé fhéinnaidh, á labhairt á léigheamh S á
sgriobhadh.

Ó táim bainnte chuin siosmadh do dhéannamh, is dóil liom go
n'déanfheadh gan mhaoill
S má labharaim feareagach-bhéalach, beidh an aicme-seo léirighthe
síos,
Ó táim am dhuine-bhocht aindis chrionna aosta, clipighthe céasta ó
seadh bhím,
ba mhaith liom an teanga bhínn Ghaedhlach, bheidh i g'ceannas thar i
d'téin síos an Chíll.

Gan dearmad is maith an teanga sion Béarla, an té tá ó'n na thír
féinaidh chuin fághainn
Teanga fharsaing bhínn blasta 7 léigheannta, s'as maith dhóaibh i
gcéin le'n úsáid
Acht a Stagúan a tá fannúaint i n'Éirinn, 7 go bh'fhuil aige ré-
Ghaedhluinn mar chách
is ná labharann aon fhocal as a bhéal di, beidh mallacht na naomh ar
do ghnáth.

Tráchtann sé ansin ar na cuairteoirí éagsúla ó Phádraig anall, a
thug aghaidh ar an tír seo ó am go ham, agus a ghlac an Ghaeilge

chucu féin. Is dream iad siúd nár bhaol dóibh an teanga a ligean
ar lár, rud a thugann uchtach agus dóchas dó:

Ar theacht Phádraig aspal go h'Éirinn, ní raibh aige Ghaedhluinn
    darnó,
do cuireach a m'bun stoic ansa sléibhte é, is do bhí sé na thréadaighe
    ag Milcó,
Do b'ait leis i thaistis i n'Éirinn, do bait leis gach aon-rud fé cheó,
Do b'ait leis a thasdal gan Ghaedhluinn, 'S do ghlac chuige-féin í go
    mór.

An T'árd-Ollamh sa t'ógánnach Uasal, do tháinaidh ar cuaird go dí
    n'Oileán
Ó Lochluinn mar thuigim-se ghluais sé, chuir na Farraigí duaidh do's
    gach áit
ní bréag ná gur Gaedhluinn a bhí uaidh-suad, 's do fuair Sé súad úainn
    í gan cháim
'S má's éigean di éag an aon uair di, do gheóbham arist uaidh i gan
    spás.

Tá an faraire-seo le tamall i n'Éirinn, sa's fiosach do'n t'saoghal É ar a
    chuaird
a bogadh ba bh'fhocal Sean-Ghaedhlach, sa múscailt gach léighinn a
    tá cruaidh
Marstrander is ainm do'n Tréan-Fhear, go raibh beannacht gheal Dé
    chuige úagham
guidhim feasta saoghal fada ó'm béal do, gan easpadh gan déislin ná
    búairt.

Tá ar n'Gaedhluinn Bhlasta-na croinn gasta 7 is iongeantas, a g'ceart
    láir Chathair Lónndain úad thall
thug faraire mear tapaigh anúan i, 7 tiocfhaidh aríst chúinne gan
    dabhat
beidh mórán an fhochair sa chúrsa, mar tá tighthe naudh suas a
    g'cóbhair
Sa bhlascaod-so tá an Ghaedhluinn a mhúscailt, bím féinaidh á
    múinne suas dóaibh.

Cé go ngeallann sé go seasóidh sé an fód go daingean,
diongbháilte ar son na Gaeilge, agus cé gur mhaith leis i réim í
gan amhras, fós ní hé a dhearmad gan tagairt a dhéanamh i
ndeireadh thiar don 'duais bheag nú mhór' a bhfuil súil aige len í
a fháil de bharr a shaothair. A thuilleadh den chrónán, a
déarfadh duine:

A Chuadhlacht bhreágh Uasal na Gaedhilge, do mhúscail dúin féin í
    an t'aith úair,
Is iongeantach nú tá cómheachta Mhic Dé libh, agus slígh bh'Fhlathais
    féin dibh go buan

Ó Sé Suad do cheap í É féinaidh, níor mhaith leis í éagadh cómh lúadh
Níor mhaith leis fear labhartha béarla, is é caitheamh na gaedhluinne úaidh.

Ní h'é n'dúbhartsa tá am chomheachta-sa dhéannamh, daoibhe a cómhradh na Gaedhilge 'S táim fíor
ach dúbhailt do dhúbha-rannaibh Ghaedhlach, do thabharfhaidh cóngnabh dár n'gaedhluinn chuin cínn
breac mhúscailt do thabhairt ar locht béarla, tá súgearradh iad féinaidh gan í,
a chur anúmhail dóaibh a n'dúthchas a Shéadna, chuaidh an n'iúir le mór Ghaedhluinn an chíll.

Cé táim aindis gan tapa is me aosta, gan mórán a dhéannamh seadh bhím
Acht a cómhrac go daingean gan staonadh le duine gan Gaedhluinn nuair chím
Táim marseo le mórán mór bléadheannta, is ní tobbac am béal é ná am píp
Agus bruadairí gluaiseacht thrí Éire úaibh, dualgas mór tréan doaibh do shíor.

Más dúais bheag nú mhór dam úaibh féinaidh, táim a tabhairt an méid seo chuin críoch
Is fiosach dom Phobal le chéile, go m'beidh a thuile nách é agam díeamh
táim oleamh chuin brannair a dhéannamh táim oleamh chuin saothair do shíor
ní statfhead faid a mhairfhaidh ma laethe nú go g'cuirfheam ar n'Gaedhluinn chuin cínn.

Go d'tugadh Dia cabhair gan staonadh, dúinn féinaidh A g'comhnuighe shíor
'S go d'tugadh dúinn cabhair gach aon-lá, chuin ár n'Gaedhluinn do chur chuin cínn
Ó táim ansa Bhlascaod-so críonna aosta, is ní bog mo shlígh
Acht a cómhrac le locht Béarla, ná géileann dár n'Gaedhluinn bínn.

Tomás ó Criomhthain

Fear Fíor Ghaedhlach.[110]

CAIBIDIL II

CAIRDE THOMÁIS

Go dtí seo, chonaiceamar go raibh léamh agus scríobh an dá theanga ag Tomás, ceann acu níos fearr ná an ceann eile ar ndóigh. Níor leor a chumas teanga agus a fheabhas chun na Gaeilge a labhairt, áfach, chun é a mhealladh chun na scríbhneoireachta agus na cumadóireachta. B'iad a chairde lasmuigh den oileán ar an míntír agus ar mhór-roinn na hEorpa a mhúscail a shuim agus a chothaigh a spéis sa léitheoireacht. B'iad leis a spreag é chun dul i mbun pinn. Murach na cuairteoirí seo, ní dócha go bhfoilseofaí aon scríbhinn dá chuid go deo.

Ar thóir na Gaeilge agus an chultúir Ghaelaigh a bhí cairde Thomáis, nuair a thángadar i dtír ar an mBlascaod, agus ní raibh aon spéis faoi leith acu i dTomás seachas na hoileánaigh eile ar dtús. Ní raibh ainm na scríbhneoireachta amuigh air an uair sin, agus cé go raibh scoláirí áirithe mar Mharstrander agus Flower a bhain amach go luath é, is mar gheall ar an teach aíochta a bheith ag deartháir a chéile, agus gur mhaith leis siúd na pingíní breise a bheith ag Tomás a fuair sé aithne orthu níos mó ná aon ní eile. 'Mar a leagtar an crann, is ann a bhíonn na slisneacha'. Toisc gaol an chleamhnais a bheith idir é féin agus an Rí i dteannta an tseancharadais is ea a bhíodh teacht ag Tomás ar na cuairteoirí sa 'Phálás'.

Seosamh Laoide[1]
Sa bhliain 1907 is ea a bhuail na chéad chuairteoirí a mbeadh aon bhaint faoi leith ag Tomás leo isteach go dtí an t-oileán. I Samhain na bliana sin bhreac Seosamh Laoide síos tuairisc ar thuras a thug sé ar an áit,[2] agus is suimiúil an rud é nár casadh an Críomhthanach air an lá úd, ná aon aithne acu ar a chéile ag an am.

Cara leis an Laoideach, Carl Reuning, Gearmánach óg, a bheartaigh ar dhul don Oileán Tiar. Ghluaiseadar beirt le chéile. Ar ndóigh, níorbh iad na hoileánaigh féin ba mhó ba spéis leo ach Marstrander an Lochlannach a bhí ar cuairt ann ag an am sin, agus bhí súil in airde acu go mbuailfidís leis. Chuadar ar dtús go Dún Chaoin, áit ar bhuaileadar le Seán Óg Ó Cíobháin (Seán an

Chóta). B'eo chun farraige iad. Is é a deir an Laoideach: 'thug mo chroidhe léim suas. Bhí ár n-eolaidhe ann agus fuireann na naomhóige le n-a shálaibh! Badh ghiorra a mhoill orainn feasta iongantaisí an Oileáin Tiar d'fheiscint, agus ortha sain Marstrander, an sanasaidhe mór úd ó Chuan na Beirbhe Lochlannaighe'.[3] Ba ghearr gur bhaineadar an t-oileán amach, agus cuireadh i dtuiscint dóibh go raibh an Lochlannach ag cur faoi i dteach Phádraig Uí Chatháin, an Rí. Dheineadar triúr–Seosamh, Carl agus Seán Óg– ar an teach láithreach. Ní raibh ann rompu ach an Rí agus a iníon. Bhí an Lochlannach imithe suas an cnoc tamall roimhe sin, ach bhí súil leis gan mhoill. Ní raibh sé ag teacht agus b'fhada le lucht na fionraí fanacht:

Do thuit mo chroidhe orm gan amhras, acht ma thuit, ba dhá mhó ná soin an ceann faoi a tháinig ar mo charaid óg ó'n nGearmáin, mar níor bhréag dam a rádh go mbíodh sé ag brionglóidigh agus ag taidhbhreamh ar an gcuaird – ar Marstrander fheicsint ar a charraig fhiadhain Ghaedhealaigh amuigh sa bhfairrge, an áit úd de'n Eoraip is goire do Thalamh an Éisg.[4]

B'eo leo an cnoc suas ina dhiaidh. Chuadar chomh fada leis an túr ar mhullach an oileáin ach níorbh aon mhaith dóibh é. Tásc ná tuairisc ní bhfuaireadar ar an Lochlannach. D'fhilleadar ar theach an Rí, le súil go mbeadh sé tagtha rompu ach ní raibh. D'óladar bolgam tae agus d'fhéachadar ar roinnt nótaí agus ar leabhair áirithe de chuid an Lochlannaigh. Ar deireadh b'éigean dóibh imeacht mar a thángadar. Bhreacadar nóta beag á gcur féin in iúl don Lochlannach, agus d'fhágadar slán ag an Rí agus iad go duairc dobrónach. Lá amú ab ea é nuair nár casadh an fear léinn ina dtreo, an té a bhí uathu; ba dhóigh leat nach raibh aon duine eile san áit arbh fhiú trácht air. Ní hionadh 'Cuaird i n-Aisdear' a bheith mar theideal ag an Laoideach ar imeachtaí an lae. 'Is dóigh liom gur bhaineamair mórán suilt agus sásaimh as cuaird an lae sin, acht má bhaineamair, cuaird i n-aistear ab' eadh í, fóiríor, nuair nach feacamair cuspóir na cuarda, .i., Marstrander, sanasaidhe na hEorpa ó Chuan na Beirbhe Lochlannaighe'.[5]

Léiríonn sé seo nárbh fhear mór le rá é Tomás an tráth sin agus nach raibh teist an scríbhneora fós air. Ní fhéadfadh aon chuimhneamh a bheith ag an Laoideach an uair sin go mbeadh duine díobh seo ina thimpeall ag cur scríbhinní chuige ina dhiaidh sin agus gur fear é arbh fhiú leis an scoláire mór ó chríocha Lochlann ollamh a dhéanamh de os a chionn féin in airde.

Cormac Ó Cadhlaigh

Timpeall an ama chéanna, sula ndeachaigh sé mar thimire go Contae an Chláir, chaith Cormac seal ar an mBlascaod Mór. Col

ceathrair leis, Fionán Mac Coluim, a chomhairligh dó dul ann,
chun slacht a chur ar a chuid Gaeilge roimh imeacht dó. 'Tháinig
litir chugam ó Fhíonán Mhac Choluim... á rá liom gurbh fhearr
dhom cúpla seachtain do chaitheamh ar an mBlascaod chun go
mbeadh blas éigin ar an nGaeilge agam sar a dtosnóinn i gceart
ar obair na timthireachta do dhéanamh sa Chlár'.[6] Thug Cormac
aghaidh ar Dhún Chaoin, mar ar bhuail sé le Seán Ó Dálaigh, an
'Common Noun'. Níorbh fhada ina dhiaidh sin go bhfuair sé an
naomhóg anonn agus gur tháinig sé i dtír ar an oileán. 'I dtigh
duine darbh ainm Ó Cearnaigh bhíos am chónaí. Bhí máistir
scoile an Oileáin ina chónaí sa tigh chéanna, agus gan aige ach
fíorbheagán den Ghaeilge'.[7] Ní fada go ndeachaigh Cormac i
dtaithí ar an áit. Neartaíodh ar a mhisneach agus ar an muinín a
bhí aige as féin de réir a chéile. Cé go dtráchtann sé anseo ar an
gCeallach faoi mar dá mbeadh sé roimhe ann, is é faoi deara sin
an cuntas a bheith á scríobh aige i bhfad ina dhiaidh sin nuair a
bhí a fhios aige cén bhaint a bhí ag Brian leis na hoileánaigh trí
chéile agus le duine amháin díobh go háirithe:

> Níorbh aon 'Bhrian Ó Ceallaigh' mise ag muinntir an Oileáin ná ag
> aoinne ann, fóiríor. Bhí an chuthaileacht úd bhaineann le fear sráide
> ina chúrsaí le muintir na tuaithe ormsa an uair sin; ach diaidh ar
> ndiaidh, bhíos muinnteartha go maith leo agus théinn isteach ins na
> tithe chúcu, agus níorbh aon bhalbhán ar fad mé.[8]

Dar le Seán Ó Criomhthain, bhí Cormac cairdiúil le gach duine
ar an oileán: 'Chaith sé seala i dteannta na ndaoine agus ag caint
agus ag comhrá agus ag rince agus ag amhrán agus ag
reacaireacht leo, agus fuair sé taitneamh an diabhail bhuí iontu.
Fuair sé a dhóthain den Ghaeilge leis, agus má tá, bhí sí aige féin
go bríomhar blasta'.[9]
    Thabharfadh Cormac aghaidh ar aon áit a mbeadh an gabhar á
róstadh. Thaitin an gáire agus an scléip leis. Rinceoir cruthanta
ab ea é, dar leis féin ar aon chuma, agus bhuailfeadh sé isteach
sna tithe go minic chun dreas rince a dhéanamh agus is é a bhí
ábalta air más fíor:

> Bhíodh scoraíocht anso is ansúd gach aon oíche geall leis agus bhíodh
> fáilte agus fiche romhamsa ag gach scoraíocht acu, toisc a raibh de
> rinnce agam. Mar an uair sin, ach go háirithe, ní raibh aoinne ar an
> oileán, fé mar is fearr is cuimhin liom, go raibh aon chéimeanna
> rinnce aige. Bhí ceol bheidhlín acu agus cúpla fear bhí oilte go maith
> ar é do sheinnt.[10]

Dar leis gur le linn dó bheith ar an oileán a tugadh 'an Cóta' ar
Sheán Ó Cíobháin ar dtús:

Is dóich liom go rabhas, agus mé ar an Oileán, ag baiste Sheáin an Chóta, Seán Ó Ciabháin úd, beannacht Dé lena anam, go raibh clú mór Gaeilge air.

Tháinig sé dhon Oileán Domhnach, agus an filleadh beag uime, agus ní raibh aon ní riamh ba mhó dob ionadh le muinntir an Oileáin ná an 'cota' (pettícót mná) dh'fheiscint ar an bhfear óg ón dtír. Agus as san amach is fearr do haithnítí Seán Ó Ciabháin leis an leasainm ná le hainm agus sloinne do thabhairt air.[11]

Ach ar ndóigh, níor chuir Cormac a chuid ama amú ach an oiread. Bhí dúil an mhairbh riamh aige i seanamhráin, seanscéalta agus seanfhocail, agus chrom sé gan mhoill ar iad a bhailiú agus a bhreacadh síos ó na hoileánaigh. Bhí leabhar seanfhocal agus seanrabhcán ar iasacht aige cheana féin ó Sheán Ó Dálaigh.

Bhí seanaithne, ní nach ionadh, ag an Máistir Seán Ó Dálaigh ar Fhionán Mhac Choluim agus, ba mhaith an mhaise aige é, thug sé dhom, ar iasacht, cnuasach seanfhocal agus seanrann bhí aige agus, nuair thuirsínn den chomhluadar, chaithinn an aimsir 'dhíomhaoin' ag scríobh na seanfhocal is na seanrann i leabhar bhí agam chuige sin, agus is ann chuirinn leis aon nithe gheibhinn ós na hOileánaigh.[12]

Is í Peig Sayers an t-aon oileánach amháin díobh a luann Cormac ina thuairisc, agus deir sé gur mhinicí a thriall uirthi ná ar aon duine eile:

Is ar Pheig Saors, 'bean Uí Ghuithín', is minicí thugainn cuairt. Fuaras rainnt mhaith amhrán uaithi: An Mairnéalach Loinge, Bhíos ag obair sa ghleann; Ar maidin Dé Luain, is mé ag fágáil an chuain; A Sheáin bháin, a bhráthair, tá an bád ar an gcaladh; An Píobaire…; Máiréad de Róiste…; Moladh an Naoimh-Shacraimint…; Dá mbeinnse féin is Máire i n-oileán ná beadh ró chumhang; Asal an Oileáin. An méid sin amhrán ach go háirithe, agus dála na liathróide sneachta, bhínn ag cur leis na ranna fuaras ó Sheán Ó Dálaigh, le hiad do rá leis.[13]

Léadh Cormac *An Craos Deamhan*[14] dóibh. 'Bhí an Craos Deamhan agam, agus an fhaid bhíos ann, do léas an uile fhocal de dhóibh, agus is iad bhain aoibhneas agus sult thar barr as an scéal.'[15] Ní folláir nó bhíodh Tomás Ó Criomhthain ag freastal go coitianta ar na seisiúin léitheoireachta seo, agus gur mhór a shuim iontu. Mar a chonaiceamar cheana, bhí sé féin tagtha isteach ar léamh na Gaeilge faoin am seo. Níor dheacair a shamhlú gurb eisean a chromadh ar an argóint is ar an díospóireacht uaireanta, nuair a bhíodh deireadh léite ag Cormac. Ní bhíodh aon bhaint ag Cormac féin leis an díospóireacht seo ar ndóigh. 'Ach, fóiríor, cé gur minic bhíodh áiteamh agus cur tré chéile ar an scéal, nuair d'éirínn as an léitheoireacht, níor bhacas riamh le haon chuid den áiteamh do chur chugam'.[16] Séard is dóichí mar sin, gurb é Cormac ar dtús a chuir scríbhinní an Athar

Peadar ar a shúile do Thomás, mar ina dhiaidh sin is ea a léigh sé
giotaí as *Niamh* agus *Séadna*.[17]
N'fheadar go cruinn an bhfaca Cormac aon bhlúire de
cheapadóireacht Thomáis ag an am seo. Measann Seán Ó
Criomhthain go ndearna. 'Bhí cur amach mór aige ar Thomás Ó
Criomhthain an uair sin mar bhíodh Tomás ag scríobh na teanga,
agus bhíodh Cormac ag léamh scríbhneoireacht Thomáis'.[18] Is
fíor, ar aon nós, go seoladh Tomás scéalta agus seanfhocail
chuige na blianta ina dhiaidh sin le foilsiú ar *An Lóchrann*.
D'fhag Cormac slán ag muintir an oileáin nuair b'éigean dó
aghaidh a thabhairt ar Bhaile Locha Riach. Mar a deir sé féin,
bhain sé taitneamh is sult as a thuras, ach níos tábhachtaí fós,
ábhar dóchais agus misnigh dó a chuairt ar an áit: níor chás dó
iontaoibh a bheith aige as féin i gcúrsaí Gaeilge feasta:

> Bhí ana-aimsir agam ann, agus má tugadh misneach agus mórchroí
> dhom ón gcuairt úd agam ar Bhéal Átha an Ghaorthaidh, bhí dhá
> oiread misnigh agam agus mé ag fágaint an Bhlascaoid. Dála Chon
> Chulainn tar éis tuirse an chomhraic do chur de, bhíos ullamh ar
> aghaidh do thabhairt ar aonach agus ar oireachtas dá mhéid Gaeilge
> bheadh ann agus labhairt chómh dána neamhscáfar le haoinne dár
> tógadh suas riamh le Gaeilge.[19]

Carl Marstrander
I samhradh na bliana 1907 a thug Carl Marstrander[20] aghaidh siar
ar Chiarraí. Ní raibh sé ar intinn aige ar dtús dul chomh fada leis
an mBlascaod Mór, agus nuair a tháinig sé go dtí Baile an
Fheirtéaraigh, chaith sé seal gairid ann ag cur faoi le Muintir
Lúing. 'He was very pleased with his place in Mr. Long's. He is
himself a "native speaker" and his house is by far the best in this
place.'[21] Cé gur mór an taitneamh a bhain sé as a thuras ar an áit,
ní raibh sé ar a shuaimhneas ar fad ann, mar bhraith sé go raibh
an iomarca Béarla á labhairt sa cheantar. 'Marstrander enjoyed
his stay in Ballyferriter but thought the Irish spoken there had
too large an admixture of English'.[22] Seo é a chuntas féin ar an
scéal i litir a scríobh sé go dtí Richard Irvine Best faoin dáta
15.9.1907.

> Adubhart leat cheana gur fhágas Baile an Fhirtéirigh mar ba mhór
> liom an Béarla bhí ar siubhal ann tríd an nGhaedhlaing. Áit bhreágh
> 'seadh é B.a.F. agus bead ag cuimhneamh i gcomhnuidhe ar an
> radharc breágh bhí agam ag féachaint amach ar Chuan Árd-na-Canna.
> Is minic do bhíodh fionnfhuar breágh agam i n-uisce ghlann an chuain
> nuair a thugainn mo thuras go dtí n-a bhruach.[23]

Dá bharr sin, bhailigh Marstrander leis gan mhoill go dtí an

tOileán Tiar, an áit ba ghlaine Gaeilge a fhéadfadh sé a shroich-
int. An Rí a bhí lena chois ar an turas isteach:

Bhíodh fear an phoist an uair sin ón Oileán ag dul go Dún Chaoin
gach Máirt agus gach Aoine, agus fuair sé [Marstrander] amach, dá
mbeadh sé i nDún Chaoin Dé Máirt, go mbeadh a thuras saor in aisce
go dtí an tOileán aige. Chuaigh sé go Dún Chaoin. Bhuail fear an
phoist leis, agus dheineadar margadh ar dhul isteach, agus fuair sé
lóistín ó fhear an phoist. Ba shin é an Rí.[24]

Tugann Tomás féin cuntas dúinn ar a theacht i dtír.[25] Más ea ní
hé an lá céanna den tseachtain atá aige len é a theacht: 'A
d-tosach mí Iúil, lá domhnaigh, do thug naomhóg ó Dhúnchaoin
Duine Uasal go dí an Blascaod. Fear laom árd geal-chroicinn,
glas-shúlach, do beadh é'. Cé go raibh Marstrander tagtha isteach
go maith ar an tSean-Ghaeilge an uair úd, is beag den teanga
bheo a bhí aige. 'Ní raibh aige ach blaise na Gaedhluinne air a
Theangain pé sgéal é.' Tamall beag roimhe sin, nuair a thug sé
cuairt lae ar an oileán, agus nuair a cuireadh fáilte is fiche
roimhe, níor thuig sé focal de. Agus ní go rómhaith a tuigeadh é
féin nuair a labhair sé:

In later years he used to relate a story, which he may have embel-
lished a little, about his reception on the Island by the King, Pádraig
Ó Catháin, who greeted him with a speech by way of civic ceremony.
Marstrander did not understand a word of what the King said but,
nothing daunted, he delivered in reply a prepared speech of his own,
composed in archaic Irish, the only kind he then knew, to which the
puzzled King made the courteous observation that the Norwegian was
a fine language indeed![26]

Ní fada a bheadh an scéal mar sin aige agus go deimhin ní móide
gur mar sin a bhí sé le linn dó teacht ach an oiread. Chuir sé faoi
i dteach an Rí, agus ba ghairid an mhoill air dul i dtaithí ar
mhuintir an oileáin agus ar an nGaeilge. Ní raibh sé ann ach
deich lá nuair a scríobh sé an litir Ghaeilge thuas go dtí Best agus
ní haon Ioruais í. Ba luaithe fós an litir thíos go dtí an fear
céanna: an 6ú Lúnasa 1907 a dáta seo:

Dear Mr. Best,
Permit me thank you belatedly for your letter and the trouble
you took to obtain the razor.
As you can see, I am now on the Blasket Island, and will
certainly stay here for the coming months. Ballyferriter was a wonder-
ful place, but the speech semed to me too undisciplined. I made up
my mind very quickly, and left Ballyferriter yesterday, with all my
belongings. I have installed myself here in Mr. Patrick Keane's house,
with whom I have evidently as good lodgings as I found in Ballyferri-
ter. I am not quite sure yet how long I will remain here, perhaps two,

perhaps four months. The dialect seems very interesting. With my
best wishes to you and your wife.
Yours truly, C.M.[27]

Dar le Marstrander, ar ndóigh, níorbh é féin an chéad Loch-
lannach ar an oileán, bhí tosach míle bliain nó níos mó ag a
dhuine muintire air. Seo insint Chormaic Uí Chadhlaigh ar an
scéal agus is léir nár thóg sé ró-dháiríre é.

Hinnseadh dom, abhfad ina dhiaidh sin, mar tháinig sé [Marstrander]
anuas ón gcnoc lá agus faghairt ina dhá shúil mar go raibh, dar leis,
cloch oghaim leis na Lochlannaigh aimsithe aige; an litir MK gearrtha
ar chloich agus líne trasna uirthi, agus gurbh é brí bhí leis an scríbhinn
rúnda, dúirt sé, ná gurbh innsint ón tseanaimsir go raibh Lochlannach
éigin á innsint i dtaobh é shroisint an oileáin fadó ins na cianta. Dúirt
an té d'innis an scéal dómhsa gur amhlaidh cailleadh duine darbh
ainm Mike Kane (.i. Mícheál Ó Catháin) agus nárbh fhéidir an corp
do thabhairt dhon tír leis an stoirm bhí ann, agus gurab amhlaidh
cuireadh ansúd ar bharr an chnoic é.
        Maran bréag é, is maith an scéal é, dar ndó.[28]

Níorbh fhada go raibh Marstrander mór leis na hoileánaigh uile.
'Marstrander for his part, found himself in total harmony with
Blasket life. The Irish spoken there he considered the purest he
had ever encountered. He enjoyed the good company and happy
relaxed air of the island, mixing with the people as one of
themselves, which was, he thought, the best way of acquiring the
language'.[29] Mar seo a chuir Marstrander féin síos ar an aimsir
sin.

Is dóigh liom gur glainne i bhfaid an chaint 'tá 'ghá labhairt ann so ná
in-aon áit eile do bhuail liom ar mo shiubhal. Agus do thugas fé
ndeara gur mó an chuideachta agus an caitheamh aimsire atá agam
ann ná ann súd. Bím i néinfheacht na ndaoine mar bheadh duine aca
féinidh agus is mar sin is fearr sin do dhuine tá tagtha ag triall ortha ag
foghluim na teangan atá uaidh. Ní miste dhom rádh go bhfuilim ag dul
i bhfeabhas go cuibheashach. D'fhéadfainn anois gach rud is maith
liom fhéin a chur i n-umhail 'sa Ghaedhlaing cheana, agus táim sásta
mar gheall air, mar ná raibh aon fhocall nách mór agam nuair a
dh'fhágas B.Á.C.
        Ní féidir liom a innsint anois an fada thabharfad annso,—ach
measaim ná raghad abhaile ar an dtaobh so mhí na Nodlag—agus mar
sin is maith an seall aimsire tá fonn orm a chaitheamh ann. Ach níl
aon uaigneas orm fós,—ach is dócha go mbeidh leis an aimsir—agus ann
san do b'fhéidir go scriobhfainn chughat ag triall ar leigheas éigin ar.
"physical and mental decay" (níl aga agam ar Gh. a chur ar na focc.
sin).
        Táim go maith i ngach áird. Nílim comhcompórdach ann gan dabht
agus mar bhíos i mB.A.C. agas tá a fhios agat goidé an compórd a bhí

agam annsan! –Ach caithfead a rádh gurab é an rud is breághtha a
chuala agus do chonnac i n-Éirin an teanga Éireannach, an ceol
Éireannach, an t-amhrán Éireannach agus an rinnce Éireannach, do
fuaras i measc na ndaoine anabhocht anso. Ba mhaith liom óm'
chroidhe gach aon obair atá ar siubhail i measc na nGaedheal a bheith
ag dul chun cinn go h-anamhaith.[30]

Is léir mar sin, go raibh Marstrander mór leis na hoileánaigh uile,
idir aosta is óg. Cleithire breá fir ab ea é, agus é ar fheabhas chun
na lúthchleasaíochta. Bhíodh sé ag iarraidh an lúthchleasaíocht
chéanna a mhúineadh do bhuachaillí óga an oileáin.

I rith an lae nuair a bhíodh sé timpeall na háite mhúineadh sé
mórán cleasa lúith agus léimeanna agus rudaí do na garsúin óga agus
bhí na garsúin óga imithe bán ina dhiaidh.... Gheibheadh sé crann
naomhóige, ritheadh sé, thógadh sé fáscadh ruthaig, bhuaileadh sé
bun an chrainn i dtalamh, agus théadh sé in airde go mullach na
dtithe....
Chuireadh sé cúigear nó seisear ansin acu ceangailte ina chéile.
Léimeadh sé isteach ar a lámha nuair a deireadh sé: 'A haon, dó, in
airde liom anois!' a deireadh sé, 'nuair a déarfaidh mé a trí'. Chuiridís
in airde san aer é, agus d'iompaíodh sé a bholg in airde, agus thagadh
sé anuas ar a dhrom isteadh arís ina measc.[31]

B'fhéidir gur ar cuireadh uathu féin a chrom sé ar léitheoireacht
dóibh, toisc an taithí a bhí faighte acu ó Chormac Ó Cadhlaigh.
Mar seo a chuireann Cormac síos ar an scéal. 'Bhí Marstrander
ann lem linn, chuala ina dhiaidh sin; ach níor casadh riamh ar a
chéile sinn. D'airíos gur tharraing seisean leabhar chuige tar éis
domhsa imeacht agus go mbíodh sé á léigheadh dhóibh ist oíche,
am dhála féin.'[32]
Cé go mbíodh sé cairdiúil leis na hoileánaigh go léir, bhí baint
agus bá faoi leith ag Marstrander le Tomás. B'é an Rí a stiúraigh
air é i dtús báire, agus réitíodar le chéile go hálainn de réir
dealraimh. Is é a deir Tomás: 'An chéad lá do chúaghmair le
chéile, do thug sé an Teideal Máighistir dam.... Cúig mhí do
chaith sé anso Bhlascaod, Téarma ansa ló do bhímís le chéile air
feag leath na h'aimsaire, a dó, nua a Trí h'úaire a chluig gach
lá'.[33] Tagann Seán Ó Criomhthain leis an tuairisc sin. 'Siar don
seomra leo, agus d'fhanadh Tomás i dteannta an Lochlannaigh...
óna seacht go dtí a deich, téarma na hoíche tar éis an lae, agus
iad ag caint is ag léamh is ag scríobh na Gaeilge'.[34]
I 'bPálas an Rí', mar ba bhéas leo a thabhairt air, a théidís i
mbun oibre. Tugann Tomás tuairisc shuimiúil dúinn ar leagan
amach an tseomra sin:

Tá fuinnóag air a b'Pálás-so, go bhfhuil a h'aghaidh amach air a
mór-mhuir, Tá bórd a Duine Uasail trasna aige na bun, 7 a chuid

leabhar air leatha aige air, a chathaoír órnáideach fé, 7 caithaoír eile
fé an Té a Tá á mhúinne, aige an g'ceann eile don bhórd, níl aon
n'abairt is féidair leis a m'beirt a chur air bun air a m'bóard-so, ná go
b'fhuil bríghe 7 bun na h'abairte le feisceint le'd T'súile Thríd a
bhfuinnóig-seo amach agat, sé ma thúairim, ná fuil aon fuinnóag
Colái-ste ansa Tír, chuin doltasíos léi. chuin solaoídí a thabhairt do
shúile an mhic-léigheinn, gach n'duine aca a ghabhann Tím-cheall, gur
b'annsa leis, blas 7 críoch a bheith air a chuid Gaedhluinne aige.... Sé
an Scoláire Mór Carl Marstrander, an chéad duine Uasal riamh a
shuidh síos anso, chuin na fhíor Theangan a Thabhairt leis. chaith sé
chuig mhí ann.[35]

Bhí sé ar intinn ag Marstrander tréimhse fhada a chaitheamh ar
an oileán, ach sula raibh an bhliain istigh, cuireadh fios abhaile
air. Bheartaigh sé ansin ar dhá théarma sa ló a bheith aige fara
Tomás. 'Do chuir an Duine Uasal ceist eile orram, ar b'fhéidair
liom dhá Théarma ansa ló do caitheamh na Theannta, agus ar
seisean do gheóbhair oiread úagham as an d'Tarna Teárma leis
an chéad cheann'.[36] B'eo le chéile an bheirt acu 'ar dhá théarma
ar feadh coicíse, agus nuair a bhí sin déanta chaith sé an áit a
fhágaint agus bailiú leis'.[37] D'fhág Marstrander slán ag an mBlas-
caod Mór roimh Nollaig. Ní chasfaí ar a chéile arís Tomás agus é
féin ar an saol so.

Tuigtear dúinn, áfach, ó na litreacha a scríobh Tomás go dtí
Flower, go mbíodh sé féin agus an Lochlannach i dteagmháil lena
chéile go coitianta ina dhiaidh sin. Sheoladh Marstrander síntiús
airgid nó bronntanas éigin go minic go dtí an 'sean-a-mháistir'
mar a thugadh sé air. Bhíodh Tomás buíoch beannachtach dó as
na tabhartais chéanna, agus ba mhinic é bródúil agus mórálach
astu leis. Léiríonn sé féin an éirí in airde a bhí air, agus píopa an
Lochlannaigh a ól aige, sa litir seo a leanas (26.12.'10 an dáta):
'Do chuir an t'Árd-ollamh Carl Marstrander píbh [sic] bhreagh
chúam ó Lochluinn 7 tá sí caite agam anois 7 dá m'beidh fios aige
air is dóil liom go guirfheadh sé ceann eile chúam. Bhínn anna
mhórdálach nuair i bhíoch píp an duine Uasaill am béal agam'.[38]

Go luath sa bhliain 1911 buaileadh breoite Marstrander. Chuir
sé cárta poist go dtí Tomás ag insint dó go raibh sé in Ospidéal
Sir Patrick Dun, Baile Átha Cliath agus cóir leighis á chur air,
scéal a chuir isteach go mór ar an Oileánach, ar ndóigh. 'Do
fuaireas Cárta ó'n Lochlannach Tamall ó thoin. 7 do bhí sé ansa
n'óisbuidéal i mBaile-Átha-Cliath 7. 27 dúnsí uisge buinte amach
as i chliabh aige An Liagh. do scribheas chuige arist 7 ní
bh'fhuaireas aon fhreagra fós, tá eagla orm na thaobh 7 is oth
liom soin dá mbeidh lias agam air'.[39] Ach chuaigh an Loch-
lannach i bhfeabhas de réir a chéile, agus chrom ar an obair

athuair. I mí na Nollag an bhliain chéanna, loirg Tomás a
sheoladh ón mBláithín. 'Is fada go bh'fhuaireas aon sgéala ó'm
Dhuine Uasal an Lochlannach dá m'beadh fios agam cá bh'fhuil
sé chuin stuidéir do chuirfhain cárta Cuige'.[40] Bliain ina dhiaidh
sin bhí Marstrander i gcumarsáid leis na hoileánaigh arís. Go dtí
Tomás agus go dtí muintir Uí Chatháin a sheol sé cártaí an turas
seo. I bhfoirm véarsaíochta a d'fhreagair Tomás é; bhí an tobac
aige láithreach:[41]

Do chuir an Lochlannach trí chárta posta chúainn tamall ó thoin
ceann chuinn an Rí, ceann chuin an Bhán-Fhlaith [sic] 7 ceann eile
chuin an T'Sean-a-Mháighistir,
  Do chuireas freagradh Chuige, leitir bhreágh fhada mar is gearra
leis mar Bhíd siad. Do dhinnis ranna beaga do'n Gaedhlainn tamhall ó
thoin, 7 do chuireas Carl isteach íonnta, dúbhart leis é ansa leitir, 7 do
chuireas chuige an dá rann, 7 is dóil liom go g'cuirfhead chúmhat-sa
[i.e. Bláithín] leis iad.

An tÁrd-ollamh 7 a t'ógeánnach Uasal,
  do tháinaidh ar cuaird go dí an Oileán,
Ó Lochluinn mar thuigim-se a ghluais-sé,
  do chuir na farraigaighe duaidh do's gach áit,
ní bréag ná gur Gaedhluinn a bhí úaidh-suad,
  is do thugeamair do úain í gan cháim,
is má's éigean di éag an aon uair dúinn,
  do gheóam aríst úaidh í gan spás,

Tá an faraire-seo le tamall i n'Éireinn
  sa's fioseach do'n t'saoghal é ar a chúaird
A bogadh na bh'fhocal Seann-Ghaedlach,
  sa múscailt gach léigheinn a tá cruaidh
Marstrander is ainm do'n d'trean-fhear,
  go raibh beannacht gheal Dé chuige úam.
gúidhim feasta Saoghal-fada ó'm beal do
gan easpa gan déislinn ná búairt.

Cómh lúaith 7 do fuair sé an leitir, níor dhin sé seóaid a bharra, acht
trí cínn de pháipéair a chasadh ar a chéile, 7 túairm púnt do thobbac
chommonta istigh íonna gan scriobh pínn acht amháin an méid-seo,
from Carl Marstrander Cristiannia.

Nuair a d'fhág Marstrander slán ag muintir an oileáin sa bhliain
1907, ní raibh aon chuimhneamh aige an uair sin nach mbuail-
feadh sé arís le haon duine dá raibh ann. Bhíodh sé ar intinn i
gcónaí aige bualadh isteach athuair go dtí an t-oileán. I gcárta
poist a bhreac sé go dtí R.I.Best sa bhliain 1913, d'inis sé dó go
raibh sé ag filleadh ar Bhaile Átha Cliath ón Ioruaidh go ceann
tamaill agus go mb'fhéidir go dtabharfadh sé faoin mBlascaod
siar. 'I shall probably be in Dublin in a fortnight or so.... I may

go to the Blaskets for a week'.[42] Níl aon fhianaise againn áfach a ligfeadh dúinn a mhaíomh gur dhein sé amhlaidh, ach ina dhiaidh sin chuir sé cuireadh go dtí Tomás á iarraidh air dul go dtí Oslo chun bualadh leis féin: 'Chuir an Lochlannach Sgéala chúam doll anúan chuige go Lochluinn. is dócha go b'fhuilim ró chríonna. Dúbhairt Sé go g'cuirfheadh sé beagán beag airgid chúgam, mar a raighinn anúan chuige'.[43] Agus mura mbeadh an t-aos in aon chor–agus ní raibh sé chomh críonna sin ar fad–ní móide go mbeadh aon éileamh ag Tomás ar a leithéid de thuras.

Lean Marstrander de bheith ag cabhrú le Tomás agus sa bhliain 1915 bhronn sé síntiús air, rud a d'oir go maith dó ag an am. 'Cé chuir leitir chúgham, acht an fear a cheapas ná raibh beó, ma Scoláire-beag, an Lochlannach, 7 a cúig-fichead £'1'5. ínnti, bhí sé agam le línn Muiris a chaileamaint, ba mhath an chabhair dam é, 7 b'anna mhaith'.[44]

Ina dhiaidh sin, áfach, chuir cúrsaí cogaidh isteach ar an gcumarsáid eatarthu, Tomás ag súil i gcónaí leis an litir agus lena mbeadh istigh inti agus gan í ag teacht.

> Nách fada tá Cogadh mór na h'Úaróipe air siubhal, is dócha gur fada go b'fhuairis aon chúnntas ó'n' Duine Uasal Marstrander, ní'l fios agam a b'fhuil post a doll ó Shaseanna go Lochlainn. dá ba dhóil liom go m-beadh do chuirfhainn leitair chuige. Is fada Éireann go bh'fhuaireas aon chúnntas úaidh. an beó nuadh marbh do. is minnic a chuir Sé fáltas chúgham, 7 is sé ma dhóchas go g'cuirfheadh anois leis dá mbeadh fios aige.[45]

Turas eile i gcaitheamh na mblianta úd chuir an Lochlannach cártaí poist go dtí Tomás, á chur in iúl dó go raibh súil in airde aige le filleadh ar an mBlascaod sul i bhfad. Níor theastaigh uaidh an méid a bhí bailithe cheana aige den Ghaeilge a chailliúint. 'Tá an Lochlannach beó fós. ní fadó ó fuaireas cúpla cárta aon lá amháin úaidh, tá Sé a caileamhaint na Gaedhluine a deir sé 7 go g'caithfhaidh sé teacht aríost an chéad bhliadhain eile'.[46]

Mar is léir cheana féin, tuigtear dúinn nár fhill an Lochlannach riamh ar an áit, bíodh gur mhór a shuim sa Ghaeilge i gcónaí. Ná ní mó a thug Tomás aon turas riamh ar an Ioruaidh. Bheadh sé spéisiúil a fháil amach cad é an tuairim a bheadh aige i dtaobh an domhain mhóir. Ar aon nós, bhí an domhan sin tosaithe ar theacht chuige ar an oileán beag mara ina raibh sé agus trí bliana i ndiaidh dó bailiú leis ón mBlascaod, sheol Marstrander Robin Flower go dtí Tomás.

Robin Flower

I samhradh na bliana 1910 a d'fhreastail Robin Flower [47] ar léachtanna Mharstrander sa tSean-Ghaeilge agus sa Mhéan-

Gaeilge i scoil an Léinn Cheiltigh i mBaile Átha Cliath. Ag an am seo mhol an Lochlannach dó an Blascaod Mór a bhaint amach dó féin, mar a gcloisfeadh sé an Ghaeilge ghlan chéanna a chuala sé féin ann tamall roimhe sin. Seo mar a chuireann Marstrander an scéal inár láthair:

> I am lecturing twice a week in the University for two students. One of them is very clever and has decided to give all his time to Celtic Studies. I will secure him a scholarship next year and send him off to the Blaskets to my old friend Thomás Ó 'Crithin–providing the Princess is not there; she might disturb the piece [sic] of his heart, which according to his friends is of a very soft material.[48]

Ghlac Flower go fonnmhar leis an gcomhairle seo, agus thug aghaidh siar láithreach ar an mBlascaod. Chuir sé faoi i dteach an Rí, deartháir céile Thomáis, mar a bhí déanta ag Marstrander roimhe, agus ní fada a bhí sé ann nuair a casadh Tomás air. Ina thuairiscí ar an Oileán Tiar tugann Flower cuntas dúinn ar dhéanamh, ar iompar agus ar éirim Thomáis an tráth sin. 'A slight but confident figure. The face takes your attention at once and holds it. This face is dark and thin, and there look out of it two quick and living eyes, the vivid witnesses of a fine and self-sufficing intelligence'.[49] I gcaitheamh na haimsire seo chuaigh Tomás agus é féin i mbun oibre ar bhóthar Ché an Oileáin. Ní raibh aon taithí cheana féin ag Flower ar obair den saghas seo, agus ba ghearr go raibh an dá láimh aige leointe tinn ó bheith ag beartú na piocóide.

Mí a chaith Flower an bhliain sin ar an oileán, agus ar fhilleadh abhaile dó, chuir sé a bhuíochas in iúl láithreach le bronntanas a chur go dtí Tomás. Chuir Tomás an litir seo a leanas go dtí é ag gabháil buíochais ar ais leis.

Blascaod mór,
Lughnasa 29th 1910.

A Chara Uasail,
Mar i sé do cheart D'ainm é do bhíos chum scríobhadh chúat díreach nuair i fuaireas do chárta. 7 is mó duine gur chaitheas é spáint do, sé rud i dúreadar go léir, gur bh'fhiúnnteach an obair má ghaoidheann aon duine bás ann le na breagheacht dáit. gan abhras is deas an riarc é,
A shár-fhir ní ionghnadh go dí mar bhí ar na daoine dtaobh an bhronnteachis do luigis chúam féin 7 chuin an Ríogh 7 dúreadar go léir nár ghaibh aon Ógánnach riamh trasna do b'fheár méin ná thu, ach aon fear amh-áin eile sé sin an Lochlannach.
A óig-fhir tá brón mór orm nár fhéadas déannamh níos i bh'fheár duit acht do bhíos ró ghnótheach 7 ní raimh an eagadh againn ar i chéile acht castar na daoine ar i chéile acht ní castar na cnoic ná

na sléibhte sean-fhocal i seadh é. Má castar sa Tír-seo arist thu 7 má
bhím beó ní imtheóir as gan Gaedhluinn do dhóthain dhá fhageint
agat.

Táim anna bhaoch díot 7 táim i leigeant ma bheannacht chúat
agus beannacht Dé, na theannta. saoghal fada chuat fé shláinnte. a
shár-fhir óig-dhaidhbheinneach....

Beidh súil agam le cúpla linne úait má sé do thoil é cuir [scéal]
chúam an d'tuigeantú an Ghaedhluinn seo má thuigeantú ní beid
cortha do bheidh i scríobhadh chúat go minnic.

Slán Beo Leat
Mise do chara 7 mór mheas agam ortsa.
Tomás Ó Criomhthain.[50]

Mar is léir ón litir thuas, níorbh é dearmad Flower tabharthas a
chur go dtí an Rí le linn dó ceann eile a chur go dtí Tomás. (Is
cosúil gur ón Daingean ar a shlí ar ais dó a sheol sé chucu iad.) Ní
raibh aon mhoill ar an Rí an litir bhuíochais a bhreacadh.

A Chara,
tá sé in am agam sgriobhadh chughat agus buidheachas do
bhreith leat mar gheall air an mbronntas do chuiris chugham ón
Daingin.

Budh mhór an t-iontas do chuir sé orm a radh gur cuimhinís ar
a leithéid a dhéanamh go méadaighidh Dia do lámh 7 do stór anois 7
gho deo,

Sin í mo ghuidhe-se dhuit, 7 ní gadh dhom a radh go bfuilim
anna-bhuidheac díot

Tá súil agam go cuaidhis slán abhaile fé mhaise, 7 go dtiocfidh
tu chughainn an chéad bhliadhain eile.

Mise do chara agus árd-mheas agam ort
Pádraig Ó Catháin.[51]

An bhliain dár gcionn phós Flower bean dárbh ainm Íde Máire
Streeter. In Aibreán na bliana sin, i litir a chuir Tomás go dtí é,
thréaslaigh sé a phósadh leis agus bheannaigh dóibh beirt mar
leanas:

Is dócha nách gádh dham d'fhiaraighe dhíot mar gheall ar an óig-
bhean i bhuail leat, ná gur thaithin sí go maith leat darnogh. Má tá
aon ghaol aici leatsa ní deanfar í cháinne.

Ó nuair ná fuil sé am chumas aon nídh fóghanta do dhéannamh
díbh má bheannacht libh 7 beannacht Dé go d'thugadh sé saoghal fada
dhíbh i n'diaidh [sic] shláinnte, Ba chóir gur bh'fhear beannacht ná
mallacht aon lá Níl fhios agam i bh'fhuil Gaedhluinn Aici núdh na
fuil. Dá ba dhóil liom go mbeadh do chuirfin rann bheag chúichi.[52]

Níorbh fhada ina dhiaidh sin go raibh Flower agus Tomás i
bhfochair a chéile arís. I mí an Mheithimh a socraíodh go
gcuirfeadh an lánúin nuaphósta fúthu i dteach an Rí. Seo thíos
litir ó fhear an tí ag fearadh na bhfáiltí geala rompu. Bhí 'seomra

an Lochlannaigh', mar a thugadh sé i gcónaí air, cóirithe aige dóibh, dúirt sé.

A Chara gan cháim
    Do fuaras do leitir Dia haoine agus ní miste dham arád na go raibh atas mor orm a chlosaint go rabhas ag teacht go dí an tOileán. Tá an seomra le fágail agat féin 7 ag do Bean 7 míle fáilte, (is sé seomra an Lochlannaigh é) sgríbh cugam más é do thoil é 7 innis dam caide an la a beid tu i nDuncuin bead fein 7 mo bhad romat cuin tu thabairt trasna.
                le suil go bhfuil tu féin 7 d bhean go maith
                        mise do chara
                                Pádraig Ó Catháin.⁵³

Go gairid ina dhiaidh sin chaith an lánúin mí na meala ar an oileán. Ní raibh aon locht ag a bhean ar an áit ach oiread leis féin, agus chuaigh Flower i dtaithí ar an nGaeilge níos fearr. Mar seo a scríobh sé go dtí R.I.Best mar gheall air. An naoú lá de Lúnasa dáta na litreach.

    Yes, we are just back from the Blasquets. We had a glorious time there.... I got to be able to speak and understand pretty well. I feel now as though I couldn't speak a word, but I suppose if I went back, I should be able to get along all right. My wife enjoyed herself thoroughly and did some rather nice sketches of the Island.⁵⁴

I mí Meán Fómhair sheol Tomás litir go dtí é, á chur in iúl dó gur mheas sé go raibh an 'scoláire beag' seo ba dhéanaí tagtha isteach go maith ar an nGaeilge faoin am seo agus go raibh sé ina mháistir cheana uirthi.

    Is mór an tóirtéis i chuir sé orm nuair i fuaireas do leitir, go ceart-dhíreach i ngaedhluinn bhríobhar na Tháite-seo, 7 ní fhuilim sásta dhíot fós, 7 ní-fhuilim ró-shásta gan beagán do'n teanga Ghaedhleach i bheidh aige an Mháighistreás leis, má thagan Sí aríst múinnfhead féin í, 7 ní bhacfhead Thusa....
    Is dóil liom i scoláire-bhig féin mar deirreach an Lochlannach leis féin nuair i thugeach sé an scoláire-beag ar féin 7 an Sean-a-Mháighistir ormsa, 'go bh'fhuil do dhóithin Gaedhluinne agatsa, aonh fhear i tá n'fhile Gaedhlach tá eagla orm go bh'fhaighair lastúas díom, 7 i n'ionad i bheidh á foghlaim anso, gur go Lúnndain i bheidh síad i dul i níos mó.⁵⁵

Lean an comhfhreagras pearsanta eatarthu agus nuair a saolaíodh an chéad leanbh do bhean an Bhláithín, mhol Tomás dó an ghirseach a thabhairt isteach ar an oileán gan mhoill, agus dúirt sé leis í féin agus an mháthair a fhágáil ann go ceann bliana, sa tslí go bpiocfadh siad suas Gaeilge ghlan go héasca. Mar mhagadh a scríobh sé an méid seo, dar ndóigh.

Anois ó's fear grínn Thu féin, is cóir dam, screabhall i bhaint assat do,
an chéad-chuid do, é seo le rádh agam, nách breágh bhíonn na
Páistaidhe i Saseanna aca có tiubh 7 do bhíod siad i n'Éireinn aca.

Tá sé có maith agat an leanbh-sion do thabhairt leat anaoll í féin 7 i
máthair, 7 iad d'fhágaint anso go ceann bliadheanna, an's sa tsligh má
Tá Thuile Gaedhluinne uait go mbeidh do dhóthainn aige an leanbh
di, anuair i thiocfhair an bhliadhain i beidh [sic] chúainn le congnabh
Dé.[56]

D'fhill Flower ar an mBlascaod an bhliain dár gcionn. Ní fios
go cruinn an raibh a bhean chéile agus an leanbh ina theannta ar
an turas sin, ach dhealródh an scéal go rabhadar triúr ann an
bhliain ina dhiaidh sin arís. Tar éis dóibh slán a fhágáil an bhliain
sin 1913 is ea a cailleadh Pádraig Ó Criomhthain, mac Thomáis,
agus fágadh Tomás i nduibheagán an bhróin. Is léir go raibh sé
gan lúth, gan mhaitheas le linn dó an litir seo a scríobh go dtí
Flower ar an gcúigiú lá de Lúnasa:

> Tá an peann-so am láimh agam, cé nár rugas ar pheann am dhóaid
> le sé seachtmhuinne go dí andiu. Mar go bh'fhuilim go buartha
> brónnach ó d'fhágais me, taréis an Mac ba shinne a bhí agam, a bheith
> cailte curtha le sé seachtmhuinne, 7 gur b'é bhí am choimeád súas 7 a
> coimeád an Tígh. Bhí aithne agat air darnó, Denny a Thugidís air,
> acht Pádraig Ó Criomhthain fhíor-ainm, maith a tá fhios agam nách
> maith leat sion a chlos, acht ní'l lias air, caithfar a bheidh Sásta leis
> gach nígh is maith leis an Árd Mháighistir....
> Ní leitir fhada í seo mar táim trí-na-chéile 7 ní'l an Seóaladh núadh
> agam acht an Sean-a-cheann, 7 ní'l fios agam an Sroithfhaidh sí chuin
> cínn,...
> ansa n'Oisbuideal a n'Daingean-uí-chúise a fuair an Mac bás. Bhí sé
> ann ar feag sé seachtmhuinne fé láimh a Dochtúara. 7 do tugach go
> Dún-Chaoin é go dí na Theampall dúthchuis. Beannacht Dé le'n anam
> 7 le anaman Marbh.[57]

I ndiaidh na Nollag, áfach, chuir Tomás litir eile go dtí Flower,
ceann a léiríonn go bhfuil buairt a mhic curtha de aige, agus go
bhfuil sé tagtha chuige féin arís. Eanáir a dó, 1914, dáta na
litreach. Cúis eile leis an ardú meanman an fáltas a bheith
sroichte chuige i gcomhair na Nollag go gairid roimhe sin:

> Do fuaireas do leitir, 7 darnó, ní leitir mar mhagadh í. go bh'fhága
> Dia Suas thu a'd Shaoghal 7 a'd Shláinnte,... Is dóil liom gur Mac dam
> féin, gach n'duine agaibh-se, go m'bíom na Theannta do bhein cómh
> dúareatach sion daoibhe, 7 darnó can-a-thaobh ná beinn, trí Púint a
> chuir Mac dam, a tá ansa Talamh Úr chúgam 7 nár chuirise Chúig
> Phúint chúgham, Dia na glóaire go bfhága an T'Sláinnte agaibhe go
> léir chuin a Tharrac....
> Gealaim-se dhuit, mar a bhfhuil Tainim air spíce go h'árd ansa
> n'oileán-so, ná raibh Ainm aon duine riamh. Mar nár dheineas do

Mhaitheas a cheilt, ná riamh, an Té dhéanfheadh orm í acht cómh maith. Pinnicle go d'tugim-se an spíce air, a dréir bonn na Sean-a-chainnte Tá (pinnicle) gan gaedhluinn a d'Tír na h'Éireann fós. An Cró-Mór an pinnicle a tá ansa N'oileán-so, cá fada ó bhaile bhiis [leg.'bhís'] andiu, Bhíos cómh fada le spíce an Chróaidh, sin mar deiridís, deireadh an file ansa n'amhrán le Ó Cuinnil fear dlíghe, nuair a thastaigh úaidh an fear a crocha, a cheann a chur go barra an tíghe air Spíce go hárd. The pinnicle of the house.[58]

Bhí Flower ar ais an oileán arís ar an tríú lá is fiche de Mheitheamh sa bhliain 1914. Seo í an tuairisc a thugann sé féin dúinn ar a theacht i dtír ann:

The 'King' appeared soon, and we went down the cliff. The King was alone and only had one pair of oars. Oars are scarce now, for everybody is at sea now... even Tomás has taken to the sea again. We were across in about an hour. Kate and Tomás came down to the slip to meet us. Everybody looks just the same.[59]

Fad a bhí Flower ar an oileán an turas seo, cuireadh tús leis an gcogadh, agus b'éigean dó filleadh ar Londain gan mhoill. Ní fhillfeadh sé ar an mBlascaod go ceann cúig bliana.

Ráithe i ndiaidh dó imeacht chuir Tomás litir go dtí é á chur in iúl dó go raibh an cogadh, dá fhad uathu i gcéin é, tosaithe ar chur isteach ar mhuintir an oileáin, iad ag cailliúint airgid agus ag maireachtáil ar an gcaolchuid mar gheall air. An saol ina chíor thuathail thiar agus thoir:

Ba chómhair gur mhithid dam caoingneamh ort, 7 fios d'fhaghail úait cunnas mar tá an tóir mhór-so a doll duit, sé an tóir é seo, an cogadh, do chualadh go raibh beartiúghadh agat, chuin doll leis an Aram go dí páirc an bhuai-lte, níor mhaith liom a chlos go m'beidhfá ansion mar nách maith an áit é gan amhras,
Do bhuail an cogadh ciadhna árd chlabhata air na h'oileánaigh 7 cé ná fuil aon n'fhear ó'n n'Oileán sa chogadh, marsin féin, do chuir Sé gan réal ná Sgilling íad, mar do stop na báid ó Shaseanna do bhíodh a tabhairt na n'glimach úain go lúath. 7 morán marbh aca, 7 fuaireadar bás ansa potaí-scóair gach ceann aca. Tá réal air phúnt siúcaire tá leath-phaca plúair glan púnt, Tá gach nígh anna dhaor, 7 gealim duit nár mhór dóaibh an glimach a sgiobadh úatha chuin na nighthe-seo a thabhairt chuin cínn. Ní'l fios aige h'éinne cunnas mar bheidh an sgéal air deire. Tá eagla oram a d'taobh Shaseanna, tá niomarc éinntiléach-ta aige an Gearamánach sa spéir 7 air farraige. Is firist do'n namhaid teacht go Tír na h'Éireann an aimsir-seo, ní mór an gárda a tá a faire.

A Bhláithín a Bhláithín, cad a chuadhla á rádh
Acht go ramhais a doll an chogadh gan eagadh gan spás
Fan aige baile cuir maoill air do láimh
Mar nách ionnan doll a g'cogadh agus teacht aríost slán.[60]

Mí Feabhra na bliana dár gcionn, chuir Tomás litir eile chuige á chur an iúl dó nach bhfuil aon fheabhas tagtha ar chúrsaí mhuintir an oileáin ach iad ag breacadh an lae leo mar is fearr is féidir leo. 'Tá an Saoghal a doll a g'cruacht anso féin orrainn, tá na h'arraighe anna dhaor orrain, 7 gan faic againn á dhéanamh. Do thugas a sé-fichead 26/-, air leath-phaca Plúair an lá fé dheire, 7 ní'l doll air shiúcaire'.[61]

Níor dhein Flower dearmad riamh ar mhuintir an oileáin i gcaitheamh na haimsire seo. Sheoladh sé tabhartas éigin go dtí Tomás go rialta, agus ba mhinic, leis, a chuireadh sé suim airgid go dtí na hoileánaigh eile; ba mhór an chabhair an méid sin dóibh, dar ndóigh, aimsir ghátair. Is cosúil, ón litir thíos, gur faoin Rí a d'fhágtaí cúram riartha an airgid, nó gur faoi a fágadh an turas seo, ar aon chuma.

Tá do leitir fachta agam 7 má tá ní follamh é, go raibh sláinnte chúghat 7 saoghal fada, nár bhreágh an tobbac ó Lúndainn a chuiris chúgham tobbac dearrag, ó's dócha gur b'é an Páipéar dearrag é, Seadh. Tá tobbac dubh ma dhóthainn agam air, gur a buann duit.

7 a chara dhil, ba chómhair go d'tugeanntiu sínntiúbhas maith dham nuair a ghanntiú an bóthar, Agus leis sin, ní beadh milleán agam ort, cé gur dócha nách ansa n'oileán-so a bheadh ma dhinnéar agam á chaitheamh andiu mar a m'beadh a bhfuil aige ad láimh fharsaing á shínne chúgham, acht a d'tig na m'bocht.... Tá do bhile air láimh an Rí fós, caithfhaidh sé doll go Daingean uí Chúise, chuin siúinseála d'fhághbhail, ní'l a thuile feasa agam mar gheall air, nuair a bheidh geóbhair úam é, Táim a féachaint amach me féin, 7 ní h'eóal dham aon duine a bheith fíor-ghorta [sic] fos ann. is dócha gur a brath leis sin, a tá an Ríogh, ní'l fhios agam, Tá an méid-seo feasa agam, mar ná bíonn aon fios agam acht an fios fíor, 7 ná raibh riamh, tá oiread creideamhna facht agat á bhár, 7 ná fúair aon fear eile raimh is caoinn le aoinne.

Darnó, céim an árd is seadh é duine Uasal a chur airgead as a Phóca féin, chuin an n'Oileáin, go raibh sé a caitheamh a laetheannta Saoire ann.[62]

Sula raibh an tseachtain istigh bhí an tsóinséail ag an Rí. Roinneadh an t-airgead ar mhuintir an oileáin ar fad agus fuair Tomás féin a scar féin de, oiread agus a bhí ag dul dó nó b'fhéidir níos mó;

Do fuair locht an mhuireair Mhoir ba lúgadh cóngnamh breis uaidh, is beag eile, ná gur raibh comh cannrannach le na chéile, 7 leis sin, dúareamair le na chéile, gan feóail 7 iasc a bheith ann, 7 a bheag nua mhór a tabhairt do gach tigh do, sin a bhféatfheadh teachtaire ó Neamh a dhéannamh chuin gach n'Duine a bheith baoch.... Do fuair do Shean-a-Mhághaistir deich-Sgillinne úaidh, bíonn an Ríogh, go maith dom a g'comhnuidhe is dócha gur coróinn a thug Sé do chuid eile aca, cuid eile aca Púnt, Acht bé ínntin, a bheag nua Mhór a thúbhairt do gach Tigh.[63]

An samhradh sin rug an bás mac eile le Tomás. B'in é Muiris, an té ba dhéanaí a bhí fanta ina theannta ar an oileán ag an am. Ní raibh sé ar fónamh le ráithe roimhe sin agus d'éag sé ag tús mhí an Mheithimh. Ina theannta sin, ní raibh pingin rua fágtha ag Tomás féin. Seo mar a chuir sé an scéal truamhéileach i láthair Bhláithín.

Táim, ó lár a Mhárta, a tabhairt aire do Mhuiris, a bhí breóghte agam, 7 gan agam ansa n'Oileán acht é, bhí aithinne agat air darnó, bhí sé laom a g'cómhnuidhe, sé an sleadaí-dubh, a thosnaigh leis, fuair sé fuacht na dhiaidh, do chuaidh sé an chnoc, 7 do fuair sé tiotam ann. Bhí gach cúbhais ansa deire aige a d'teannta chéile, beigeant dam mí a thabhairt súas ansa deire leis do ló agus d'oidhche, am chuid éadaigh. Nua go bh'fuair an bás a lá ansa deire air, tá sé cailte curtha na theampall dhúthchais an n'Dún-Caoín. trí seachtmhainne ó thoin. 7 mise go buartha cráighte úaigeannach na dhiaidh, 7 gan do choileachtain agam acht é, Beannacht an n'Grást le'n anam, 7 le h'anam Mhairibh an Domhain.

A d'teannta ma bhróinn 7 m'achláinn na dhiaidh, táim go dealamh na dhéaidh, mar pé pingin a bhí agam 7 ná raibh do bhí sé caithte agam leis, táim gan faic, acht air thaobh a tighe ó dhimthigh sé úam.[64]

Lean cúrsaí cogaidh de bheith ag cur isteach ar Thomás agus ar mhuintir an oileáin. I Samhain na bliana 1917 léiríonn Tomás go bhfuil an saol ag breith dian orthu i gcónaí agus go bhfuil an dealús agus an uireasa ag cur orthu. 'Tá mórán éisc marbh ansa n'Oileán i m'bliadhna púnt a céad air a g'comhnaidhe, níl aon mhóin ann, níl na prátaí leis ródh mhaith aige cuid aca, tá na h'arraighe leis a doll chuin ganachúise orrainn. Tá siúcaire air ceal le fada úainn, 7 gach níghe a doll chuin teirce, 7 a n'daoíre gach lá'.[65]

Uair éigin i gcaitheamh na haimsire seo, áfach, is ea a briseadh an long 'An Quabra', láimh leis an oileán. Ba mhór an chabhair sin do na hoileánaigh mar is mó rud a d'ardaíodar leo aisti.

Tá Árthach-Báchte [sic] aige carraig-a-láthair, lastúaidh d'oileán, tamall síar ó bhun a Túair. le seacht-seachtmhaine do phiuc na h'oileánaigh mor-chuid aisti Plúair 7 feóil stocaí agus éadach ní-raibh aon t'sóart fé an n'gréin ná go raibh ínnti ach deoch amháin Bhí mór-chuid do lóan cogaidh ínnti do bhí lán dhá luinge ná raibh ródh-mhór Sámheálta aige's, na h'oileánaigh do.

Níor thug na maoír úathadh aon rud a bhí gireamhaint dóibh féin. D'fhág sion beatha laé 7 lán bliadhna aca deir Fheoil is Phlúar....

Quebra London a b'ainim di. Ba bréagh an lúng air muir í.[66]

I ndiaidh an chogaidh d'fhill muintir Flower ar a laethanta saoire
ar an oileán. I litir a scríobh Tomás go dtí Brian Ó Ceallaigh agus
an dáta 'End of Feb 1919' ag an gCeallach uirthi, scríobh sé an
méid seo: 'Tá Seán Ó Conchubhair chúm, Seán Tóibín, Fionán
Mac Coluim, Bláithín'.[67] N'fheadair aon duine go cruinn cad iad
na turasanna a thug sé ar an áit ina dhiaidh sin. Níl aon amhras,
áfach, ná gur lean Flower de bheith ag seoladh an airgid chucu
sin a bhí istigh ann, agus go dtí duine díobh go háirithe. A
leithéid seo, cuirim i gcás, ag Tomás, Eanáir a sé fichead 1921,
dáta na litreach. 'Fuaireas do leitir féin... rud eile me díolta as í
léigheamh go maith 7 ní gádh dham gotha an bhladair a chur
oram féin leis mar dhinnean a thuile. Do b-fhéarr liom go mór
ínnti é ná aiste. mar bhí cuid mhaith istig le línn í osgailt. níor
cheileas an Tabharthas leis'.[68] Uair éigin ina dhiaidh sin, sheol
Flower cóta mór go dtí é. Is léir go raibh Tomás lánsásta leis mar
bhronntanas bíodh a fhianaise sin ar an méid seo thíos:

níl srungán ná báisteach a doll a bh-fheidhim oram, Cunnas do
bheadh 7 an Duine Uasal ó cheart láir Chathair Lóndain a cur dighinn
chugham. Bím ag guidhe chuin Dé air úbhar sion a g'comhnuidhe, 7
n'fheadair duine cad as go bhfaghadh sé díoll na Sheibhialtacht
b-fhéidair....
   Féach an T-amhrán-so déannta do'n g'cóta-mór agam, Fharaire. Is
oth liom ná fuil sé am chumas íad do cheapa i d-Teanga na Máighis-
treás có maith. An bhean do fúair dúath an bhaoíll iongeantaig do
chur le chéile 7 do sheóala chugham go dí-so. Do cheapas ná bheadh
aoinne i Londain go deó, go m'bein có baoch do, le'd chorp, féin
amháin,
   Ach, is céist í-seo ná féatfhainn a réightheach, cioca is módh do
ghradam agam duit-se ná don Máighistreás. Air tusa do bheith chuin
daidh-níghe do dhéannamh féin, is beag do bheadh a'd chumas do
dhéannamh, dá m'beadh an droith-bean istigh leat, ná le'd leithéid
eile.
   Is mó Bean go g'caithfhaidhe an Cóta-mór chumhthe chuin í
sheóala go dí an Blascaod, ná geódhadh dúath a dhéannta, ach go
b'fhuil Sí-féin có maith leat....

An Cóta-Mór

Fonn: Is dubh sa's geal í an fharraige.

Sa Londainn Thall a déarfhainn a Tá
   An dís daonna is fearra beó,
Táid do shíor gan staonna a díannamh
   Déirce air an Té bhíonn dreóil,
Dúbhairt an Dís le chéile do bféidair
   dár n'dearmhuad mór.

AN SEABHAC
(le caoinchead Roinn Bhéaloideas Éireann)

FIONÁN MAC COLUIM
(le caoinchead Roinn Bhéaloideas Éireann)

An fear gaedhlach sa Bhlascaod Thíar
A déannamh gan Cóta-Mór

Tránthónna an laé chéadna chúaidh an
Tréan-fhear go siopa comhair,
Do chonnaic sé an ball lán éachtach
ba léir do ná feacaig fós,
Do dhíoll aisti go h'éasgaig is dhéin é
gan mórán bróinn,
IS dubhairt ní bheidh mas féidair
An fear gaedhlach gan Cóta-Mór.

Do bhronn sé air a bhean féin í is
Dúbhairt léithe Í fhásgadh a g'comhair,
IS í sheóala a n'aom fé sheála go dí
An bh'fhear gaedhlach an Bhlascaod Mhór,
Do dhin an Bhean Uasal mhaorgadh an
méid sin go h'éasgaig comhair,
IS chuir chugham go dí an Blascaod í
Níl an Gaedheal ann gan Cóta-Mór,

Air Theacht do'n T-seóaid chugham féinaidh
Ba léire ba bhreághta cló,
N-fheadar cad do dhéanfhainn do'n Té
Úghad do chuir í am Threó,
A sabhail súad níor bhfhéidair leith
Aoinne do shroistaint fós,
Mar ar raibh sí air OISÍN éachtach
Air a Theárnamh ó Thír na n'Óg.[69]

D'fhill Flower ar an mBlascaod sa bhliain 1925.[70] Faoi cheann
dhá bhliain eile thug sé aghaidh ar an áit arís, agus nuair a bhí sé
ag fanacht leis an traein ó stáisiún Phaddington, dhein sé an giota
seo a bhreacadh ina leabhar nótaí. 'Go n-eighrí an turas liom! Tá
an obair a bhí lé déanamh agam san Mhusaeum críochnaithe ar
fad, agus tá sgiatháin fúm chuin bheith i gCiaraí ag labhairt na
Gaoluinne agus ag éisteacht leis na daoine agus an chaint bhreá
bhlasta ar siúl aca.'[71]
I gceann dhá bhliain eile thug Flower dhá thuras ar an oileán[72]
agus i litir a sheol sé go dtí R.I. Best in Aibreán na bliana sin deir
sé nach mó an taitneamh atá á bhaint aige féin as an turas ná ag
na hiníonacha aige. 'They are having the time of their lives here
running about and dozing and picking up bits of Irish, The
weather has been wonderful this last fortnight and now with the
sun all day and a full moon over the Island at night it is a heaven
to be here'.[73] I gcaitheamh na gcuairteanna déanacha seo,
chuireadh muintir Flower fúthu i dteach mhuintir Ghaoithín. Seo
an cur síos ag Máire Ní Ghaoithín ar na cúrsaí sin:

Nuair a phós Cáit (iníon an rí) Seán Ó Cathasaigh, i mBaile an Teampaill i nDún Chaoin, ní raibh sa tigh ansin ach an Rí agus a mhac Seán. Tháinig an Bláithín ansin ar lóistín go dtí tigh mo mháthar, iníon eile leis an Rí. Bhí inár dtighne ansin, agus a bhean agus Bairbre, agus a mhac, an fhaid eile a bhí sé ag teacht go bhfuair sé bás.[74]

N'fheadar an minic a bhí Flower ar an oileán ina dhiaidh sin, ach dhealródh an scéal gur tháinig sé go dtí an Blascaod den uair dhéanach i Meitheamh na bliana 1932.[75] Cúig bliana ina dhiaidh sin, i mí an Mhárta 1937, nuair a d'éag Tomás, chuir Bean Uí Chearnaigh an scéal go dtí bean chéile Flower: 'Tell Blaheen that his old friend died God Bless us Thomas Crohan please. he is burried, at the 8th of march and tis fine for him because he was in bed always..., Mrs. Lizzie Kearney /Shasie'[76]

Brian Ó Ceallaigh

B'é Pádraig Ó Siocfhradha (An Seabhac) an chéad oide múinte sa Ghaeilge a bhí ag Brian Ó Ceallaigh.[77] Níor fhoghlaim Brian an teanga seo ar scoil, ach músclaíodh a shuim inti go luath ina shaol, agus theastaigh go géar uaidh go dtabharfaí teagasc príobháideach sa teanga sin dó. Ag an am úd, ó 1912 go 1917, bhí an Seabhac ina thimire Gaeilge i gceantar Chill Airne, agus ní fada go raibh sé ag triall ar Bhrian go rialta ag múineadh na teanga dó. Insíonn an Seabhac féin an scéal dúinn ina thaobh:

Chuir máthair an ógánaigh, Brian Ó Ceallaigh, fios orm agus adubhairt liom gomadh mhian lena mac Gaedhilg d'fhoghluim, agus an dtiocfainn chun an tighe chuige cúpla turas sa tsachtain ar an intinn sin. Ní raibh Gaedhilg ar bith ag Brian anuair sin, ach bhí eolas maith ar theangthacha eile aige, agus b'iongnadh liom a éascaidhe a fuair sé greim ar bhunús na Gaedhilge uaim-se.[78]

Dhein Brian dul chun cinn sa Ghaeilge agus, tar éis tamaill, mhol an Seabhac dó triall ar Chorca Dhuibhne mar a gcloisfeadh sé Gaeilge ghlan, rud a chuirfeadh feabhas agus slacht ar Ghaeilge Bhriain féin.

Ghlac Brian go fonnmhar leis an gcuireadh seo, agus in Aibreán na bliana 1917 tháinig sé i dtír ar an mBlascaod Mór. Ní fada a bhí sé ann nuair a casadh Tomás air. I bhfocail an tSeabhaic féin, 'bhí sé sa bhfaisean an uair sin féin dul go Duibhneachaibh nó don Oileán Tiar. Thugas nóta dho le tabhairt do Thomás dá mbuaileadh sé leis. Do bhuail go luath, mar is é dul 'on Oileán a ghlac Brian de rogha'.[79] B'é an Rí a stiúraigh Brian ar Thomás,[80] agus d'éirigh an bheirt acu an-mhór lena chéile, agus sa tslí go rabhadar ina bpáirtithe as sin amach. Deir Tomás: 'Aibreán, 1917, is seadh do Tháinaidh Brian Ó Ceallaig, go dí an Blascaod Mór. Do ghlac sé do láimh me, 7 do chaitheamair Téarma fada len a Chéile, nach mór bliadhain'.[81]

Ba mhinnic sin a stádar gach lá le chéile
Air bhánnta an Bhlascaoid mhóir
Is ár g'cómhrádh grínn go bínn i nGaedhluinn
Air bhánnta an Bhlascaoid mhóir.[82]

Dúirt Tomás le Brian i ndán eile go mbraitheadh sé uaidh an chuideachta seo, nuair a bhí an Ceallach bailithe leis.

Is fada liom úagham go n'gluaisaighean an Té úghad,
Do bhíodh le'm ghuallain a bh'fuaghdar aorrach,
Ár g'comhradh buaghan a bh-fhuaim cheart ghaedhlach,
Air bhánnta an Bhlascaoid mhóir.[83]

Mheas Brian féin go ndeachaigh an t-allagar seo go mór chun tairbhe dó, agus iad beirt istigh i bPálas an Rí ag féachaint an fhuinneog amach. Mar seo a chuireann an Criomhthanach síos ar an aimsir sin.

Sé an T'óg Uasal Brian Ó Ceallaigh an fear is déanaidhe a bhí ann, ó phriomh chathair Chiarraighe, Cílláirne: thug sé lá 7 bliadhain dá Shaoghal againn.... Is módh tránthónna suaithinseach, ná baciméis ceacht ná leabhar, ach a féachaint amach Thríd a bh'fuinnóig-seo, 7 is minnic a dúbhairt sé, gur bhfhearra dho an tamall comhráidh a bhíodh againn le radharc na fuinnóige gach úair, ná seachtmhain sa leabhartha.[84]

Mar is léir ón ngiota thuas, luigh Brian agus Tomás isteach ar léamh agus scríobh na Gaeilge chomh maith agus sin í an tábhacht a bhaineann leis an gCeallach. Chothaigh sé spéis Thomáis sa léitheoireacht agus ghríosaigh agus spreag é chun dul i mbun pinn agus cúrsaí an oileáin a bhreacadh ar pháipéar. Mura mbeadh Brian, is cinnte nach mbeadh an dá leabhar *Allagar na hInise* agus *An tOileánach* againn inniu.

Bhíodh amhráin Ghaeilge á ngabháil leis acu. 'Cait ní Dhuibhir', 'Ar Éirinn ní 'neosfainn cé hí' agus 'Bánchnoic Éireann Ó' na trí fhonn ba mhinicí a chanaidís.[85] Ní foláir nó thuig Brian go gcuirfeadh na hamhráin seo agus an saibhreas cainte a bhí iontu go mór lena chuid Gaeilge féin; blianta ina dhiaidh sin, aon uair a sheoladh Tomás litir go dtí Brian ba ghnáth leis tagairt a dhéanamh do na hamhráin seo, agus do ghuth Bhriain: 'A trímhadh rann.... Tá sí-seo chughat anois. Ba mhaith liom na trí-rann a bheith agat, ní h'amhrán go trí-rann é, nuair a bheidh agat téire air a n'árdán 7 abair íad. Tá guth bhreágh agat'.[86]

'Bánchnoic Éireann Ó' an t-amhrán díobh ab ansa leo, agus
mar is léir ó na véarsaí thuas, ba mhinic a chumadh Tomás
véarsaí molta do Bhrian bunaithe ar an amhrán sin, agus
chuireadh sé chuige iad. Féach an litir thíos a bhfuil an dáta
5.iv.1919 uirthi. 'Seo ranna air na bán-chnuic agat. Táim á g'cur
air fúaid na h'Éireann. Beidh dúais aca gan eamhras. B'féidair ná
beadh dúais 'Mhic uí Cheallaig' air a g'ceann is lúgh aca.... Táim
chuin amhránaidhe a dhéannamh díot'.[87]

Chaith Brian an samhradh iomlán ar an oileán agus i mí na
Samhna bhí sé bailithe leis uaidh. Ag an am sin a chuir Tomás an
litir seo go dtí Flower. 'Do bhí Óigh-fhear Uasal, ó'm Thír féin, a
foughlaim úam an Samhradh-so, thug sé fiche seachtmhain am
theannta níos-a-shíadh ná "Marstrander" Brian-ó-Ceallaigh
ainim ó chorp Chíll-Áirne a gCiarraighe, thug sé Gaedhluinn leis
cuid mhaith, cé ná raibh paoinn i teacht aige dhi'.[88]

Go luath ina dhiaidh sin, d'fhill Brian ar an oileán agus d'fhan
sé ann go dtí tar éis na Nollag. 'I was in the Island all December
1917'.[89] Mar seo a scríobh Tomás ina thaobh sa bhliain 1921:
'Tímcheall cheire bliadhna ó'-Thoin do chaith Duine Uasal an
Nodhlaig ansa Bhlascaod mhór ár measc. Agus dubhairt sé gur
bhfeárr leis í chaitheamh ann ná n'áit féin, cé gur Timcheall
Mhuiciris na g'Craobh aige Cíll-Áirne do bhí a Chúirt 7 a
Dhaidh-bhaile féin'.[90] Ba mhinic Tomás ag cuimhneamh siar ar
an aimsir seo agus daoine eile chomh maith leis, más fíor:

> Is olc a chreidfheadh na daoine ná feacaidh air nóas an Aspail Tomás,
> gur chait Duine Uasal ó Chílláirne an Nodhlaig ár d'teannta ansa
> Bhlascaod, ó'n na Mhuinntir féin, 7 ó'n a bhaile Dúchuis, an baile is
> módh ainim a n'Éireinn. Ach, bhí so a g'ceist, 7 ní-l an Nodhlaig-seo
> gan machtnamh géar déannta air an bhfhear úghad aige na bheag sa
> mhór.... Agus le caoínne an méid a chonaic é sé ma thuairim go
> m'beidh machtnamh air gach Nodhlaig.[91]

Tá a fhocal féin againn air gur fhág Brian an áit an lá déanach
den bhliain sin. 'I left it, going to Valentia on the last day of the
year'.[92] N'fheadair aon duine ar thug sé riamh turas eile ar an
oileán ach is cosúil nár thug cé go mbíodh súil in airde ag Tomás i
gcónaí lena sheanchara a fheiceáil arís.

Ba mhinic ina dhiaidh sin a bhraitheadh Tomás Brian uaidh
agus chuireadh sé an t-uaigneas seo in iúl dó ina litreacha go dtí
é. 'Is módh duine tacaighthe go dí an náit-seo ó shoin, ach
Daoine Uaisle bochta do beadh iad m'eamhras, is módh mach-
tnamh déannta agam ort ó shoin ní h'iongnadh sion, mar is módh
lá a bhí againn a d'teannta chéile, bhí anna shúil agam leat go
déannach 7 ba bhreágh liom Thu d'fhisceint'.[93] Mheasadh Tomás
i gcónaí gur mhór an trua é nár chaith Brian breis ama leis mar

b'é ba mhó a chuaigh chun cinn sa Ghaeilge díobh go léir. 'Ní fheadar an bhfuil aon Turus eile agat le tabhairt orrain, is bocht an sgéal ná raibh cúpla mí eile agat ár d'teannta, Chuin go m'beadh deifir deir Tu féin 7 scoláirí eile na h'Éireann, mar nár Thug aon duine eile aca ar-so í, acht Tu fhéin amháin'.[94] Uaireanta is i bhfoirm filíochta a chuireadh Tomás an t-uaigneas in iúl dó.

Fonn: An Róisín Dubh.

Is fada ó Thúaidh Thu a n'gaillimh stúamtha,
  Ó'n náit-seo anois,
Tá ár súil aduaidh leat air bhruach na g'cuanta,
  Go dí an n'áit-seo ansion,
Bí'd a'd lúachtaint sa cur do Thúairaisc
  Cad é an n'áit ann duit,
Ní fios lan-mhór dúinn cá bhfuil 'Duine Uasal'
  Ó dh fhághmhuis sin.

Tá an barrabúadh leat air feag do thuairaisc,
  Ó'n náit-seo agat,
S' ó'n bhfhear a bhúail leat a thug teagasc clúas duit,
  Sa ghaedhluinn chirt,
Má chígheanntiú stúaire a bheidh péacach búacach
  Ná h'ísligh 'di,
Mar tá cáil do thúairaisc do dhraoim na g'cúannta,
  Thrí Róisín Dubh.[95]

Tá an chuma ar an scéal go mbíodh na freagraí mall ag teacht uaireanta –gan amhras níl aon fhreagra díobh ar marthain anois– agus ba mhinic Tomás ag lorg na litreach uaidh, agus na déirce ina teannta:

Is mór mar táim trí-na-chéile ó d'fhágmhuis me, 7 darnó ní h'iongeantas sion, me ag gimmacht i naonacht le duine-Uasal gach lá ag gaeraigheacht, 7 na theannta-sion É, tabhairt slíghe mhaireachtaint dam....
Cunnas a tá Tathair maith, 7 do Mháthair, 7 na mná-óga, Bhí an tárthach anso, lár-na-mháireach taréis tú dh'fhághainnt Ba mhaith liom clos go raibh Coráiste rómhat, 7 béigeannt do Chailínní an Daingin, doll do shiúbhal an lár-na-mhaireach.
Tá anna iongeantas oram, nár chuiris aon línne chúgham ó shoin ríamh, 7 air mhuinntair an bhaile air fad, má chuiris ní bh'fhúaireas.... Dúbhart leat do Sheóladh a chur chúgham, acht n'íl agam, acht cuirfheadsa seóaladh gaedhlach uirri a gheóaidh amach air fúaid Eireann thu, má tántiu ínnti.... Agus is mór an fhailaighe dhuit, gan aon sgríobh pínn a chur go dí ad T'Sean-a-Mhághaistir ó shoin riamh. acht ná bí mairsin nuair a gheobhair í seo, má sé do thoil é.... 'seanfhocal' nuair is crúaid do'n Chailigh caitheann sí ríoth, sin nua agamsa leatsa é, núair a b'fhada liomsa é, táim a cur línne chúghat.[96]

Ní i gcónaí bhíodh seoladh Bhriain go cruinn ag Tomás agus ba
mhinic agus é ag breacadh litreach chuige nárbh fhios dó cá raibh
a triall ná a ceann cúrsa. 'Caithead an leitir-seo a chuar a lorag a
fortiúain air fúaid na h'Éireann, chuin tu dh'fhághail amach, mar
is dócha go bhfuil Gleann-Bheithe fáca agaibh anois, ba mhaith
liom cúnntas a dhfhághbhail, má shroithfheadh sí thú'.[97]
   Chuireadh Tomás comhairle ar Bhrian uaireanta. Nuair a thug
sé faoi deara, mar shampla, go raibh post mar chigire Gaeilge á
thairiscint ag an Roinn Oideachais mhol sé do Bhrian tabhairt
faoi, rud a dhein.

   Fonn: ċáit ní Dhuibhir.

   Is mór an cor sa t'saoghal liom
      A b-páipéair núair a fhicim síos,
   Cigaire úatha a gaedhluinn go léir cheart
      Sa bh-fhógairt chighim,
   Códh lúath is chonnac an méid-seo
      do staonnas air mhachtnamh craoínn,
   Gur b'é Brían Ó Ceallaigh an T'é sin
      a dhéannfheadh an bheart go craoínn.[98]

Bhíodh a bhun féin ag Tomás leis an gcomhairle a thabhairt: dá
fheabhas a bheadh ag éirí le Brian is ea ba mhó a rachadh an
caradas i dtairbhe dó féin. Dá mb'é an pósadh féin é, bheadh rud
éigin aige dá bharr: 'Do cheapas i gcónaí go gcloisfinn thu 'bheith
pósta nó le pósadh go dtí so. Ba bhreá liom é ar dhá shlí: slí acu,
críoch a dhéanta ort féin; an tarna slí, mar do bheadh ort feidhre
bróg a chur ar an seana-mháistir i gcomhair an tsamhraidh go
mbeadh gíoscán ag gluaiseacht acu'.[99]
   Ba mhinic é chomh maith ag déircínteacht ar Bhrian ar shlite
eile; mura bhfuil an déirc á lorg go hoscailte aige sa chéad litir
eile anseo téann sé an-ghairid dó: 'Is módh cor do chuireann an
Saoghal do air feag bliadhna, 7 dábur bas do phóca féin an méid
a Tá agam á éileamh, ní brathfeá agat ná úait é, a g'ceann na
bliadhna, An méid do Thugais dam Thanna níl aon chaoínne
andiu-air,—agas ná raibh ná go deó'.[100]
   Ach bíonn nithe eile seachas an déirc sna litreacha, tá iontu
chomh maith éachtaint ar phearsantacht Thomáis féin. Éachtaint
is ea í is annamh le fáil in *Allagar na hInise* ná in *An tOileánach*,
agus cuireann sin go mór le tábhacht na litreacha seo, mar
shampla, nuair a d'éag Cáit Ní Chriomhthain, a iníon dhéanach,
chuir Tomás scéala ina thaobh go dtí Brian. Tá an dáta 8.5.1922
ag an gCeallach uirthi.

   A Chara na náran,
      Níor mhaith liom bás do Mháthar a chlos, Ach cad deire le Cáit

ní Chriomhthain an T-aon ingean amhain do mhair agam go dí-so–Ná
go bh-fhuil caoilte-curtha ó mhí Anair, bhí áit bhreágh amuth ansa
Dún-Mhór aici, d'-fhág sí ceatharar garsúan 7 ceatharar ingean go
suarrach óg na díadh. Beannacht Dé Dílis go raibh le'n a n'Anam 7
le'n ár n-anam féin an lá déannach.

Nách mór an obair a laoighead pairaigthis a tá ansa láimh fós
agam taréis gach crúadhtain dá bhfuil curtha agam díom.

Ach fear maith is seadh Dia–a deiredh an fear bocht fadó,
agus gan greim aige air maidin do chuirfeadh sé chuin a bhéil, agus go
m'buaileadh an bairile plúair air an d-Tráigh-bháin leis, chuin Aimsair
Dinnéir.

slán 7 beannacht da shíor chughat.[101]

Nuair a gheibheadh aon duine de mhuintir an oileáin bás ba nós
le Tomás an scéal a chur in iúl do Bhrian. 'Tá Pádraig ó guithín,
an fear aosta a naice Thíghe Bhoffair do bhíodh breóighte a
gcomhnuide, marbh andiu ní raibh indé, "fear Pheig Saors"
bionnacht Dé le'n Anam, 7 leith h'anaman ár marbh go léir'.[102] I
litir eile, insíonn sé dó an 'dochtúir' a bheith báite agus Eibhlín
Ní Ghuithín a bheith caillte curtha go hóg. 'Badhadh a "n'Innis-
mhic-Cílláin" Seán Seaghdha, an Dochtúair ba leas-ainnim do. Is
sé do bhí a naonacht leis a n'Dálach i m'bliadhna. Tá Eibhlín ní
Ghuithín ansa n'Úaigh, ingean chríonna Mháire an Rí. ansa
n'Oísbuideal a caileadh í – Taréis deich seachtmhaine'.[103]

Is mó litir eile, ar ndóigh, a sheol Tomás agus Brian chun a
chéile, ach uair éigin sna fichidí tháinig laghdú ar an teagmháil
eatarthu. Ag deireadh na bliana 1925 a d'imigh Brian thar lear.
Ní raibh aon súil ag Tomás anois go bhfillfeadh sé ar an mBlasca-
od Mór ná go mbuailfidís lena chéile arís. Fós ní raibh dearmad
déanta ag Brian ar an Oileánach, agus i litir ina dhiaidh sin go dtí
an Seabhac, deir Tomás go bhfuair sé bronntanas uaidh. 'Tá
Brían, ansa ghearamáin fós go chuir sé Féallaire go dí me. Tá sé
ansa n'áit Chéadhna Thall. Tá si air crocha agam Do chuireas
Fáilte leis roímpe agus roimis'.[104] Ní foláir nó ba bheag an
chumarsáid a bhí eatarthu ina dhiaidh sin, ach thugadh Tomás a
chuid féin den chreidiúint dó i gcónaí i gcúrsaí déirce, chomh
maith le gach cúrsa eile díobh. A leithéid seo de chaint, mar
shampla, i litir go dtí an Seabhac; 23 Bealtaine 1919 an dáta.

Do shroith do leitir me, agus ní fuar, ná follamh do bhí sí. Go
d'tugadh Dia luach do shaothair duit ar an saoghal-so, agus air an
Saoghal a Tá rómhainn, Agus do'n bhfear maith eile Brian Uasal
-Agus do bé-sin ainm.

Agus fós, dóaibh-seo eile a Tá i n'aon Treó leat, nár chuir an
mhaith air a g'cúallaibh, nár bheire aon ghreim cruaidh go deó
orraibh.[105]

Fionán Mac Coluim

Bhí grá agus urrraim thar meon ag Fionán Mac Coluim [106] riamh
don Ghaeilge agus chaith sé iomlán a shaoil ag obair ar a chroí
díchill ar a son. Cárbh ionadh dó mar sin an áit ba ghlaine agus
ba shaibhre Gaeilge i gCúige Mumhan a bhaint amach agus
leanúint de bheith ag teacht ann. Ní fios go cruinn cathain a thug
sé aghaidh ar an mBlascaod ar dtús, ach tuigtear go raibh sé ann
go luath. Deir Seán Ó Criomhthain: 'bhí aithne mhór ag Tomás
ar Fhionán sarar chuaigh sé in aithne don Seabhac riamh'.[107] Is é
is dóichí go raibh sé ann ar a laghad chomh luath le 1907 (is é sin
le rá chomh luath le Marstrander féin) mar is sa bhliain sin a
mhol sé do Chormac Ó Cadhlaigh dul ann. Tuigimid chomh
maith go dtugadh sé turasanna ar an áit go mion minic ina
dhiaidh sin agus go raibh sé ann chomh déanach le 1923. Léimid i
gcuntas cín lae Mhíchíl Uí Ghaoithín [108] gur bhuail Fionán chucu i
samhradh na bliana sin, ar an aonú lá is tríocha de mhí Iúil. 'Do
tháinig Fianán mac Colm isteach chúghainn indiu 7 is dóigh liom
nár aithnig éinne ón áit seo é ruthan [i.e. ar a shon] gur minic a
chonncadar é mar do bhíodh sé ag siúbhal ar an áit seo tá
bliadhanta ó shoin'. Nuair a tháinig Fionán i dtír ar an oileán an
lá seo, ghabh sé go díreach go dtí a sheanchara Tomás ar dtús.
'Nuair a gaibh sé an tslíghe aníos do bhí na fir go léir ar barra 7
do bhí sé ag crothadh a lámh ortha agus bait leó é, 7 níor dhéin
stad ná staonadh gur tháinig go dtí Tomás Criomhthain 7 do bain
crothadh lámh as, 7 sin é an uair a chuir sé féin iniúil dóibh.' Ní
foláir nó bhí ard-áthas ar Thomás ar fheiceáil Fhionáin dó, mar
bhíodar mór lena chéile riamh. B'é Fionán ar dtús a thug an ainm
'an fear fíor-Ghaelach' ar Thomás, ainm a thugadh Tomás air
féin go mórálach ina dhiaidh sin. Mar a dúirt Tomás le Flower:
'b'fhéidir nách fios duit fós céhé an fear fíor-Ghaedhlach so, an
chiad ainm a thug Fionán Mac Coluim orm féin agus bíoch sé
marsin'.[109]

Níor cheil Tomás riamh ar aon duine gur mhór leis Fionán,
agus ba mhinic a luadh sé é agus a chuireadh sé a thuairisc ina
litreacha go dtí an Seabhac. Nuair a bhí clabhsúr á chur aige ar
An tOileánach, bhreac sé síos an nóta seo go dtí an Seabhac i
ndeireadh na lámhscríbhinne: 'IS fada go bhfhuaireas aon leitir
Ó'm Sheana-Chara, "Fionán Mac Coluim". Tá súil agam go
b'fhuil sé go maith eadraibh'.[110] I litir eile deir Tomás go gcaith-
fidh sé scríobh go dtí é gan mhoill. 'Is dócha go d'tugan Fionán
mac-Coluim a Thuras isteach go dí sibh annuair a Thagan sé
Tímcheall go dí an b'priomh-chathair. ínnis do go b'fhuil mach-
tnamh déannta agam air chúpla línne do chur go dí é sar a' fada,
go dí an seanna sheóla do bhíonn aige. 5. S. Herbert'.[111] I litir

eile fós is léir go bhfuil an oiread sin measa aige ar Fhionán gur bhreá leis é a fheiceáil ina 'árd-rí' ar an nGaeilge in Éirinn.[112] Is léir gur réitigh Fionán leis na hoileánaigh eile. Ba mhinic a thugadh sé cuairt orthu agus thaitin sé leo go léir. 'Fear ana dheas leis is eadh é 7 cainnteóir maith. Labharan sé leis an leanbh cómh maith leis an seanduine'.[113]

Ina dhiaidh sin, i gcaitheamh na dtríochaidí, bhíodh scoláirí agus cuairteoirí eile ag déanamh ar an oileán go tiubh, agus cé gur casadh Tomás orthu chomh maith le duine ba mhó a mbaint agus a mbáúlacht anois le hoileánaigh eile, Peig agus Muiris Ó Súilleabháin cuir i gcás, agus an ceacht céanna á mhúineadh acu dóibh a bhí foghlamtha fadó ag Tomás: gur luachmhar an tseoid an saibhreas Gaeilge a bhí acu. Ach b'é ba dhóigh le Tomás nach raibh aon bhreith ag aon duine acu air féin, ós aige a bhí an sean-earra ceart. Cé gur seanduine anois é, is é a máistir go léir fós é:

Do Cheap móran dá bhfhuil ansa ghaedhealtacht gur mhar-a-chéile, do bhí an Teanga aca air fad, ach, bhí breall ortha. ansa n'Oileán-so féin, bíon cuid aca a cainnt le daoine stróinséartha do Thagan ann, agus do bhfheárr liom gan a bheith air a bhfhód ná bheith, do chloisfeá a cur an Bhéarla isteach go Tiubh íad, agus a Thuile dá m'beadh sé aca. Ó'n Chéad lá riamh do Shuidheas chuin búird le 'Marstrander' bliain agus fiche ó Thoin níor tháinaidh focal Béarla i gcomhrá Gaedhlach ó-thoin uagham.[114]

Ba dheacair a mheas nach raibh lámh éigin beag nó mór ag gach duine dá bhfuil ainmnithe thuas sa cheacht seo a chur abhaile ar Thomás. B'iad a chuir spéis ann i dtús báire. B'iad leis a chuir ina luí air go raibh saibhreas agus tábhacht ag baint le cultúr an Bhlascaoid. B'iad a thug an saol mór lasmuigh go dtí an t-oileán agus b'iad leis ar shlí faoi deara saol an oileáin a bheith ar eolas ag an saol mór.

LEABHARLANN THOMÁIS

Sa chaibidil seo déantar cur síos ar an mbailiú leabhar a bhí ag Tomás Ó Criomhthain. Léirítear go raibh teacht aige ar leabhair áirithe, agus deimhnítear a dteidil agus cá bhfuair sé iad. Luaitear Niamh agus Cáit, iníonacha Sheáin (mac Thomáis) go minic sa chaibidil mar is acusan atá leabharlann an Chriomhthanaigh sa lá atá inniu ann. Ní féidir brath go hiomlán ar liosta na leabhar sin, áfach, chun a chlár léitheoireachta a ríomhadh. Is é is dóichí gur iomaí leabhar a bhí ag Tomás nár léigh sé in aon chor. Ar an láimh eile, tuigtear go mb'fhéidir gur léigh sé leabhair a bhí ag oileánaigh eile ar an mBlascaod Mór, mar nós ab ea é an uair sin na leabhair a mhalartú ó dhuine go chéile. Dá bhrí sin, déantar cur síos ar thagairtí an Chriomhthanaigh féin dá chuid léitheoireachta. Is féidir brath orthusan mar dheimhniú go raibh na leabhair sin léite aige. Tugtar tuairisc chomh maith ar na hirisleabhair éagsúla a léigh sé. Ceist eile fós is ea é, ar ndóigh, conas a chuaigh na leabhair sin, nó aon cheann acu, i bhfeidhm air, má chuaigh, ceist atá i bhfad níos íogaire agus níos casta ná iad a bheith aige, léite nó gan a bheith léite.

Dúil Thomáis sa léitheoireacht

Cnuasach breá leabhar a bhí ag an gCriomhthanach, de réir a chuid cainte féin. Ina dhírbheathaisnéis *An tOileánach*, deir sé 'ní ró-fhada go raibh leabhar, 7 leabhartha agam'.[1] Bhí ábhar léitheoireachta idir Bhéarla agus Ghaeilge aige, ach leabhair Ghaeilge a bhí faighte aige óna chairde ar an mórthír ab ea a bhformhór. Seo cuntas ag Máire Ní Ghaoithín ar leabharlann Thomáis. 'Tráthnóntaí eile Domhnaigh théimis ag bothántaíocht ann. Thugadh sé leabhair le léamh dúinn. Bhí clár mór fada ar fhaid an fhalla ón dtaobh thoir don tigh sa chistin lán go barr de leabhair bhreátha Gaelainne a bhí curtha mar bhronntanas ag na stróinséirí. Bhíodh sé ag múineadh Gaelainne dóibh.'[2] An scéal céanna atá ag Pádraig Ua Maoileoin, a raibh Tomás mar sheanathair aige. Seo mar a labhraíonn sé ar leabharlann an Chriomhthanaigh:

Agus is aige a bhíodar idir Bhéarla agus Ghaeilge, cuid mhaith acu fachta mar bhronntanas aige ó aon stráille a gheobhadh an bóthar chuige agus gur mhaith leis a shaothar a chúiteamh ar shlí éigin leis. Anairde ar an gcúl-lochta a bhí na leabhra so aige mar an raibh teas agus cluthairt acu, agus gan aon bhaol go dtiocfadh fúthu ann. Do bhíodar caite anso anairde, gan riar gan eagar, i ngabhal a chéile, agus gur dhóigh leat go raibh an chreachaill a bhí trasna fén gclabhar ag cneadaíl fúthu. Nuair a mhothaigh na leabhra so ná raibh slí a ndóthain acu anairde mar a rabhadar, do scéitheadar leo anuas ar na seilpeanna a bhí ar an dá fhalla ar gach taobh, agus do chuireadar fúthu ansúd ar a suaimhneas. Déarfainn go raibh na céadta acu ann, agus nuair a dh'fhiafrófá de Thomás an raibh a leithéid seo nó siúd de leabhar aige, ní bheadh an tarna focal air; do shínfeadh sé a lámh anairde, agus ó áit éigin i gcorp na cúlach san do thairgeodh sé chuige an leabhar, dá mbeadh sé ann.³

Léadh Tomás roinnt mhaith leabhar agus ba mhór a shuim iontu. Deir sé féin 'do bhí an gumh-dearag orram féin chuin doll chuin cínn',⁴ agus féach an tuairisc atá ag a mhac Seán air: 'bhí an-dúil sa léitheoireacht riamh ag Tomás'.⁵ Dar le Pádraig Ua Maoileoin, ba bheag leis an gCriomhthanach an comhluadar, fad a bhí ábhar léitheoireachta aige. 'Do bhí sé ana-cheanúil ar an léitheoireacht ó thug sé suas an fharraige go mórmhór, agus ba chuma leis cuideachta aige nó uaidh go minic faid a bhí na leabhra aige.'⁶ An scéal céanna atá ag Máire Ní Ghaoithín ina thaobh: 'Nuair ná bíodh na stróinséirí ag Tomás ag foghlaim na Gaelainne nó nuair ná bíodh muintir an oileáin istigh aige, bhíodh na leabhair agus an peann mar chuideachta aige.'⁷ Uaireanta tharraingíodh Tomás leabhar chuige agus léadh sé os ard é do mhuintir an oileáin. Ba gheal leosan na seisiúin léitheoireachta seo, agus cé go mbíodh na scéalta sin ar bharr a dteanga cheana féin acu, ba mhó fós an pléisiúr agus an taitneamh a bhainidís as an leagan liteartha. Tá an méid seo le rá ag Tomás ina dtaobh: 'Agus na daoine ansa n'Oileán-so a Teacht ag géisteacht liom a léigheamh na Seann-Sgéalta dhóaibh, 7 Cé go raibh lán-chuid díobh acu féin, níor fhan aon bhlas aca ortha chuin iad-féin a bheith dhá rádh dhá chéile, Sochas an Slacht do chuireadh an leabhar ortha. Bá lán-fhada go n'geobhainn cortha ó bheith a léigheamh dóaibh sa n'aom-so'.⁸ Ó am go chéile, ghlacadh Tomás cúram na múinteoireachta air féin, agus dhéanadh sé léamh na Gaeilge a theagasc dá chompánaigh. Seo tuairisc Sheáin Uí Chriomhthain ar an scéal:

Bhíodh Mícheál Pheig, An File a thugaidís air –tá sé marbh, trócaire air –agus Fiche Blian, bhídís sin ag Tomás gach aon tráthnóna sa tseachtain, agus ba shin iad an bheirt is iontaí a chonac riamh ag déanamh staidéir ar an nGaeilge, Tomás ag léamh dóibh agus iad ag foghlaim uaidh conas léamh. Dheineadar go hiontach agus ba bhreá le croí Thomáis iad a bheith mar dhaltaí aige.[9]

Dháileadh an Criomhthanach leabhair ar oileánaigh eile chomh maith, mar is é a bhí ceaptha ag Conradh na Gaeilge chun iad a roinnt ar mhuintir an oileáin trí chéile. Bhíodh sciobadh orthu. Mar seo a labhair sé i dtaobh an ghnó seo i litir go dtí Brian Ó Ceallaigh. Tá an dáta 5.4.1919 ag an gCeallach ar an litir:

A Chara na náran,
Tá críoch glan curtha leis an méid-seo leis agam. Fuaireas gealleamhaint ó Chonnradh na Gaedhilge, ach, féachaint amach a bheith a n'díaidh na teangan agam.
Air phúnt sa mhí, chuireadar páipéair 7 leabhartha anso, chuin íad a thabhairt amach le léigheamh. Táid síad glan úagham códh lúath 7 do shroitheadar an t'Oileáin.[10]

Cé go bhfuair Tomás cnuasach maith leabhar ó Chonradh na Gaeilge ba mhó ná sin díobh a thagadh chuige óna chairde lasmuigh den oileán, ón Raithileach agus ón Seabhac cuir i gcás. Sa tslí sin chothaigh siad dúil an Chriomhthanaigh sa léitheoireacht. B'é Brian Ó Ceallaigh, áfach, an té ba mhó a spreag a spéis a léitheoireacht agus b'iad na leabhair a bhronn sé siúd ar an Oileánach na cinn is mó a chuaigh chun tairbhe dá shaothar ina dhiaidh sin.

An t-ábhar léitheoireachta a bhronn Brian Ó Ceallaigh ar Thomás
Foilsíodh *Séadna* i bhfoirm leabhair den chéad uair sa bhliain 1904. Céim mhór chun cinn sa Ghaeilge, ó thaobh teanga agus litríochta, ab ea an leabhar sin. 'Bhí an scéal san chomh tábhachtach san gur fíor beagnach a rádh gur leis a thosnuighean ré na nua-Ghaedhilge, an ré san atá bunuighthe ar "chaint na ndaoine". Dob é leabhar é sin ná "Séadna", an leabhar is mó iomrádh i stair na teangan.'[11] Mar a deir Tomás Ó Floinn: 'ó thaobh na staire dhe, dar ndó, tá éileamh eile le déanamh ar son áit shontasach a thabhairt do *Shéadna*–sé sin go dtosaíonn stair na próscheapadóireachta scéalaíochta sa Nua-Ghaeilge le cumadh an scéil sin.'[12] Tuigeadh go mba mhór an tionchar a d'fhéadfadh a bheith ag leabhar dá leithéid ar litríocht na Gaeilge. 'Ní baoghal ná go bhfuighfar blas ar *Séadna* nuair a bheidh clú a lán leabhar eile imthigthe ar ceal'.[13] De réir Phádraig Breatnach leanfaidh clú agus cáil an leabhair sin go ceann i bhfad eile; 'mairfidh *Séadna*... agus beidh sé ina bheathaidh nuair a bheidh cré na cille ar a lán de scríbhneoireacht chruthaitheach ár linne'.[14] Cé gur tuiscint eile ar fad a bhí aige féin ar an litríocht, mhol an Piarsach do lucht scríofa na Gaeilge aithris a dhéanamh ar stíl an Athar Peadar:

The formative influence of *Séadna* is likely to be great…

… Whilst style, in the ordinary acceptation, is essentially personal and peculiar to the author, there is such a thing as the 'style' of a period, or the 'style' of a national literature. What, in this sense, is to be the 'style' of the Irish prose of the future? We think that in *Séadna* An tAthair Peadar points the way in which Irish writers should march.[15]

Cá hionadh mar sin, gur roghnaigh Brian Ó Ceallaigh an leabhar seo chun é a bhreith leis go dtí an tOileán Tiar sa bhliain 1917. B'in mar a tharla agus chítear *Séadna* luaite sa leabhar beag nótaí a bhí aige ag dul ann is cosúil.[16] Is cinnte gur luigh Tomás isteach ar an leabhar gan mhoill ina dhiaidh sin, 'greas léighte agam do'n leabhar ud gur b'ainim dó *Séadna*,'[17] agus ba mhinic a léadh sé féin agus Brian i dteannta a chéile é. Bhí tairbhe á baint acu araon as an léamh seo. Chuir agus chabhraigh Tomás le Gaeilge an Cheallaigh, agus thug sé siúd cleachtadh tábhachtach ar léamh na teanga don Chriomhthanach.

Uaireanta ba istigh i bPálas an Rí a thugaidís faoi, ach ar ndóigh ba mhinic an leabhar acu á scaoileadh uathu mar mhaithe le caint agus cuideachta. 'Is mó tránthónna suaithinseach, ná baciméis [*sic*] ceacht ná leabhar, ach a féachaint amach thríd a b'fhuinnóig-seo·7 is minic a dubhairt sé, gur b'fhearra dhó an tamall comhráidh a bhíodh againn le radharc na fuinnóige gach úair, ná seachtmhain sa leabhartha'.[18] Ar charraig i bpáirc a dtugaidís 'gort na mara' air a léidis *Séadna* ó am go chéile. I litir ó Thomás go dtí Brian i bhfad ina dhiaidh sin, thug sé an charraig seo chun cuimhne. Scríobh sé: 'tá an chathaoir-chloiche úad a n'gort-na-mara, a bhí agat Dé Domhnaigh, cómh gnótheach agam 7 do bhí an chathaoir shúgáin úad Shéadhna againn araon, 7 ní-beag sion.'[19] 'Cathaoir Bhriain' a thugadh Tomás ar an gcarraig seo. Mar seo a labhair sé uirthi, dhá bhliain i ndiaidh do Bhrian bheith imithe uaidh:

Tógaim sgaoíth air chaithaoir chloiche a Tá na bhárr, go bhfhuil caithoir Bhrían, mar ainim airthe. Óig-fhear Uusal, a Tháinaidh a Tríall air a Theanga Dhúchais go dí an tOileán-so tamall ó thoin. Ba ghná leis suidhe síos tamall a m'barra an ghuirt-se, 7 a leabhar air leathadh aige, 7 a mhúinnteóir na Theannta ann, an lanntán is sláintiúbhala deir mhuir is grían, is dócha.[20]

Na blianta i ndiaidh do Bhrian a bheith imithe leis ón Oileán Tiar, chuireadh an charraig seo Brian agus an leabhar *Séadna* i gcuimhne do Thomás. Seo thíos rann a chum sé don Cheallach sa bhliain 1919. Dhealródh an scéal gur i ngort na mara a bhí Tomás nuair a chum sé an véarsa seo. *Séadna* an 'leabhar-mór' ní foláir:

Suidhim socair go follus air fhód,
Is bíonn fotharam mór aige an d'tuínn,
Is ceapaim go d'tacaigh chugham fós,
Brian, sa leabhar-mór féin mar bhíodh.[21]

Is iad seo na ceisteanna a rithfeadh le duine láithreach. Cén
dearcadh a bhí ag Tomás i leith an leabhair úd? Conas a thaitin
sé leis? Cén tionchar a bhí ag an leabhar seo ar a chumadóireacht
féin?
   I dtús báire is cinnte gur aithin agus gur thuig Tomás an
suíomh i *Séadna*. Ag tús an scéil castar Peig, scéalaí, orainn.
Oíche i ndiaidh a chéile, suíonn sí cois teallaigh agus í ag insint
dréacht eile den scéal dá lucht éisteachta. Ní foláir nó chuir an
suíomh seo laethanta a óige i gcuimhne don Chriomhthanach.
Bhí seantaithí aige ar an gcaitheamh aimsire seo. Ina dhír-
bheathaisnéis, *An tOileánach*, tugann sé tuairisc dúinn ar conas
mar a bhíodh sé faoi dhraíocht ag Tomás Maol agus é ag
seanchas is ag scéalaíocht i dtigh mhuintir Chriomhthain. Deir sé:
'bhíodh Tomás Maoll gach oidhche againn go h'aimsair codhlata,
Coileachta bhreágh do beadh é… faid do bhíodh sé cainnt 7 a cur
síos air chruadhtan an T-saoghail do bhí curtha aige dho.'[22]
   Ní foláir nó thuig Tomás an chaint shimplí, sholéite i *Séadna*.
Bhí rogha agus togha na Gaeilge ag an Athair Peadar, agus a lorg
sin le feiceáil ar an leabhar. 'An sliocht go raibh an teanga acu ón
gcliabhán, ghlac an leabhar a gcaint'.[23] Deir an t-údar féin gurb í
seo an Ghaeilge bheo a bhí i mbéal na ndaoine:

> Throughout the entire story there is not a single word, nor a single
> turn of expression, which has not been got directly from the mouths of
> living people 'who knew no English'. There has been no 'word-
> building'. Not a single phrase has been either "invented" or 'intro-
> duced from any outside source'. The reader can rest assured that
> while reading the story he is reading the 'actual speech of living Irish
> people who knew no English.'[24]

Ag caint ar *Séadna*, deir an Craoibhín gur thug sé 'the language
of the people into modern literature with a sureness and lightness
of touch that has never been surpassed, and that elevated it at
once into a classic.'[25]
   Is cinnte gur aontaigh Tomás leis an tuairim seo, agus ina chuid
féin scríbhinní bhaineadh sé úsáid formhór na haimsire as caint
mhuintir an Bhlascaoid. Ar shlí amháin ní raibh aon dul as aige
mura dtosódh sé ag déanamh aithrise ar na húdair a bhí léite
aige, ach is léir, chomh maith, gurb é a bhí uaidh teanga na
ndaoine a chur sa leabhar i dteannta na ndaoine féin gan bréag a
chur orthu. Deir Binchy gur ghoill sé go mór ar Thomás nuair a
tuigeadh dó gur bhraith na léitheoirí go raibh caint chrua chasta

in *An tOileánach:* 'Nothing has distressed Tomás more than the suggestion that his book contains "hard Irish": "There isn't one word in it", he said to me at our second meeting, "that wouldn't be understood by every child on the Island"'.[26]

Ní fhágfadh sin ná go mbeadh focal suaithinseach ann ó am go ham, rud atá, chomh maith le canúiní áirithe nach bhfuil le fáil sa chaint ná sa litríocht mar shampla 'sin nua ag x é'. Is canúin í sin a bhuaileann go mion minic linn i leabhair Thomáis. Féach na samplaí seo:

Ach creidim ná riotheann an sóart-sion mórtuis a bhfhad le daoine 7 do bin nua agam-sa leis é.[27]

Ní mar séiltear a bíghtar go minnic, 7 do bin nua aige-seo anúair-seo é.[28]

Bin nua aige an Rí é.[29]

Ach is firiste fuinne a d'Teannta na mine 7 do bín nua aca-so é[30]

Féach chomh maith, an t-alt seo thíos in *An tOileánach* mar a bhfuil an chanúin chéanna luaite faoi dhó ann. Sa ghiota seo, tá Tomás scanraithe ina bheatha roimh a athair. Tá Oscar, madra a athar, fágtha i bpoll éigin aige, é imithe isteach ann ar thóir coiníní mar níorbh fhéidir leis é a mhealladh as.

IS minnic nách mar Thuigean duine dho Chách do bhíonn sé, 7 do bin nua agam-sa le'm Athair é mar anuair do labhair sé do bhí fuaimeant le'n a chainnt. Is dócha ar seisean, ná raghadh osgar Síar an pholl tharnais mar a m'beadh gur bhraith sé coinnín eile ann—7 b-fhéidair dhá cheann, 7 trí-cínn ar seisean. ní-l aon abairt aige Claoínn le clos is Cómpóardaighe dhóaibh, ná Athair 7 máthair mhaith 7 do bin nua agamsa é, mar dá mhéid an doll Thrí-chéile do bhí oram a fágainnt an Chnuic dam, is roimis an m'beirt do bhí an chuid ba mhó dho oram, ach is eamhlaidh do chroitheadar díom a raibh oram do, 7 dan an sgéal marsin go dí amaireach.[31]

Cad is brí leis an gcanúin seo? Níl aon mhíniú cruinn ná cóir uirthi.[32] Seo an méid a deir R.A.Breatnach ina thaobh. 'Má chuirimíd ' "é" i n-ionad "nú", tá an graiméar gan cháim: "Sin é ag x é" (c. i. gcom. "sin é agat é"). Isí an cheist ansan an oiriúnódh san an brí. Isé mo thuairim go ndéanfadh go feil-lebhinn.'[33] Ní fhágann sin, áfach, go bhfuil réiteach iomlán na faidhbe againn. 'Ach ar a shon san is uile, isí an cheist dhiamhair dh'fhágadh an réiteach san—más réiteach é—gan freagairt: conas go ndéanfadh "sin nú" do "sin é"? Anb amhlaig atá míniú eile ar "nú"?'[34]

Féach arís sampla spéisiúil de chuid léitheoireacht Thomáis. Thiar i ndeireadh *An tOileánach* luann sé cúigear is sine ná é atá

fós beo san oileán, agus deir sé mar gheall orthu 'Táid-sin air a
m'bun-chíos' agus an bhrí 'pinsean' aige le 'bunchíos'.³⁵ Ní heol
dom ach an t-aon áit amháin eile i dteanga agus i litríocht na
Nua-Ghaeilge go bhfuil an focal 'bunchíos' le fáil ann agus is é sin
Foras Feasa ar Éirinn sa scéal ar 'Mór-dháil Droma Ceat'. Sa
scéal sin, iarrann Colum Cille trí ní ar an rí. Seo é an tríú ceann:
"An treas athchuinghe iarraim ort", ar Colum Cille, "cairde do
thabhairt do Dhál Riada gan dul da n-argain go hAlbain do
thabhach bhuinchíosa orra. Óir ní dlightheach dhuit d'fhagháil
uatha acht airdchíos is éirghe shluagh ar muir is ar tír".³⁶ Tá sé
seo mar scéal uimhir a 23 ag an Aimhirgíneach i *Sgéalaigheacht
Chéitinn* agus sa dara heagrán (1925) gabhann sé buíochas le
hEoin Mac Néill as an téarma a mhíniú dó.³⁷ Ní foláir nó is uaidh
seo a bhí an focal ag Tomás –d'fhéadfadh an leabhar a bheith
faighte aige ó Thomás Ó Raithile mar shampla, nó b'fhéidir gurb
amhlaidh a chuir an Raithileach an cheist air féachaint an
mbeadh an focal aige.

B'fhéidir a áiteamh gurb ó *Séadna* a thóg Tomás ciútaí eile
chomh maith, cé nár ghá gur mar sin a bheadh. Ní foláir nó
d'aithin Tomás samhail an ainmhí i *Séadna*, cuirim i gcás mar rud
coitianta ag an Athair Peadar is ea é. Arís is arís eile sa leabhar,
chímid an t-údar ag cur an duine i gcomparáid leis an ainmhí,
nuair is mian leis béim a leagadh ar thréith áirithe. Mar seo a
chuireann sé síos ar an diabhal: 'Bhí dhá adhairc air mar bhéadh
ar phocán gabhair; agus meigioll fada liath-ghorm garbh air,
eirball mar bhéadh ar mhada ruadh, agus crúb ar chois leis mar
chrúb thairbh.'³⁸ Is nós traidisiúnta é an diabhal a íslú go leibhéal
na n-ainmhithe agus bíonn na cumaí céanna i gcónaí air. I *Séadna*
chímid mar a chroith a eireaball anonn is anall, 'mar bhéadh bárr
eirbaill cait agus é ag faire ar luich'.³⁹ Tuigimid go raibh a ingne
fada cama 'mar a bhéadh ar chrobh fiolair'.⁴⁰ Cloisimid mar a
chuir sé búir uafásach mhillteanach as 'mar chuirfeadh leómhan
buile'.⁴¹ Agus níor chloígh an tAthair Peadar le samhail an
ainmhí chun cur síos ar an diabhal amháin. Tugann an t-údar
tuairisc dúinn ar conas mar a fuair Sadhbh fáinne ón rí a raibh
cloch uasal ann 'a bhí chómh mór le súil giorfhiadh'.⁴² Nuair a bhí
sí le buile is le báiní, thug sí 'aghaidh na muc a's na madraí ar an
dtíncéir'.⁴³ Agus seo mar a labhraíonn na leanaí ar lucht an
Bhéarla. 'Níl acu ach "fot? fot? fot?" mar bhéadh cearc go
mbéadh diuc uirthi'.⁴⁴

Cad a mheas Tomás nuair a léigh sé na samhlacha seo an
Athar Peadar? I dtús báire ní dócha go rithfeadh sé leis go raibh
aon nuaíocht mhór iontu. Ach sin é go díreach is mó a thabhar-
fadh coráiste dó: go raibh glactha cheana lena leithéidí i litríocht

na Gaeilge agus gur dhóigh leis na húdair iad a bheith oiriúnach.
Dhealródh an scéal gur gnáthnós i measc mhuintir an Bhlascaoid
ab ea é an duine a chur i gcomparáid leis an ainmhí, agus is rud é
sin go mbeifí ag súil leis ó phobal dá leithéid gan amhras.
Baineann Tomás úsáid as samhail an ainmhí go mion minic san
Allagar. Deir Luce gur tréith í seo a nascann litríocht an Bhlasca-
oid le scríbhinní na Gréige.[45] Uaireanta is chun cur síos air féin a
thagraíonn an Criomhthanach don ainmhí; beireann sé ar an rud
in aice leis agus buaileann síos lena ais féin é: 'Bhíos chódh dall le
circ'[46] agus 'd'fhág sion air nóas na circe mé go m'beadh obh aici,
síos súas gan fúaimeant liom féin ná le'm ghnó.'[47] Féach an rann
seo thíos:

> Tá do chaoínne-se am ínntin-se fós,
> Air nóas síor-bhagairt ghlóartha na d'tonn,
> Bím a caoíngneamh air do ghníobhartha gach ló,
> Bím a smaoingneamh air go ghlóartha gach aom,
> Sgíordaim am shuidhe súas lán bheó,
> Air nóas faoillean air dhreóail charaig laom,
> Nua go smaongnín aríost thu bheith beó,
> Is go bhfiocfhaid-sa fós tú le'm dhraom.[48]

Ó am go chéile san *Allagar* cuireann an Criomhthanach a chom-
pánaigh i gcomparáid leis an ainmhí. Sna tuairiscí aige, deir
oileánach amháin an méid seo lena chara: 'tá cosiubhlacht aige
t'suile-se le súile an fhiollair a chigheann a b'fhaid 7 a
ngioracht.'[49] Uair eile tugann sé cuntas dúinn ar bheirt bhan a
chuaigh ceangailte ina chéile lá mar gheall ar chearca agus 'do bhí
an bheirt códh marbh leis na cearca nách mór sar ar bhraith
aoinne iad.'[50] Mar seo a labhraíonn sé ar bheirt gharsún a raibh
sé ag allagar leo: 'beo leó, mar dhá choileán gadhair, 7 níor mhór
an eagadh chuin stádair a bhí agam-sa, an t'aom go b'fheaca
chugham aríost íad',[51] agus deir sé go bhfuil an aimsir gheimhridh
ag goilliúint go mór anois ar bhean a bhí 'códh priocaighthe fean
a bliadhna leis an ealla air a línn'.[52] Féach chomh maith an giota a
leanas mar a bhfuil sraith de shamhlacha in úsáid aige: 'bhí na
daoine beag 7 mór mar bheadh sgata ba air mhachaire báin, nua
ráith éisc air úachtar na mara, nua mórán luingeasa air móráil a
g'cuan'.[53] Níl aon amhras, mar sin, ná gur leabhar oiriúnach a bhí
ag Brian Ó Ceallaigh ag teacht más é a theastaigh uaidh Tomás a
chur ar a shuaimhneas maidir leis an litríocht agus ar bhain léi.
Na tréithe a d'aithin sé ann, bhí seantaithí aige cheana orthu ina
shaol féin, agus gan le déanamh aige ach iad a thabhairt leis
tamall eile i dtreo na scríbhneoireachta. Nuair a d'imigh Brian ón
mBlascaod Mór ar an lá déanach den bhliain 1917, dhealródh an
scéal gur fhág sé *Séadna* ag Tomás, mar i litir ón Oileánach

chuige ina dhiaidh sin deir sé an méid seo: 'Tá leabhar a t'Sagairt
fós agam. Is ceart go bhfhuil léigheamh eile déannta agam ó
shoin air'.[54] Is é is dóichí gurb é *Séadna* an leabhar seo.
(B'é sagart a bhí i gceist aige an tAthair Peadar gan amhras.) Mar is
léir cheana, nuair a d'fhág Brian an t-oileán, lean Tomás agus é
féin i gcomhfhreagras lena chéile. I gcaitheamh na mblianta seo,
sheoladh Brian ábhar léitheoireachta idir leabhair agus pháipéir
go dtí a sheanchara ar an mBlascaod, agus is minic sna nótaí
chuige a luann sé go bhfuil a leithéid á chur sa phost aige, mar
shampla:

A Thomáis,
I send you four ounces and four sheets. Also some newspaper
cuttings. One cutting is about a man on an island like a black man in
Norway. With best wishes to you and to Shán Owen. I hope all your
friends are well.

Brian.[55]

An scéal céanna atá aige i litir eile go dtí Tomás:

I also send you three cuttings from newspapers. You remember the
papers about China that I sent you last year a few times. I will get an
American booklet about China and Japan sent to you next month.
Beannacht Dé chút,
Brian.[56]

I litir ó Thomás go dtí an Ceallach, chímid admháil uaidh go
bhfuil a leithéid faighte aige. Deir sé 'tá mórán comharaighthe
tacaighthe orram ó fhágmhuis, na pictiúirí, an cárta, leabhar na
muice duibhe, bhí t'ainim air a g'cárta, ach ní raimh leis a g'cuid
eile.'[57] Tharlódh gurb é *The Black Pig's Dike* a bhí a gceist ag
Tomás le 'leabhar na muice duibhe'.[58]
Tuigtear chomh maith gurb é Brian a chuir *An Iceland Fisher-
man* le Pierre Loti chuig an gCriomhthanach agus tá an leabhar
seo ag iníonacha Sheáin fós.[59] Sa réamhrá a ghabhann le *Allagar
na hInise,* alt atá in ainm is a bheith scríofa ag an gCeallach,[60]
chímid an méid seo: 'Fuaireas agus léas dó Iascaire Inse Tuile
(Pêcheur d'Islande) le Pierre Loti'.[61] Is léir, áfach, ó litir a chuir
Tomás chuige, nach amhlaidh a léigh Brian dó é, ach gur chuir sé
chuige sa phost le léamh é. Deir Tomás: 'smut do gach leabhar a
Tá léighte agamsa, ní féidir liom Teacht air leigheamh 7 air
sgríobh 7 nighthe beaga eile. Taithníd liom go maith, deir Seán
gur bé an T-iasgaire an ceann is deise aca, is dóil liom-sa leis é.'[62]
Táim in amhras, áfach, nár bhac Tomás mórán le Loti. I dtús
báire, mar is léir ón litir thuas, níor léigh sé ach giotaí fánacha as
den chéad iarracht, agus níl aon fhianaise ann gur léigh sé ó thús
deireadh riamh é. I mblúire eile de litir a chuir Tomás go dtí

Brian, deir sé 'ní mór do'n leabhar léighte fós agam ach, ní mór gan léigheamh ó Sheán do.'[63] Cé nach féidir é a dheimhniú, seans maith gurbh é leabhar Loti a bhí i gceist aige anseo.

Tá cúis eile fós agam lena cheapadh nár thóg Tomás aon cheann rómhór do leabhar Loti, agus is í seo an chúis is treise díobh. Am éigin roimh thosú ar an *Oileánach* dó, d'iarr Brian ar Thomás gearrscéal a chumadh. Deir an Seabhac linn go raibh formhór *Allagar na hInise* scríofa ag an am seo, agus gur mheas Brian gur mhór an díol trua é gan Tomás a chur ag cumadh scéil nua-aimseartha. Más fíor don Seabhac, dhein sé féin agus Brian cnámha scéil a chur le chéile a bheadh mar bhunús le scéal Thomáis. Chun an pointe seo a léiriú, caithfear cnámha an scéil ag Loti a bhreacadh síos anseo ar dtús. San *Iceland Fisherman*, tagann cailín óg darb ainm Gaud, in éineacht lena hathair, chun cur fúthu i bPaimpol. Tá roinnt mhaith de shaibhreas an tsaoil ag a hathair. Tar éis scaithimh bhig, titeann sí i ngrá la hiascaire áitiúil, Yann, ach cé go bhfuil seisean bán geal ina diaidh, seachnaíonn sé í, mar go bhfuil a hathair ró-shaibhir agus eisean beo bocht. I ndeireadh thiar, scuabann an bás athair Ghaud, agus fágtar í ag maireachtáil ar an gcaolchuid. Ina dhiaidh sin, pósann Yann agus Guad. Féach anois cnámha an scéil a chuir an Seabhac agus Brian faoi bhráid Thomáis le súil go nglacfadh sé leis mar phatrún:

Scéal simplidhe go leor dob eadh é: cailín áluinn óg a theacht 'on oileán i dteannta a hathar 'na luaimh bhreágh seoil, duine saidhbhir an t-athair, gan de chlainn aige ach an cailín áluinn, ise do chur spéise san oileán, í d'fhanacht ann ag foghluim na Gaedhilge, í thuitim i ngrádh le fear breágh óg de mhuintir an oileáin, eisean i ngrádh léi ach ná leigfeadh an fhearamhlacht ná an onóir dó a innsint do chailín saidhbhir árd-chéime é bheith i ngrádh leí, 7 rl., 7rl., agus iad do phósadh a chéile ar deireadh thiar.[64]

Féach chomh cóngarach dá chéile is atá cnámha scéal Loti do chnámha an scéil a leag Brian Ó Ceallaigh agus an Seabhac amach do Thomás. Is é an scéal céanna go bunúsach é. Más fíor don tuairisc seo ag an Seabhac, fágann sin gur iarr Brian ar Thomás scéal a chumadh a bheadh bunaithe ar leabhar Loti. Ní bheadh baint ná páirt ag Tomás leis an scéal seo áfach. I bhfocail an tSeabhaic féin: 'beag ná mór ní gheobhadh Tomás leis an "séithleach" úd. Cháin sé go feileameanta é. Níor thuit a leithéid de scéal amach riamh san oileán, agus níor cheart a leithéid a chur i leith an oileáin.'[65] Ní haon phatrún liteartha a theastaigh ó Thomás a leanúint, mar sin, ach cur síos a dhéanamh ar an saol a raibh taithí aige féin air.

Cé go labhraíonn sé róláidir ina thaobh, agus cé gurb iad Loti

agus *Allagar na hInise* atá faoi chaibidil ag Máire san alt seo
thíos, agus cé go mbeadh cuid den éad agus den chúigeachas ag
roinnt leis an tuairisc, aontaím go ginearálta leis an mbuntuairim
atá aige–is é sin gur beag an tionchar a bhí ag Loti ar Thomás;
má bhí an gaol ann is i gan fhios do bheirt acu é:

> Tá píosaí sa leabhar seo agus ní thuigim cad chuige ar cuireadh i gcló
> iad. Is lugh 'ná sin a thuigim cad chuige an samhailtear gur lit-
> ridheacht iad. Agus is lugha 'ná sin arís a thuigim cad chuige ar
> tráchtadh ar 'Pêcheur d'Islande'. Níl mé 'maoidheamh' nach féidir
> litridheacht a sgríobhadh fá shaoghal iasgáirí. Sin an rud céadna a
> rinne Pierre Loti. Acht, a Dhia na fírinne, an ionann sgríbhneoir
> éifeachtach a d'fhág lorg a láimhe ar litridheacht na hEoraipe, an
> ionann sin agus seanduine as na Blaisgéidí ag caint ar leasughadh
> phreátaí nó ar luach unsa tobaca?... Acht nach amaideach mé sma-
> oitiughadh ar dhá leabhar a chur i gcosamhlacht le chéile nach bhfuil
> cosamhlacht ar bith eatorra. Ins an Béarla ní chuirfeadh duine ar bith
> 'The Merry Wives of Windsor' i gcosamhlacht le 'The Pope in
> Killybuck, no 'Skylark' Shelley i gcosamhlacht le 'The hawk in
> Dundalk and he mending old shoes'.[66]

B'é Brian Ó Ceallaigh, leis, a chuir dírbheathaisnéis Ghorcí go
dtí an Criomhthanach. Deir Tomás: 'Do chuir sé (Macsim Gorcí)
chugham le léigheamh, 7 dubhairt liom, tosainúghadh air ma
sgéal féin do sgríobh.'[67] Seo an t-aon áit ina chuid scríbhinní a
luann Tomás an t-údar Macsim Gorcí agus is léir ón ráiteas seo
gur sa phost a sheol an Ceallach Gorcí chuige. Ní fios dúinn
cathain a fuair an Criomhthanach an dírbheathaisnéis seo, ach is
é mo thuairim gur am éigin i ndiaidh dó Loti a fháil a tháinig sé
air. Is é sin le rá gur dóichí, dar liom, nach i dteannta a chéile a
fuair Tomás leabhair Loti agus Ghorcí. Tá fianaise againn cheana
gur iarr Brian ar Thomás gearrscéal a scríobh. Deir an Seabhac
linn go raibh an chuid is mó den *Allagar* scríofa an tráth sin. Is é
mo mhórthuairim gur timpeall na haimsire seo a sheol Brian
leabhar Loti agus leabhair eile chuige. Nuair a dhiúltaigh Tomás
do Bhrian scéal a bheadh bunaithe ar Loti a chumadh d'iarr
Brian air scéal a bheatha a ríomhadh. Dhealródh sé gur ag an am
sin a sheol sé dírbheathaisnéis Ghorcí chuige.

Ní féidir a dhéanamh amach ó chaint Thomáis an leabhar
amháin le Gorcí nó níos mó a bhí i gceist, mar ní dhéanann
Tomás tagairt do theidil na leabhar Béarla seo riamh. Tá fianaise
ann, áfach, go bhfuair sé dhá leabhar le Gorcí agus gurbh iad na
leabhair sin ná an chéad dá imleabhar dá shaothar dírbheathais-
néise, *My Childhood* agus *In the World*.[68] Deir Seán Ó
Criomhthain: Fuair sé [My] *Childhood* dó agus *In the World*.
Léigh Tomás é, agus thuig Tomás go maith é. "Bheirim don

diabhal," adúirt sé, "gurb é mo leithéid féin é".[69] Is í an chéad cheist a chaithfear a phlé ná cén fáth gur thogh Brian an dírbheathaisnéis seo le cur go dtí Tomás. Tuigtear cheana féin gur iarr Brian air a dhírbheathaisnéis a ríomhadh. B'shin rud nach raibh déanta ag aon duine ón mBlascaod roimhe sin. Dá n-éireodh le Tomás a scéal féin a bhreacadh síos, b'in gaisce déanta aige.

Bhí an gaisce ceannann céanna déanta ag Gorcí dar ndóigh. B'eisean ceannródaí na dírbheathaisnéise óna aicme féin sa Rúis. B'eisean an chéad údar d'íseal-aicme agus d'aicme neamhoilte na Rúise a dhein cur síos ar scéal a bheatha. Deir Hingley: 'Gorky, another social upstart, came of a poor family and worked in his youth as a shop-boy, baker, washer-up on a Volga steamship and so on, thus graduating as the first major writer closely associated with the Russian proletariat. From the largest and most humble social class, the peasantry, literature had few recruits.'[70] Agus mar a deir Gourfinkel ina thaobh: 'Gorky, an artist, a subjective person, had emerged from the very depths of the common people, from an illiterate background. Several months spent in a parish school was all he had of academic training. Self-taught, he owed his vast but disorganized knowledge to his enormous reading.'[71] An scéal céanna atá ag Levin: 'He seemed to have appeared, like a gangling sad-eyed adolescent genie, in answer to Turgenev: "Here I am; the first of your commoners of the future".'[72] Is léir mar sin go n-oiriúnódh an dírbheathaisnéis seo go maith don Chríomhthanach. Bhí Brian á spreagadh chun aithris a dhéanamh ar Ghorcí agus an chéad dírbheathaisnéis ón mBlascaod Mór a scríobh. D'éirigh leis na leabhair seo Tomás a mhealladh chun scéal a bheatha a chur le chéile agus sin í an tábhacht a bhaineann leo. Mar a deir Seán Ó Criomhthain: 'Nuair a chonaic Tomás na gamaill seo tagtha amach agus iad ag eachtraí ar a mbeatha féin: "Dhera," ar seisean, "más gamaill iad sin déanfadsa leis gamall díom féin," ar seisean, "Scaoilfidh mé leis." Chuaigh sé i bhfeighil a phinn agus lean sé air go dtí gur leáigh an rud thiar ar deireadh ar fad.'[73] Ag deireadh a dhírbheathaisnéise féin, d'admhaigh Tomás go raibh bród air: 'ó lasadh an Chéad Teine ansa n'Oileán-so, níor Sgríbh aoinne a Bheatha ná Shaoghal ann. Fágann sion an Chraobh aige an Té dhinn é.'[74]

Nuair a thogh Brian leabhair Ghorcí le cur go dtí an tOileánach, bhraith sé go dtuigfeadh Tomás ábhar na leabhar agus go bhféadfadh sé é féin a ionannú leis. Bhí an ceart aige. Chuir na leabhair seo múnlaí liteartha ar fáil do Thomás agus ina theannta sin ní rabhadar rófhada uaidh mar ba mhinic iad ag

trácht ar na nithe céanna a raibh dúil aige féin chomh maith
iontu. Toisc gur den ísealaicme an bheirt acu, scríobhadar araon
ar an anró agus ar an mbochtaineacht. Cuireadh oideachas éigin
foirmiúil ar an mbeirt acu ach ba thábhachtaí ná sin an t-
oideachas a fuaireadar le hoidhreacht agus tá cur síos éigin ar an
dá shaghas acu araon. Fáisceadh an bheirt acu as an mbéaloideas
agus léiríodar roinnt d'ábhar an bhéaloidis, idir fhilíocht agus
scéalaíocht sna leabhair. Mar a deir Levin: "But between Gor-
ky's story–that of the first Russian of a common class who *dared*
and was artistically able to write in depth of his childhood–and
those of the Irish and American commoners, there is an im-
mediate likeness. The figures, their pains and joys and problems,
are the same. It is an internationally recognizable land."[75] Féach
go raibh tionchar den sórt céanna ag Gorcí ar Mháirtín Ó
Cadhain. Seo an méid a deir an Cadhnach i dtaobh an scéil:

> Lá amháin fuair mé seanchóip d'irisleabhar Fraincise ar phínn sílim i
> siopa leabhar i sráid Aungier i mBaile Átha Cliath, rud a bhí in a
> oscailt súl domsa cho mór is a tharla don Naomh Pól ar bhóthar
> Damascus! Casadh aistriú Fraincise liom inti ar scéal le Maxim Gorky:
> lá buana imeasc Casacaí an Don. Gheit mé suas den leaba a raibh mé
> sínte uirthi dhá léamh. Níor léigh mé a leithéid roimhe sin. Tuige nár
> inis duine ar bith dhom go raibh scéalta mar seo ann? 'Bheinnse i
> n-ann é sin a scríobh', arsa mise liom féin. 'Sin obair a níos mo
> mhuintir-sa ach gur malairt ainmneachaí atá orthu'.[76]

Cinnte ní fhéadfadh Tomás imeachtaí a shaoil ar fad a bhreacadh
ar pháipéar, agus b'fhéidir go raibh an tionchar seo leis ag Gorcí
air: gur roghnaigh sé eachtraí faoi leith le cur in *An tOileánach*
toisc eachtraí den saghas céanna a bheith léite aige i leabhair
Ghorcí. Mar a deir Tolton faoin údar Francach Gide:

> To point out these parallels in novels familiar to Gide is not to say
> that these passages had strongly or even directly influenced our
> author's creative processes.... Moreover a close comparison of all the
> related passages would inevitably reveal glaring differences in the
> purpose, detail, and style. What one sees here is merely that in
> selecting material from his life for transmittal to his autobiography,
> Gide often chose the 'stuff' of successful fiction.... He could indeed
> have been inspired to choose some episodes over other possibilites
> because of some vague but agreeable literary recollections stored in
> the recesses of his memory.[77]

Is trí shúile an linbh a chuireann Gorcí an t-ábhar os ár
gcomhair. 'And all these are seen perceptively through a child's
eyes. Remarkably, Gorky can recall the actual sensations and
reactions to the external world he experienced "as a child".'[78]

Chímid an stíl chéanna go minic ag Tomás leis agus b'fhéidir gurbh ó Ghorcí a d'fhoghlaim sé a cheird. Mar shampla cruthaíonn an bheirt acu aineolas na hóige nuair a chonaic siad an scríbhneoireacht ar dtús. B'é athair críonna Ghorcí a thaispeáin an focal scríofa ar dtús dó. Is léir gurbh ait le Gorcí í.

Suddenly grandfather produced a brand-new book from somewhere, banged it loudly on the palm of his hand, and called me in brisk tones....

The words were familar to me, but the Slav characters did not correspond with them. 'Zemlya' (Z) looked like a worm; 'Glagol' (G) like round-shouldered Gregory; 'Ta' resembled grandmother and me standing together; and grandfather seemed to have something in common with all the letters of the alphabet.[79]

Is páiste atá ag caint linn anseo, páiste atá ag iarraidh ciall a bhaint as litreacha na haibítre. San *Oileánach, chomh maith,* cruthaíonn Tomás an gheit a bhaintear as garsún óg nuair a fhreastalaíonn sé ar scoil ar dtús. Baineann sé feidhm chliste as an teanga chun an t-iontas sin a chur os ár gcomhair, an focal 'tigh' don 'scoil' aige, 'builc' in áit 'beart' aige, 'marcanna bána' in ionad 'scríbhneoireacht' aige agus 'ráiméis chainte' don 'mhúinteoireacht' aige. Is é an leanbh atá ag caint linn anseo agus ní hé an seanduine atá á scríobh:

Níor ró fhada gur sgaoileas an radharc do bhí am shúile mórdciompall an Tíghe, chonnac leabhair 7 páipéair Thall 7 abhus na m'builc bheaga Clár-dubh air crocha leis an bhfalla ann, 7 marceanna bánna thall 7 abhus breacaighthe air mar beidis déannta le cailc, iongeantas na gile do bhí am bualadh, cad é an bonn do bhí leó-so, nua go bh'feaca an Mháighistreás a glaodhach air na Cailíní ba mhó, Chuin an chláir-dhuibh, cipín na láimh aici a Tiosbáint na marceanna so dhóaibh, 7 do tuigeadh dam go raibh sóart éigin ráiméis chainnte aici á labhairt leó:[80]

Mar bharr air seo, is ag trácht ar an bpobal a bhí an dá údar in ionad a bheith ag cur síos orthu féin. 'And because we see all through the boy's eyes, his own little person occupies a relatively limited place on our retina. It is only in passing, incidentally, that we learn, bit by bit, of his personal traits, his boundless inquisitiveness, keen observation, brooding disposition, and that basic pertness of his.'[81] Tagann Muchnic leis an tuairim seo, 'Gorky's child is not the focus of attention at all, but an instrument used to record the habits of brutal people in a barbarous society.... In Gorky's story there is very little about what the child feels or thinks, but a great deal about what he sees and hears.'[82] Measann Habermann gur doiciméad tábhachtach é dá bharr: 'provides a

valuable document of the political and cultural history of czarist
Russia, recounting the sufferings, the wisdom, and the strength
of the Russian people.'[83] An tuairim chéanna atá ag Hare de:
'The most arresting feature common to all these autobiographical
books is their deliberate self-effacement.... Unique in their ab-
sence of self-absorption, they excel in authentic pictures of his
Russian environment and the many strange people he had met in
it.'[84]

Is amhlaidh atá an scéal san *Oileánach*. Deir Tomás: 'do
Thugas isteach daoine eile ann sochas me féin, ní bheadh slacht
ann gan sion do dhéannamh, ná iomláin.'[85] Dar le húdair áirithe
is tréith Ghaelach í seo. Ag caint ar mhúnla na dírbheathaisnéise
sa Ghaeilge deir Mac Congáil gur 'mó den chuntas ar an phobal
ar díobh íad, ar a stair, a slí bheatha, a gcreideamh, a gcaitheamh
aimsire, srl. atá iontu ná cuntas pearsanta orthu féin amháin.'[86]
Deir Pádraig Ó hÉalaí faoi fhear na beathaisnéise mar a chastar
orainn sa Ghaeilge é: 'ní ar a shaol aonair ná ar a bheatha
phearsanta féin a thráchtann sé i ndáiríre ach ar an saol as ar
fáisceadh é. Is ar an saol sin trí chéile a thugann sé léargas dúinn
agus ní ar a mhothúcháin nó ar a smaointe príobháideacha
féin.'[87] Cuimhní Cinn a thabharfadh Roy Pascal ar leabhar dá
leithéid.[88]

Bhí an aidhm chéanna ag an mbeirt údar, Gorcí agus Tomás.
Theastaigh ó Ghorcí tuairisc a thabhairt ar na daoine ina thim-
peall chun go mairfeadh a gcuimhne agus cuimhne an tsaoil a
bhíodh acu á chaitheamh: 'Why do I relate these
abominations?... in order that you may remember how we live,
and under what circumstances.'[89] Is cinnte gur thuig Tomás an
aidhm seo ag Gorcí, cé nach raibh an seanbhlas céanna aige féin
ar an saol a raibh sé gafa tríd, agus ina leabhar féin, *An
tOileánach*, deir sé gurb í sin díreach an chuspóir a bhí aige féin
lena shaol ar an mBlascaod Mór a ríomhadh: 'Do scríobhas go
mion-chruínn air a lán dár gcúarsaí a d-fhonn go m'beadh
cuimhne i m'ball éigin ortha, ⁊ do thugeas iarracht air mheón na
n'daoine do bhí am thímcheall do chur síos chuin go m'beadh a
d'tuairisc ár ndíaidh.'[90]

Tréith eile a leagtar an-bhéim uirthi i scríbhinní Ghorcí is ea
fírinne na leabhar. Luann an t-údar go mion minic go bhfuil na
fíricí á gcur i láthair aige, agus tugann sé ardmholadh do leabhair
eile ar an gcúis chéanna. Mar seo a labhair sé i dtaobh an
leabhair *Eugenie Grandet:* 'I was annoyed that the book was so
small, and surprised at the amount of truth it contained. The
truths which were so familiar and boring to me in life were shown
to me in a different light in this book, without malice and quite

calmly.'[91] Ar ndóigh bhí clú agus cáil ar na húdair Rúiseacha, toisc iad a bheith de shíor ag lorg na fírinne. Mar seo a dhéanann Pádraig Ó Conaire cur síos orthu (chomh maith le Máirtín Ó Cadhain agus le Tomás Ó Criomhthain bhí a chúis féin aige le ceann a thógáil den litríocht seo i bhfad ó bhaile: b'í ba ghiorra dó ar shlí amháin, i bhfad níos giorra ná an gnáthrud seanchaite a bhí le fáil i litríocht an Bhéarla ag an am, iarsma na ré a bhí thart):

> Ní bhíonn scáth ar na sgríbhneoirí nuadha so. Nochtann siad an t-olc agus an mhaith. Taisbeánann siad an urchóid atá i gcroidhe an duine chómh maith le n-a uaisleacht.... Bhí creideamh aca, agus ní rabhadar sásta leis na finn-sgéalta bréagacha a bhí curtha os a gcomhair. Nuair a thángadar aníos as an bpoll 'na rabhadar ag cuartú bhí rud salach smeartha a raibh dealbh duine air aca agus do ghlaodhadar amach in árd a ngotha: seo é an duine! Seo é an fear! Seo í an fhírinne!... Dílseacht ag lorg na fírinne a bhí mar fhocal faire aca.[92]

Bhí an ceart ag Pádraig Ó Conaire nuair a mheas sé go mbíodh na húdair Rúiseacha ar thóir na fírinne, agus gur rud salach smeartha a bhí sa duine acu. Mar a deir Gorcí féin, i litir a scríobh sé sa bhliain 1907, 'one senses something alien –a malicious harmful influence that disfigures human beings.... Literature is being assailed by a variety of paranoiacs, sadists, pederasts, and different kinds of psychopathological personalities.... There are many Russian writers here.... gloomy people.'[93] Níor aontaigh Gorcí leis an dearcadh gruama seo. Mar is léir i ngach scríbhinn uaidh, bhí ardmheas aige ar an duine. 'Gorky believed in man with the secure optimism of Browning.... if men would struggle enough they could live like the ballad heroes, miracle-workers who win all.'[94] Chuir a gcaighdeán maireachtála fuath agus déistean air, áfach, cé nach orthu féin a bhí an locht aige mar gheall air sin, gan amhras. Chreid sé gur chóir saol níos rathúla, níos sonasaí a bheith acu. B'in í an fhírinne dar leis:

> The fact is that I hate, with the most sincere hate, the most utter, that truth which, for 99 per cent of the people, is an abomination and a lie.... I know that this reality is miserable for fifty million people who make up the mass of the Russian people, and that men have need of another truth which does not debase them but which lifts their energy in toil and creation.[95]

Mar a deir Muchnic 'for Gorky there was a truth "that saved" and a truth "that killed".'[96] B'í an fhírinne a shábháil an duine daonna, a dúirt sé, agus luann sé an focal 'fíricí' go mion minic ina dhírbheathaisnéis. Léiríonn sé gairbhe agus ainnise na Rúiseach ionas go n-aithneoidh siad gur chóir dóibh éirí as an

mbochtaineacht is as an anró. 'Now, in recalling the past, I
myself find it difficult to believe, at this distance of time, that
things really were as they were, and I have longed to dispute or
reject the facts.... But truth is stronger than pity.'[97] Mheas sé
gurbh fhiú go mór an dírbheathaisnéis a chumadh, chun an
fhírinne a chur abhaile ar na daoine mórthimpeall air. 'It is worth
while because it is actual, vile fact, which has not died out, even
in these days–a fact which must be traced to its origin, and pulled
up by the root.'[98]

Ar an gcuma chéanna, agus b'fhéidir gur tionchar Ghorcí faoi
deara é, deir Tomás go minic san *Oileánach* linn gurb í an
fhírinne atá á breacadh síos aige; cuir i gcás an méid seo: 'gan
mhagadh ná bréag do bhí an fhírinne a Teacht úaghaidh, ach cad
é an mhaith sin bíonn an fhírinne féin searbh úaireanta'.[99]
Measann sé go bhfuil sé de theist air féin gur fear fírinneach é: 'is
sinné an úair do creideadh "Tomás Ó Criomhthain" gan eamhr-
as, 7 do lean creideamhaint na fírinne ó'n lá-sion go dtí andiu
me, Tuisc, go raibh an sgéal dochreidaighthe-seo do dubhart
fíor'.[100] Léiríonn sé go raibh meas ar na fíricí aige, agus nach
mbaineann sé uathu, ná ní chuireann sé leo choíche. Seo an méid
a deir sé i dtaobh chleamhnas a dheirféar, Máire: 'Socaruigheadh
Cleamhnas deir Mháire 7 Mháirtín, mar bean daidh-eóaluis chuin
gnotha 7 eabealta air é dhéannamh do bhí úatha 7 do bí-sin Máire
gan bhréag, agus ní air shun í bheith mar dhriothfír agam-sa é'.[101]
Thiar ar fad i ndeireadh na dírbheathaisnéise, deir sé nár dhein sé
ach lomchlár na fírinne a ríomhadh. 'Seadh. Táim sleamnaighthe
liom go deire ma scéil go dí-so, níl ann ach an fhírinne, níor
ghádh dham aon cheapadóireacht.'[102]

Ní réitíonn údair áirithe leis na ráitis seo ó Thomás, áfach; dar
leo gur chuir an tOileánach an fhírinne as a riocht uaireanta. Go
luath sa scéal mar shampla, buailimid le Tomás agus le file an
oileáin, Seán Ó Duinnshléibhe, i dteannta a chéile ar an bpor-
tach. Is mian le Tomás roinnt oibre a dhéanamh ach iarrann an
file air a dhánta a bhreacadh síos ar pháipéar dó. Mar seo a
labhraíonn Pádraig Ó hEalaí i dtaobh na heachtra sin: 'is deacair
liomsa a chreidiúint go mbeadh páipéar nó peannluaidhe á
iompar ag buachaill sa phortach'.[103] Ní ghéillim don ráiteas sin,
áfach. Féach an méid a deir Seán Ó Criomhthain faoina athair:

Chumadh sé an fhilíocht agus é ag obair. Nuair a bhíodh sé ag baint
na móna agus nuair a gheibheadh sé tuirseach–bhí páipéir bhána an
uair sin timpeall ar an bpunt tae a bhíodh ag máthair Kruger agus ag
bean Pheats Neidí, trócaire orthu. Bhíodh an páipéar bán ag Tomás.
Bhíodh sé an-luachmhar dó le cur síos ina phóca agus a phionsail thíos
ina theannta, agus nuair a théadh sé don tráigh nó nuair a théadh sé ar

an gcnoc ag gabháil don mhóin is mó a dheineadh sé an fhilíocht. Shuíodh sé ar an turtóg, d'óladh sé a ghal agus scríobhadh sé síos na ceathrúna. Thagadh sé abhaile ansin tráthnóna, agus gheibheadh sé ceann de na hasail mhóra páipéir seo, na *foolscaps* mhóra sin, chuireadh sé síos na ceathrúna.[104]

Is cosúil, mar sin, go raibh an fhírinne á insint ag Tomás, agus an eachtra seo á cur i láthair aige. Rud eile tá leagan Thomáis de 'amhrán an asail' sa lámhscríbhinn chomh truaillithe sin gur furasta dúinn a chreidiúint gur ar an bportach a tógadh síos é agus gurb amhlaidh a breacadh ar an bpáipéar 'foolscap' ina dhiaidh sin é, nuair nárbh fhéidir leis cuid den scríobh a dhéanamh amach i gceart. Ar ndóigh, léiríonn an eachtra seo pointe tábhachtach. Tá sé soiléir uaithi go raibh an deireadh buailte leis an nglúin neamhoilte ar an oileán. Cé go raibh an file áitiúil ar maos sa traidisiún béil, ní raibh sé oilte ar cheird na scríbhneoireachta. Ag brath ar Thomás a bhí sé chun na dánta a bhreacadh ar pháipéar dó. 'Beidh an T-amhrán air lár air seisean, mar an b-priocair súas é'.[105] In eachtra eile san *Oileánach,* iarrann an file an rud céanna air: 'An bh-fhuil aon pháipéar ad phóca, má Thá Tarraig amach é 7 do pheann ar seisean. Táimid ana rúnnach anois Chuige 7 gach ar dhinneas aca bíarfhead an úaigh íad, mar an b-priocair-se súas íad ar seisean.'[106] Thuig Seán Ó Duinnshléibhe go raibh sé ag brath ar an scríbhneoireacht chun a chuid filíochta a chaomhnú. Mar seo a labhair Tomás Ó hAilín i dtaobh an scéil: 'bhí an léann traidisiúnta ar na filí, ach ní raibh aon tabhairt suas orthu sna blianta so, nó má bhí b'annamh le fáil iad. Féach gurbh éigin d'fhile an oileáin, do Sheán Ó Duinnshlé, bheith ag brath ar Thomás Ó Criomhthain chun a chuid filíochta a bhreacadh dho.'[107] Chímid an téama céanna i litir a sheol Seán Ó Criomhthain go dtí Cormac Ó Cadhlaigh. Léirítear anseo gur mhó an spéis a bhí ag oileánaigh áirithe sa tobac ná sna leabhair, *Beatha Íosa Críost* ar aon chuma. 15 Feabhra 1931 dáta na litreach seo.

A Chormaic, a chara,
   Fuaireas do litir indé, agus Lóchran lé na cois agus is áthas mór liom a rá liom gur bhainn mo sgéal an duais leabhara son amach. A chara ná creid ó aoinne na Bheathaig gor cuin rud da shórt son do scríobhas an sgeal ughad, ach nuair a h-ínseach dom é gur sam-hluígheadh dom nár feaca i leabar ná i bpáipéar riamh é agus da dheascaibh sin bhreacas síos é, chó maith agus dfeadas é dhéanamh. Anois a cara ba maith liom leabhra chó maith lé haon duinne uile agus níl cur na g-coinne agam ach oiread, ach na dhéaig sin is uile ní h-iad is rabhadh liom i láthair na h-uaire, agus cuirfead i g-céil dhuit é chó

slachtmhar agus a dheadhfhadh Cuir i gcás an bhean a thug an sgéal
son dom-sa agus a chath tamall aimsaire ó'n cúram liom an 'aid a
bhíos dá bhreaca cad atá a bhárr aici abair leat féin ní féidir lé scríobh
ná léigheamh agus cad air go maith di leabhar abair leat féin. Is mó
cáiseamh a dhinnean sí liom cur bhlúire tobbac a chuirfheach sí sa
t-seanna dhúid atá aici agus caothim féin mo lámh a chur am phóca
agus cáinthe do thúbairt di nó ní déarfhaid sí oiread is aon ochal
amháin dom, agus ansan do bhfearr liomsa luach an seacht agus real
do thobbac a chur chúgham....

Seadh statad anois mar nách maith e normac daon nídh ach má
theipeann ort an tobbac a cuir chúgham, cuir chúgham 'Beatha Íosa
Críost' leis an athair P. de Brún.[108]

Téama tábhachtach is ea an ceann seo, mar is é téama an
leabhair é chomh maith, is é sin go ndéanfaí dearmad ar ghnéithe
den traidisiún mura ndéanfaí iad a chaomhnú ar pháipéar.
Chítear an téama céanna i ndírbheathaisnéis Ghorcí leis, agus
b'fhéidir gurb iad na leabhair Rúiseacha seo a chuir an ceacht seo
ina luí ar Thomás ar dtús. Féach mar shampla, nuair a bhí Gorcí
óg, d'iarr tionónta sa teach air scéalta béaloideasa a shean-
mháthar a bhreacadh síos. Deir an tionónta an méid seo: 'I say!
That's wonderful! It ought to be written down; really it ought. It
is terribly true too'.[109] Arís deir sé; 'you must learn; and when
you have learned, write down grandmother's stories. You will
find it worth while, my boy'.[110] Is léir, mar sin, go raibh an
dearcadh céanna ag an mbeirt údar i leith an traidisiúin; 'for
Gorky constantly defended the surviving culture of the past',[111]
agus fiú mura raibh aon tionchar tábhachtach eile ag leabhair
Ghorcí ar Thomás ba leor an méid seo: gur spreagadar é chun
scéal a bheatha a ríomhadh; gur chuireadar ina luí air gurbh fhiú
scéal an Bhlascaoid a scríobh agus a chaomhnú ar pháipéar.

De réir dealraimh ní haon leabhar amháin ná dhá leabhar a
chuir Brian Ó Ceallaigh go dtí an t-oileán ach scata díobh.
Insíonn Seán Ó Criomhthain dúinn go raibh The Growth of the
Soil le Knut Hamsun ag a athair agus tuigimid uaidh gurb é an
Ceallach a sheol chuige é. 'Fuair sé leabhar eile ansin ó Finland,
The Growth of the Soil, agus léigh sé é sin.... Ba mheasa an
bheatha a bhí aige ná ag Tomás féin'.[112] Glacaim leis an méid a
deir Seán i dtaobh a athar, is é sin le rá gur léigh Tomás an
leabhar seo. Ní dócha áfach go ndeachaigh sé i bhfeidhm rómhór
air, mar níor luaigh Tomás féin riamh ina shaothar é. Ach mar a
bheadh deimhniú ar chaint a mhic tá an leabhar seo ag iníonacha
Sheáin fós.[113]

Ina theannta sin, dhealródh an scéal gurb é Brian leis a chuir
cóip den Decameron le Boccaccio go dtí an tOileán Tiar. Is

cinnte go raibh a leithéid ann. Mar seo a labhraíonn James
Stewart ina thaobh:

> When, some time later, I met George Thomson and we were discus-
> sing the presence of these Boccaccian tales on the Island, he recalled
> how in the mid-twenties he himself had heard either Mícheál Ó
> Gaoithín, or his mother Peig, tell an exotic-sounding tale involving a
> love-lorn man who was shut out in the snow by a heartless lady: the
> Seventh Story of the Eight Day, as it must be, one of the longest in
> the Decameron. When subsequently I asked George Thomson if he
> could recall any circumstances that might explain this knowledge of
> Boccaccio on the Island he wrote:
>> 'Some time later (i.e. after hearing the story in question), when
>> I was in Maurice's house (*Tigh na Leacan*), he turned out the contents
>> of a little cupboard in the wall, and among them I found a tattered
>> copy of an English edition of the Decameron.'[114]

Tagann fianaise na lámhscríbhinní leis seo, mar san lá atá inniu
ann is féidir teacht ar aistriúchán ar leathdosaen scéal den
Decameron i bpeannaireacht Mhíchíl Uí Ghaoithín.[115] Dhá
dháta, 1.1924 agus V.1924, a chítear ar an lámhscríbhinn seo,
scríofa ag Brian Ó Ceallaigh, agus cé nach féidir bheith lán-
deimhnitheach de, dhealródh an scéal gurb é an Ceallach a chuir
an leabhar seo don Bhlascaod. Seo an méid a deir Stewart ina
thaobh seo:

> Who it was who brought the Decameron to the Blaskets we are
> unlikely ever to know with certainty. One name that must be seriously
> considered in the connexion, however, is that of Brian Ó Ceallaigh.
> The significance for island writing, and so for Irish writing as a whole,
> of his introduction to the island of the works of Gorky and Loti is
> widely accepted. In hitherto unpublished Blasket correspondance he is
> sometimes alluded to as providing books and other reading matter.
> The existence of a fine translation of the Decameron by a man called
> Kelly, is unlikely to have gone unknown to such a man. The evidence
> alluded to above in discussing the date of the Boccaccio translation
> suggests that Brian Ó Ceallaigh may have been involved in envincing
> it. If it was he who brought this classic to this outpost of Gaelic
> Ireland, then Irish culture is still more indebted to this remarkable
> man.[116]

Arbh é Brian Ó Ceallaigh, leis, a chuir na leabhair Bhéarla eile a
bhí ag Tomás chuige? Sin ceist nach bhfuil réiteach againn uirthi,
ach b'fhéidir nár mhiste a lua anseo go bhfuil na leabhair seo a
leanas, *Gods and Fighting Men,*[117] *The Muses Pageant,*[118] *The
Roadmender,*[119] agus *The Mystery Lady,*[120] sa chnuasach leabhar
ag Niamh agus Cáit, agus gur dócha mar sin go rabhadar ag

Tomás féin. Má bhí, níl aon fhianaise againn gur léigh sé riamh
iad.

**An t-ábhar léitheoireachta a sheol Robin Flower agus a bhean
chéile go dtí Tomás**

Chonaiceamar cheana go raibh Tomás mór le Robin Flower agus
lena bhean chéile ó 1910 ar aghaidh. Sa bhliain sin, 1910, sheol
Flower a leabhar féin *Eire and Other Poems* go dtí an
tOileánach.[121] Tá an leabhar seo fós ag Niamh agus Cáit, agus
scríofa ar an taobh istigh den chlúdach chítear an méid seo: 'do
Thomás Ó Criomhthain ón mBláithín 29/11/'10.' Ní foláir nó
chuir Flower an t-ábhar léitheoireachta seo chuig Tomás ar an
dáta sin. I litir ina dhiaidh sin ón gCriomhthanach chuige, deir sé
'do fuaireas do leabhar agus is anna dheas liom é'.[122] Is é is dóichí
chomh maith gur sheol Flower cóip den leabhar céanna go dtí
Cáit Ní Chatháin ar an oileán, mar i litir chuige uaithi faoin dáta
Eanáir a dó na bliana 1911, gabhann sí buíochas leis as na dánta a
chuir sé chuici; 'Is mór an luach is fiú do leabar a chuiris chugam
7 is deas na dánta iad bím dá leigeam gac óidhche'.[123]

D'fhaigheadh Tomás leabhair ó dhaoine uaisle eile go minic
aimsir na Nollag agus ina litreacha go Bláithín luadh sé a leithéidí
a bheith faighte aige. Go luath i mí Eanáir na bliana 1913 chuir sé
an tuairisc seo go dtí Flower: 'do chuir mórán do's na daoine
Uaisle leitir chúam chuin na Nodhlag, tabharthastí beaga íonta
mar, labhar [*sic*], píp, tobbac, peann 7 marsin dóaibh'.[124] Is é an
scéal céanna aige an bhliain dár gcionn: 'an lá a fuaireas do leitir,
do fuaireas, anna chuid leitireacha. Tá orm iad go léir
d'fhreagairt a nGaedhluinn bhí dosaon ceann ann. Bhí tobbac, 7
leabhartha pictúairí na bhfhochair, ó Bhaile-átha-Cliath an chuid
ba mhó aca, Gealaim duit go bhfhuilim gan Féilaire tríotha ar
fad'.[125]

Mar a chonaiceamar thuas níorbh é Bláithín féin ach a bhean
chéile a sheoladh an féilire go dtí Tomás aimsir na Nollag agus
dhealródh an scéal, leis, gur mhinicí a chuireadh sí ábhar léith-
eoireachta chuige ná mar a dheineadh a fear chéile. Mar seo a
scríobh Tomás chuici ar an 30 Lúnasa 1915:

> Dear Madam,
>   It is time for me to send you an answer out of the parcil you
> send to me, that was full of papers and money as well, thank you.
> May the Lord God spare ye all. I have the papers to read and a good
> piece of tobbacco to smoke, I am very much oblige to you.[126]

Is léir go bhfuil a thuilleadh faighte aige ón méid a deir sé i litir
eile gan dáta chuici: 'I have know excuse now in the wanting of
notes and Papers for you send me enough of them, I am thanking

you for it'.[127] Deimhniú ó Thomás go bhfuil na páipéir seo á léamh aige atá againn i litir eile uaidh chuici: 'Just a few lines to let you Know that I am very much oblige to you, I am reading your papers yet'.[128] N'fheadar cé acu den bheirt a chuir an seach-chló ar aiste le Flower go bhfuil mar theideal uirthi 'An Irish Island, The Story of the Blaskets' go dtí é.[129] Is cinnte gur bhain sé amach é mar tá sé ag iníonacha Sheáin san lá atá inniu ann. Níl aon fhianaise againn, más ea, gur thóg sé aon cheann mór de.

An t-ábhar léitheoireachta a chuir an Seabhac ag triall ar Thomás
Uaireanta, nuair a bhíodh leabhar á ullmhú ag an Seabhac, thugadh Tomás cúnamh dó. Sa réamhrá a ghabhann le *Tríocha-Céad Chorca Dhuibhne* (leabhar a bhfuil cóip de ag iníonacha Sheáin inniu), ríomhann an Seabhac an lucht cabhartha agus gabhann sé buíochas leo.[130] Chítear ainm Thomáis ar an liosta sin, ach, ar ndóigh, níor mhair Tomás len é a fheiceáil.

Foilsíodh *Seanfhocail na Muimhneach* sa bhliain 1926 agus tá cóip den leabhar seo, chomh maith, ag iníonacha Sheáin inniu.[131] Is cinnte gur léigh Tomás é, mar is iomaí tagairt a dhéanann sé dó ina litreacha go dtí an Seabhac féin; mar shampla nuair a sheol Tomás an chaibidil dhéanach den *Oileánach* chuige, chuir sé an nóta seo leis: 'Beidh leabhar na Sean-fhocal réig láirtheach'.[132] B'fhéidir gurb amhlaidh a chuir an Seabhac cóip de chuige chun beachtú a dhéanamh air.[133] I litir a scríobh sé chuige ar an tríú lá is fiche de Bhealtaine na bliana 1929, teastaíonn ó Thomás deimhniú a fháil go bhfuair an Seabhac an chóip den leabhar a sheol sé ar ais chuige:

Sean-fhocail na Muimhneach, do leigeas chughat, Taréis Tú á Chur aneamhail, do leigheas úagham é go h'oban, níl fhis agam fós ar shroith sé Thu nua nár dhin. agus cabhas dam nách air seachrán do. ní bhead sásta nua go m'beidh fhios sion agam. Ínns dam ar shroith sé Thu an chéad úair eile, le'd Thoil. Má dhin bead Sásta.[134]

Dhá leabhar eile leis an Seabhac, a bhí ag Tomás féin, is cosúil, is ea *An Ceithearnach Caoilriabhach*[135] agus *An Seanchaidhe Muimhneach,*[136] agus táid sin, leis, ag iníonacha Sheáin fós. Níl aon fhianaise dhíreach againn, áfach, a ligfeadh dúinn a mhaíomh go rabhadar aige nó nach rabhadar léite aige.

B'fhéidir gurb é an Seabhac leis a chuir cóip de *Jimín Mháire Thaidhg*[137] go dtí an Blascaod Mór. Níl aon amhras ná go raibh cóip de ar an oileán sna fichidí, agus fiú mura raibh sé léite ag Tomás féin, is cinnte gur thug oileánaigh eile faoi. Féach mar shampla, an méid a scríobh Eibhlín Ní Shúilleabháin ina thaobh, ina cuntas chín lae. An Chéadaoin, 25 Iúil 1925, dáta na tuairisce seo:

> D'fágas féin is Seán an baile tímceal leath uair tar éis a deich chuadhamair siar ar an dtráig. Dubairt sé liom ar an slíghe go mbead deire leis an obair indiu mar go mbead an lá amárach na lá soíre aige cun gach ní a bheith ualamh suas aige i gcóir an (trius) truais. Tá go maith arsa mise, thugamair tamall nár suidhe le hais na fairrge ag leigheamh is ag cainnt nú go raibh an tam suas. Thánamair abhaile 7 bhí ár ndeinéar againn tar-éis sin chuadhamair ar an gcnuch Bhí gal tobach againn an san ar fead tamail agus léigheamh. Jimmín Mháire Thaidhg! Sin é an leabhar a bhí againn.[138]

Léadh Tomás leabhair Ghaeilge le húdair éagsúla, agus uaireanta sheoladh an Seabhac na leabhair seo chuige. Is cinnte, cuirim i gcás, gurb eisean a sheol *An Duanaire Duibhneach* le Seán Ó Dubhda chuige, agus tá an leabhar seo ag iníonacha Sheáin fós.[139] Scríofa ar an taobh istigh den chlúdach tá an méid seo: 'do Thomás Ó Criomhthain ón Seabhac 23/11/'33'. Ní fhéadfadh aon bhaint a bheith leis an *Allagar* ná leis an *Oileánach* aige seo, gan amhras, mar go bhfuil an t-am ródhéanach; údar áitithe ab ea Tomás faoin am seo agus gach aon saghas duine agus leabhair ag triall air. Ní fhágfadh sin ná go bhféadfadh sé daoine agus leabhair a scagadh go maith fós, chomh fada le Gaeilge de, mar a dhéanann sa litir thíos go dtí an Seabhac. Mar léirmheastóir dian a labhraíonn sé anseo, bíodh is go maitheann sé don dream a bhfaigheann sé an locht orthu: 'Tá cuid mhaith leabhar anso agam, 7 ní deacair breith air Theangain, air chuid mhaith do's na h'Udair. Ní h'eamhlaig gur bá g'cáinne a Táim ach á modhla, mar dá raghainn-se á foughlaim, gan aon fhocal do chlos riamh di, ní Thabharfhainn liom a rioth ma Shaoghail í dar liom'.[140] Molann sé na hirisleabhair Ghaeilge. 'Na páipéir–an Fáinne, agus an Tír, sin, a bhfeaca aca, agus do chonnac gan cháim íad'.[141]

An t-ábhar léitheoireachta a chuir Seosamh Laoide go dtí Tomás

Bhí seanaithne agus sean-chur amach ag an gCriomhthanach ar shaothar Sheosaimh Laoide: mar shampla, tá *Duanaire Na Midhe*,[142] le fail i measc an chnuasaigh ag iníonacha Sheáin agus tuigtear ón scríbhinn ar an taobh istigh den chlúdach, 'ó S. Ó Laoide', gur bronntanas ón údar ab ea an leabhar sin. Tá *Réalta De'n Spéir* leis an údar céanna anseo chomh maith, agus cé gurb é ainm Sheáin Uí Chriomhthain atá scríofa ar an taobh istigh de, foilsíodh luath go leor é chun go bhféadfadh sé bheith léite ag Tomás féin.[143]

Bhí *Tonn Tóime* leis an údar céanna léite ag Tomás,[144] agus i litir chuige faoin dáta Iúil a hocht, 1915 (an bhliain a foilsíodh *Tonn Tóime)*, tugann sé ardmholadh don chnuasach sin: 'Is anna mhaith liom an leabhar céadna a theacht trasna orram, 7 cé gur beag air fad ann, ná go raibh cloiste hanna agam ó's na seandaoine darnó, marsin féin, ní reamheadar riamh cómh craoínn as ma chuinne amach, ní bréag sion'.[145] Luann Tomás an leabhar seo, chomh maith, i litir a scríobh sé go dtí Flower an bhliain chéanna: 'chuir Seósaimh Ó [sic] Laoide, cóip do leabhar nuadh, a tháinaidh amach go déannach chúgham. Tonn-Tóime, is ainim do, do léigheas é go tapaidh'.[146]

Bhí dúil faoi leith ag Tomás sa leabhar seo, mar foilsíodh dán leis féin 'Is Fada Mé Im Stad' ann, mar a deir sé féin: 'Tá an cheapeadóireacht a dhinnis [sic] féin ann'.[147] Nuair a fuair Seosamh Laoide an dán seo ar dtús uaidh, dhealródh an scéal nár thuig sé an focal 'bruadairí' sa véarsa seo thíos. Chuir Tomás chuige an míniú, mar a chífimid, ach níor dhein gan sonc maith a thabhairt do Chonradh na Gaeilge ina theannta; má bhí sé díolta ag na daoine uaisle ní raibh ag lucht an Chonartha ná aon chuimhneamh acu air, dá fheabhas an saothar atá déanta aige:

> Cé táim aindis gan tapa is me aosta,
> gan mórán a dhéannamh seadh bhím
> Ach a cómhrac go daingean gan staonadh
> le duine gan Gaedhluinn nuair chím
> Táim marseo le mórán mór bleádheannta,
> is ní tobbac am béal é ná am píp
> Agus bruadairí gluaiseacht thrí Éire úaibh,
> agus dualgas mór tréan doaibh do shíor.[148]

Ní foláir nó lorg Seosamh brí an fhocail 'bruadairí' ar Thomás, mar i litir ón gCriomhthanach chuige (6-3-1915) mhínigh sé mar seo é:

A Chara, Árdléigheannta,
Do shroith do chárta me 7 dair liom gur focal seímpilaidhe an focal-sion, Bruadairí, b'fhéidir go m'bíonn a leithéid docht a n'áiteanna eile, is friste focal d'fhaghbhail, acht is deacair an chiall nua an bonn a bhainnt as chuid aca.

Bruadaire   aon bhonn amháin a tá
Bruthaire   leó-sa, an ceann is túisge
nua Brusaire   a thagan chuin a bhéil.

Bruth, an bonn a tá leó. Fíasóag a bhíonn ró fhada gan bearra, go d'tuctar an bhruth uirri. Tugan an fear fásta glan-bheárrtha na h'ainimeacha air na fearaibh óaga gan bearra riamh, bíonn bruth mhath air chuid aca, an taom go m'bearraid í. Ní féidir an focal dúasáid le mnaoí le fear glan-bheárrtha, ná le fear gan fiasóag. Tá bruth fiasóige orram a deir duine nuair a bhíonn sé gan bearra thar ceart. Ó'n b'fhocal, bruth, a táid síad a gimmeacht.

Sin mar chuireas-sa isteach an focal bruadairí, a leith na b'fhear óag a bhí múinne na Gaedhilge air fuaid na h'Éireann 7 pádh maith dhóaibh 7 an Sean-a-Mhághaistair, ó's ainim í a thug na h'Ollaimh thar lear orram, le naoi m'bliadhna déag a comhrac le locht Béarla a n'Oileán marra a n'íarthar Éireann a sgrúadiúghadh na teangan dúthchais do's na h'Ollaimh 7 do gach n'duine eile a chuirean cruaigh fhocal chúgham.

Díollann na daoine Uaisle seo go maith me gan amhras, gur a faid saoghail dóaibh, a n'daidh sláinnte, acht is olc a chredid me go b'fhuilim cómh fada ag gobair air son na Gaedhilge, a gannas do Connradh na Gaedhilge, gan fáltas dá bhárr.

A shéimh-fhir, cá fios dam, ná gur leat-fhéin a bheadh ma ghuidhe 7 ma bheannacht agam á chur nua go bh'fhaoighinn bás, agus go gcuirfá focal isteach am páirt, 7 mé trí-fichid bliadhan anois gan chabhair gan chóngnamh. Sean-fhocal, gur feárr focal sa chúairt ná púnt sa sporán. Má bhíonn aon fhocal eile a teacht trasna ort, na bíodh truagh agat dam. Tá droith-aimsair ann, 7 an post mall ansa n'Oileán-so.

Seo focal eile úam féin.

Singular	gen	pl.
Scoilt,	scoilte,	scoilteacha

Cad fáth go m'bíonn an focal, gen. of scoilt, mar plural air scoil.

s.	g.	p.
scoil,	scoile,	scoileanna.

Sin é an ceart

Sin íad agat íad 7 ma bheannacht.
B'fhéidair go gcuirfá cárta beag eile chúgham sar a fada 7 go g'cuirfhainn leitir fhada chúghat.

Mise 7 Árd-mheas agam ort,

Tomás Ó Criomhthain,[149]

Nua an fear fíor Ghaedhlach.

Tá an litir seo suimiúil ar shlí eile, chomh maith, sa mhéid go dtugann sí le tuiscint dúinn, faoi mar nach dtugann aon aiste eile dá chuid, go raibh greim maith faighte ag Tomás ar théarmaíocht an ghraiméir ón gcaidreamh a bhíodh aige leis na strainséirí. Is i dteanga na strainséirí atá an téarmaíocht leis aige; is féidir leis labhairt go húdarásach ar thuisil agus ar uimhreacha chomh maith le haon duine díobh, agus fágann an teanga dhúchais a bheith aige ina theannta sin gur féidir leis iad a cheartú mar is maith leis. Bhí sé tugtha faoi deara aige, ní foláir, gur 'scoilte' a bhíodh mar uimhir iolra ar 'scoil' i gcuid de na scríbhinní a bhuaileadh trasna air agus sin é faoi deara dó an cheist a chur ar an Laoideach: 'Cén fáth go m'bíonn an focal, gen. of scoilt, mar plural air scoil', rud nár cheart dar leis. Pé acu ar ghéill an fear

eile dó sa mhéid sin nó nár dhein, bhí sé sásta go maith leis an
míniú a thug sé dó ar an bhfocal 'bruadaire', mar, mí i ndiaidh do
Thomás an litir sin a scríobh is ea a foilsíodh *Tonn Tóime* agus an
nóta seo le Seosamh Laoide thiar i ndeireadh an leabhair.
'Bruadaire, m., a youth who has not time to shave regularly; pl.
-í. [also bruthaire and brusaire (Tomás Ó Criomhthain, Gt.
Blasket I.); from bruth=short stubbly beard.]'[150] Ach n'fheadar
an bhfuair Tomás an díolaíocht a theastaigh uaidh, nó ar chuir an
Laoideach a thuilleadh focal mar sin faoina bhráid.

Uaireanta, is uaidh féin a thagann brí na bhfocal ó Sheosamh
agus sa réamhrá a ghabhann leis an leabhar seo, míníonn sé an
teideal *Tonn Tóime* mar seo:

Is dócha nár mhisde leis an sluagh ainm an leabhair seo do
mhíniughadh dhóibh. Tonn Tóime, sin ainm áite nár tuigeadh i gceart
go dtí le déidheanaighe.... Tuigthear dúinn as soin gur ar dumhaigh
nó beartrach i ngar do Ros Beithe atá an ainm indiu, acht dob' fhéidir
gur ar bhéal an chuain a bhí sí anallód.

Idir dhá thír, .i. Corca Dhuibhne agus Uíbh Ráthach, atá Tonn
Tóime dá bhárr soin, agus ó thárla gur cuireadh ins an leabhar so
mórán mór cainte as an chéad tír agus gearr-chuid mhaith as an dara
dúthaig, do mheasas nár chóra dham ainm a thiubharfainn air ná mar
do bhaisteas.[151]

Go gairid ina dhiaidh sin foilsíodh litir ó Dhomhnall Ua Mur-
chadha (Domhnall na Gréine) ar *An Claidheamh Soluis* ag
tabhairt míniú breise ar an teideal sin. Seo thíos an míniú úd:

Do bhíos óg go maith nuair a chuala amhrán a chúm fear ó Chathair
Saidbhín i dtaobh sceine do chaill sé. I gceann d'á rannaibh dubhairt
sé:

'B'fhéidir gur'b í an bhrúch
Do sciob léi fé n-a dóid í
Go cathair Tuinn' Tóime
Mar a ndineann sí nead.'

Do bhí bríghe éigin le 'Tonn Tóime' i n-éaghmais na bríghe 'tá
tabhartha it' leabhar-sa, cé go bhfuil san so-thuiscionta.

Do thagadh an bhrúch air dtír air charraig 'san áit léirighthe it'
leabhar, i saoghal a bhí greannmhar go leor i dtuairim mhuintire an
lae indiu. Do chuala céad uair go raibh treabhachas daoine 'na
gcomhnaidhe i nGleann Bheithe .i. Muintir Shéaghdha go dtugtí an
'Chlann Gheárr' ortha. Lá Bealtaine thagadh an bhrúch air a' gcarraig
'á cíoradh 's á sciomaradh féin; a's pé bríghe 'bhí leis, do bhíodh
daoine a' faire uirthe chun a fallainge do sciobadh uaithe. Do theip ar
gach n-aon san a dheunamh go dtí gur ghleus fear de Mhuintir
Shéaghdha 'each caol lúthmhar' a's gur imthigh ar cos i n-áirde síos an
tráigh fé n-a dhéin. Do ráinig leis an brat 'fhuadach, acht ma dhin, do
lean Tonn é; agus céad éigin slat suas a bharra-taoide do rug sí air

agus do sciob ó'n iallait siar de'n chapall, agus an brat in' fhochair. Do
thuit an marcach suas; agus d'imthigh an brat, an bhrúch agus leath a
chapaill 'le fánaidh na screabh ndian.' Ó'n ló san n'fheudfadh aon-ne
de'n treibh sin dol ar bhád 'ná luing ná báithfidhe. Is dócha go raibh
duine 'ca air an Drólainn (Titanic), agus duine nó beirt eile ar an
luathas [leg. 'loingeas'?] ná táinig Luisitania.[152]

Nuair a léigh an Criomhthanach an litir seo ag Domhnall na
Gréine, tháinig olc air. Mar seo a scríobh sé go dtí Seosamh
Laoide á chur in iúl dó gur bheag aige míniú Dhomhnaill. Ní
áiféisí duine acu ná an duine eile ag cur síos ar bhun na hainme:

Tá an Claidheamh anso agam, 7 leitir Dhomhnall na gréine, is dóil
liom féin gur bé Domhnall na gaoithe leis é. Ba dhóil leat air a
d'tosach na leitearach go raibh bonn nua brígh le h'ainim do leabhair
go luath aige, 7 gur b'olc a dhinnis nár chuir aneamhail do é, sar a
raibh oiread da dhuath fachta agat féin, is amhlaigh a tá aige go
bh-fhuil a chean sáighte aige ann, 7 gan é tairrice.

Tonn-Tóime, ainim an leabhair agatsa, tá gaoll aige an dá fhocal-
sion le na chéile, mar tá Dún-Chaoin, Dún-Mór, Baile-Áth-Cliath 7
mar sin dóaibh,Tonn-Tóma aige fear na gréine, tonn. Sin é an tonn a
bhuail a capall gan amhras, do bhainn a tonn a tón do'n chapall a bhí
aige Mac Uí Shéaghdha, 7 leis sin, is craoinn ceart an ainim air a
lanntán gur thuit sion amach, Tonn-Tóna. B'fhéidir gur cheap fear na
gréine, ná bíonn aon tón air chapaill, mar bhíonn air bha 7 air mhuca.
Deir sé, gur thug an tonn an fhallain ó Sheaghán, bréag eile, mar, is
air a bhéalbhuig do do bhí sí aige, 7 ní air a chúalaibh, 7 leis sin, tá an
ruaig air an m'brúch ó thoin, sin é an fáth go raibh an díomas aici
chuin muinntir Shéaghdha ó thoin. Seághan a b'ainim do'n bh'fhear
aca a thug an brat leis. Ní'l fios aige fear na gréine, a deir sé, cad fáth
go raibh na daoine a faire air a m'brat a ghuid úaithe. Mar is módh
duine air bhrúachaibh Chorca-Dhuibhne a bhí báidhte aici, faid a bhí
nead 7 a brat timcheall Tonn-Tóna aici. Bháidh aon tonn amháin
mhílte, sé Mháire aon lá amháin, tá sé tagairt d'fhile na Catharach,
nuair a dúbhairt sé ansa rann, go cathair Tuínn-Tóime, mar a
n'dineann sí nead.
Is minnic a chonnaic íascairí bail tíghte [sic=bailtí/bailtíthe?] fé na
m'bun sa b'fharraige 7 dheinidéis amach, gur bhí an bhrúch, an
ceann-urrid a bhí orra féin mar is sí Cliadhna an ceann-urrid a tá air
na lioseanna, do'n chathair sin a thagair fear na sceine, darnó, acht is
dócha gur cheap fear na gréinne, gur bí Cathair Luiminne nua Cathair
Chorcaighe a bhí aige a rádh 7 gur a g'ceann aca. bhíodh a nead aige
an m'brúich.

                                        T. Ó C. Blascaod.[153]

Thug Tomás go fíochmhar faoi Dhomhnall sa litir sin thuas, agus
is léir go raibh míniú Dhomhnaill ag déanamh tinnis dó go ceann
i bhfad ina dhiaidh sin, mar i litir eile gan dáta go Seosamh

Laoide ina dhiaidh sin, dhein an Criomhthanach tagairt athuair dó:

Ní fheadar cad é an sgéal aige Domhnall na gréine é, a bhfhuil aon chur síos níos feárr ó thoin, air Tonn-Tóime aige, ní fheaca a leabhar na b'paipéar riamh aon chainnt do baite liom ná an leitir a bhí air a g'claidheamh leis, a tabhairt bun duitse le h'ainim do leabhair dair leis, 7 gur a lorrag an fheasa a bhí sé ort na dhiaidh-sin.[154]

Sa litir chéanna, ceartaíonn sé Seosamh ar an méid a dúirt sé i dtaobh dhán Thomáis sa leabhar sin; 'The "faraire" from London mentioned here is Mr. R. Flower (Bláithín) of the MSS. Dept., British Museum. He and Mr.T.F.O'Rahilly (editor "Gadelica") were together when spending their vacation in the Gt. Blasket Island. The poet has forgotten to mention the latter'.[155] Mar seo a d'fhreagair Tomás é: 'Tá sé ansa tagairt ad leabhar, gur dheinneas dearmhad air Thomás Ó Raithilí, gan é chur sa n'amhrán. Ní raibh Tomás am choidreamh-sa le línn an dáin a chur le chéile. Mar dá m'beadh do bheadh sé róampa 7 na n'diaidh agamsa ann, mar tá Tomás cómh h'Uasal leó aon lá 7 cómh maith dham'.[156] Is cosúil gur fhreagair an Raithileach féin ar an gcuma chéanna é, mar ghabh sé a leithscéal leis go poiblí tamall ina dhiaidh sin. 'Deir Tomás Ó Rathaille nach i n-éinfheacht do bhí sé féin agus "Bláithín" san Oileán Tiar, fá mar adubhart-sa sa leabhar agus dearmhad orm'.[157]

Is mar léirmheastóir léannta a labhraíonn Tomás le Seosamh Laoide sa litir sin, agus ardmholadh á thabhairt aige don leabhar *Tonn Tóime:* 'Tá an leabhar go cliste, air na leabhartha is feárr, a chonnac lán fós'. Ach is treise ar an gcáineadh ná ar an moladh ina dhiaidh sin é, mar is amhlaidh a dhéanann sé roinnt mhaith de na leabhair Ghaeilge eile atá léite aige a dhíspeagadh:

Tá mórrán eile aca, 7 cuid mhaith do's na spalaidhe i nasamh orra. Is olc is féidir an tig a thógbháilt mar a b'fhuil na thímcheall acht clocha móra, gan spalaidhe (nua clocha-beaga) na d'teannta.... Sé ceall na spalaidhe a tá teacht leis a n'Gaedhluinn air fad fós.
Sgaoilim ma bheannacht, 7 beannacht Dé chughat
Is gach lá dho'd bheatha, níos fearra ná chéile
Mise, an fear fíor Ghaedhlach
Sa Bhlascaod Mhór

An tAthair Mac Clúin agus Máire Francach
Bhí cúis mhaith ag Tomás, dar leis féin ach go háirithe, le gan gean a thabhairt d'údar *Réilthíní Óir,* an tAthair Seoirse Mac Clúin.[158] I bhfíorthosach na bhfichidí a chaith an t-údar seal ar an mBlascaod Mór ar dtús, agus is cosúil go raibh Tomás agus é féin mór lena chéile ó thosach. Seo an méid a deir Tomás i dtaobh na

cuairte sin: 'Thug an sagart-so trí-seachtmhaine an chéad-
bhliadhain am theannta. Do bhíodh Aifreann againn gach aon lá
uaidh.'[159] Sa bhliain 1920 chuir Tomás véarsa go dtí an Ceallach,
agus dhealródh an scéal gurb é an tAthair Mac Clúin an sagart
atá faoi chaibidil sna línte seo thíos aige:

Ach Tá an Sagart Beannaighthe faram-sa naonnacht
Is n'fheadar cad is fearra dham ná Teagasc na Cléire.[160]

Ina dhiaidh sin thug an tAthair Mac Clúin tamall eile ar an
oileán, agus de réir Thomáis féin chaith an bheirt acu tréimhse
fada in aghaidh an lae ag obair ar an leabhar; 'Do Tháinaidh Sé
Tharnais–7 do Thugas mí na Theannta, sin a g'cabhair a chéile,
A ceartiú gach a b'fhuil ansa "Réilthínní Óir", Do bhíodh h-ocht
n'úair a chluig sighte síos gach aon lá againn, dhá Théarma ansa
ló, cheire h-úaire air maidin agus cheire h-úaire Tránthónna air
feag an mhí'.[161] Ní fios cathain go baileach, ach is cosúil gur i
samhradh na bliana 1921 a dhein an bheirt acu an obair seo, mar
i mí Iúil na bliana sin chuir an tOileánach an litir thíos go dtí an
Ceallach, á chur in iúl dó nach raibh deis aige na tuairiscí laethúla
don mhí sin a chríochnú, mar go raibh broid oibre cheana féin
air.

A Shéimh-fhir
ó tharluigh, go Reabhas féin 7 an T-ollamh Gaedhlach ó Co: an
Chláir mí fada díreach a sgrúadiú na teangan, h'ocht nuair a chluig sa
ló, an mí is crúadh a bhraitheas fós ma tímcheall, d'fhág sion beagán
muile oram, air thaoíbheanna eile. Tá trí-cínn leat-sa breac 7 ceann
eile gan breaca fós mar is fada liom é, mar tá an post a faire air
sheóala. Is éigean dam cobhar [= cover] leis an Sagart a chur chughat,
tuisc ná raibh aon chobhar ansa leitir úghad a rubeálach [=
robáladh].[162]

Nuair a foilsíodh *Réilthíní Óir,* áfach, an bhliain ina dhiaidh sin,
chuaigh Tomás le buile is le báiní mar nach raibh aon tagairt,
beag ná mór, dó féin ann. Ní deir Mac Clúin sa réamhrá ach 'ón
Oileán Tiar i n-Iar-Chiarraidhe a bhfurmhór [i.e. na Réil-
thíní]'.[163] Mar seo a thug Tomás faoi san *Oileánach* ina dhiaidh
sin; dar leis go raibh a mhalairt de bhuíochas tuillte aige uaidh:

Sé-seo, an mí, ba mhó do ghaoíl ríamh orram, air muir–nó air
Talamh, agus farris-sin–is mó do chuir paisóan–7 fearrag orram
–anuair do chonnac an Té gur Thugas an aimsair chruaidh na Theann-
nta, nár lúaidh Sé go raibh ma leithéid ríamh na Chabhair. Is dócha
ná raghadh an Sgéal có h'olc dam, dábur mac-léighinn eile h'all-nua
amhus, do dhíanfheadh é, lasmuth do phollaibh na Cléire.[164]

Cén fáth nár dhein an tAthair Mac Clúin tagairt faoi leith do

Thomás? D'ainneoin a chuid cainte féin, is cosúil nach é Tomás amháin a bhí páirteach sa leabhar seo, ach go raibh lámh ag oileánaigh eile chomh maith ann. Féach an méid a deir Seán Ó Criomhthain ina thaobh, a thaispeánann go raibh baint ag daoine eile seachas Tomás leis an mbailiú a dhéanamh ar an mBlascaod féin:

Tháinig sagart ó Chontae an Chláir ann, Seoirse Mac Clúin. Chuaigh sé ag obair ar an leabhar sin a nglaotar *Réilthíní Óir* air. Focail Ghaeilge aige do gach duine agus a pháipéar féin, agus iad a chur in abairt dó, agus deirimse leat go raibh raithneach ag muintir an Oileáin agus ag scoláirí na scoile ag imeacht go dtí na seandaoine ag bailiú focal do Sheoirse. Seoirse a thugaidís air.[165]

Ina dhiaidh sin ghaibh Tomás agus Máire Francach (i.e. M.L. Sjoestedt-Jonval) tríd an leabhar le chéile. Seo cuntas Thomáis ar an scéal: 'Cailín uasal ó "Thír na Frainnce", an duine is déanaidhe do bhí am theannta, agus do ghabhamair trí's na "Réilthínní Óir"'.[166] Ina leabhar *Description d'un Parler Irlandais de Kerry* labhraíonn Máire féin ar 'quelques articles des *Réilthiní Oir,* recueillis dans l'Ile Blasket en 1922[167] par le R.P. Mac Clúin, et que j'ai pu vérifier sur place avec l'aide de Tomás Ó Criomhthain'.[168]

Cathain a luigh an bheirt acu isteach ar an leabhar seo? Ní fios go baileach, ach is cosúil gur i ngeimhreadh na bliana 1925 a thugadar faoi. I dtús báire déanann Máire féin tagairt do 'divers sejours faits de 1925 â 1929 dans le paroisse de Dunquin et dans l'Ile Blasket'.[169] Ina theannta sin, tá fianaise againn ó Cháit Ní Chatháin go raibh Máire istigh ar an oileán i gcorp an gheimhridh sa bhliain 1925, nó go raibh súil léi ann ach go háirithe. I litir go Flower, 20-12-1925, scríobh Cáit an méid seo; 'beidh Máire Franncach nár dteannta lá roim oídhce Nodlag'.[170]

Leabhair eile a bhí ag an gCriomhthanach

B'iomaí leabhar eile seachas na cinn thuasluaite a bhí ag an gCriomhthanach: mar shampla, bhí seantaithí aige ar leabhair an Athar Peadar Ó Laoire. Luamar sa chéad chaibidil gur thug Marstrander an leabhar *Niamh* leis don Oileán Tiar, agus gur léigh Tomás giotaí as dó. Ar ndóigh, ba mhór an meas a bhí ag Marstrander riamh ar an Athair Peadar; mar seo a scríobh an Lochlannach ina thaobh: 'Je suis un admirateur absolu de Father O'Leary. Il est sans comparaison possible le plus grand stiliste de l'Irlande nationale actuelle'.[171] Chonaiceamar chomh maith ag tús na caibidle seo, gur léigh an Criomhthanach agus an Ceallach an leabhar *Séadna* i dteannta a chéile ar an mBlascaod Mór. Ina theannta sin, sa chnuasach ag iníonacha Sheáin, chítear dhá

aistriúchán Ghaeilge a bhí déanta ag an sagart úd ar na soiscéil,
agus ainm Thomáis orthu ar an taobh istigh de na clúdaigh; *An
Sóisgéal as Leabhar an Aifrinn*[172] agus *An Soisgéal Naomhtha de
réir Mhaitiú.*[173] Tá dírbheathaisnéis an Athar Peadar, *Mo Sgéal
Féin*[174], sa bhailiúchán seo ag Niamh agus Cáit leis ach níl aon
fhianaise dhíreach againn go raibh sé ag Tomás féin, gan trácht ar
é bheith léite aige.

Bhí seanaithne ag Seán ('Common Noun') Ó Dálaigh ar
mhuintir an oileáin, mar chaith sé seal ann sa bhliain 1911.
'Fuaireas cuireadh ó Rí an Oileáin, seachtmhain do chaitheamh
n-a theannta féin insa "pálás", agus ní raibh aon ghnó agam an
Rí d'eiteach. Ní h-é "cuireadh na ngealbhan chun abhar na
gcómharsan" a fúaireas úaidh, ach cuireadh dáiríribh, cuireadh
gan doithcheall'.[175] Ina thuairisc ar a thuras don Oileán Tiar, ní
luann an t-údar sin an Criomhthanach féin, ach ag an am céanna,
chuirfeadh sé ionadh orm murar casadh an fear céile a bhí ag
deirfiúr an Rí air le linn dó bheith ann agus bheadh aithne mhaith
aige air ar aon slí mar is i nDún Chaoin a dhéanadh muintir an
oileáin an t-aifreann a éisteacht agus ba mhinic an bóthar ó
thuaidh iad go dtí an Buailtín ar bhaisteadh agus ar phósadh nó
an Clasach soir chun an Daingin ar aonach agus ar mhargadh.
B'fhéidir mar sin gurb é Mac Uí Dhálaigh féin a sheol cóipeanna
dá leabhair féin go dtí Tomás ina dhiaidh sin, mar chítear dhá
leabhar leis *Clocha Sgáil*[176] agus *Timcheall Chinn Sléibhe*[177] sa
bhailiúchán ag Niamh agus Cáit. B'fhéidir nár léigh Tomás na
leabhair seo in aon chor, mar níor thagair sé riamh dóibh ina
chuid scríbhinní, ach is cinnte, ar aon nós, go rabhadar ar an
oileán.

Sa bhliain 1924, chaith an tOllamh Von Sydow ón tSualainn
seal ar an mBlascaod. Deir Tomás: 'do ghaibh an "Duine
Uasal-so", Cúpla úair chughain, bhí sé lá Domhnaig istig am
Theannta, agus do léigh sé an sgéal "Fionn-agus Lorcán", níos a
b'fheárr blas agus fuaim, ná mórán eile a d'Tír na hÉireann'.[178]
Tá an leabhar seo ag iníonacha Sheáin fós.[179]

Sheoladh Tomás Ó Raithile leabhair go dtí an Criomhthanach
leis. Deir an tOileánach: 'is sé do chuir an chuid is mó do'n a
b'fhuil do leabhartha agam Chugham'.[180] Uair amháin dár chuir
an Raithileach beart leabhar ó Bhaile Átha Cliath chuige chum
an Criomhthanach na ranna seo thíos dó chun a bhuíochas a chur
in iúl dó (bíodh is ná raibh sé chomh buíoch sin ar fad de ina
dhiaidh sin):[181]

A Óig-fhir Uasail gur mór í tainm
A lúachtaint i g'corca Dhuibhne
chuir chúamsa an tualach luachmhar greannta

Go stuamtha a bh'fad thar taíonn úait
beannacht an Úain gach úair go leannadh
lánbhúann thu a measc na n'daoine
is an Rí tá thuas gach uair a'd t'fhaire
A tabhairt fuscailt ad cheasnuighe dhuit.

B'fhrist aithine dam féin ar sgéibh do leaceann
Is ar a m'braon mínn tais ad ghnaoidhe
nár ghiolla-ma-leithéid thú ná éinne dá Samhailt
acht géag do'n treibh is airde
ní fheacaidh aon bhé le raethe fada
do sgéibh acht mar thainnighean leó
Is ramhadh ban Éireann leat féin a taisdeal
Nuair is méin leat stad chuin críoche

Ma chéad míle slán chúmhat a thomáis a chuirim
A shár-fhir chliste léigheannta
Is nár bh'fhearra liom arán 7 cáis le caitheamh
ná géisteacht leatsa n'Gaedhluinn.
Cé táimse cráite ag scráilí aishte
gur beag aca d'tír féinaidh
Is go bh'fhicfheam-na an lá a n'daidh cháil ár d'teanga
7 stráilí na n'geilt gan éifeacht.[182]

Ar ndóigh is mó leabhar ó dhaoine eile a fuair an Criomhthanach
chomh maith, mar shampla tá an dá imleabhar den *Irisleabhar
Príosúin*[183] sa chnuasach ag iníonacha Sheáin agus ar an taobh
istigh de chlúdach imleabhar a haon, chímid an méid seo: 'Do
Thomás Ó Criomhthain, ón gCumann le Béaloideas, Lá le
Brighde 1927'. B'fhéidir gurb í an chuallacht seo leis a chuir
Béaloideas (Nollaig 1929)[184] chuige. Mar is léir ón leabhar féin,
b'é Seán Ó Súilleabháin a chuir an chóip de *Saothar Dámh-sgoile
Mhúsgraighe* (1933) chuige ar 11-2-1934. Ní foláir nó ba mhór í
spéis Thomáis sa leabhar sin agus a dhán féin 'Freagra ón
m'Blascaod' a bheith i gcló ann. Tá cóip den leabhar
Deoraidheacht[185] sa bhailiúchán seo, agus scríofa ar an taobh
istigh den chlúdach, chítear an méid seo: 'Ó Phádraig Ó Brao-
náin', agus tá ainm Phádraig leis ar an gcóip de *Cill Áirne*
anseo.[186] Tá cóip de *Eachtra Robinson Crúsó*[187] sa bhailiúchán
seo, agus síniú Thomáis ar an taobh istigh den chlúdach. Sa
chnuasach seo leis, chítear ainmneacha daoine eile, istigh agus
amuigh, breactha ar leabhair éagsúla–Seán Ó Criomhthain,[188]
Seán Ua Cuileamháin,[189] Máire Ní Shearnáin,[190] agus Máire Ní
Bhriain[191] – agus cé go mb'fhéidir gur le daoine eile ar dtús iad,
bheadh teacht ag Tomás ar na leabhair sin ar fad. Ar ndóigh tá
ábhar léitheoireachta eile sa bhailiúchán chomh maith nach fios
cér leis i dtosach é.[192]

Na hIrisleabhair a bhí aige

Thagadh na hirisleabhair go rialta go dtí an Criomhthanach. Chonaiceamar cheana go seoladh bean chéile Flower agus Brian Ó Ceallaigh na páipéir Bhéarla chuige. Ina theannta sin bhíodh an *Daily Sketch* le fáil go minic ar an oileán, agus ní foláir nó léadh Tomás é chomh maith le duine. Seo an méid a deir Seán Ó Criomhthain ina thaobh:

> Dhera mhuise, is é an leabhar is mó a chonac á úsáid ann ná an *Daily Sketch,* páipéar mór groí, agus bhíodh sé sin ag imeacht ó thigh go tigh. Fear éigin ó Shasana a chuireadh anall é sin. Agus ansin nuair a tháinig árthaí na ngliomach, na 'companies' mhóra seo a chuir na hárthaí móra ag triall ar na gliomaigh go dtí an tOileán, thugaidís sin a lán páipéarí do na hiascairí. Bhídís sin flúirseach againn.¹⁹³

Bhíodh teacht ag Tomás ar na hirisleabhair Ghaeilge chomh maith agus chonaiceamar roimhe seo go bhfaca sé 'gan cháim iad', mar a dúirt sé agus é ag scríobh go dtí an Seabhac. Bhí dúil faoi leith ag Tomás sna hirisleabhair seo, mar ba mhinic alt nó dán leis féin á fhoilsiú iontu. Uaireanta, dhéanadh sé comparáid idir na hirisleabhair éagsúla. Seo thíos, mar shampla, tuairisc a thugann sé dúinn ar an lá a chuir sé féin agus Seán an ghrinn an páipéar Béarla agus an ceann Gaeilge i gcomparáid le chéile:

> Tugan Seán-a-ghrínn cúpla leitir 7 páipéar, an Misneach chugham, mar tháinaidh an postaire ag gannas dam.... Seadh ar seisean osgail an páipéar féachaint an b'fhuil marbhú mór Luiminne air. Bhí anna mhurdall aca air a b'páipéar Galldadh, leath-chéad póilín marbh ann 7 níosamó ná sin martaraighthe aca air seisean. Bogaim amach an páipéar Gaedhlach, ach, ní bhíonn duine i n'Éirinn marbh air. ní-l aon mharbhú air-seo, a Sheáin, Go dTugadh an Diabhal coirce do-féin, 7 dá pháipéar ar seisean.¹⁹⁴

Uaireanta is é Fionán Mac Coluim a sheoladh na hirisleabhair chuige, agus is mar léirmheastóir a labhraíonn Tomás leis i dtaobh *An Fáinne* sa ghiota seo a leanas: 'N'fheadar cad mar sgéal aige an "Eagarthóir" a tá anois ann é. Bíonn rodaí air an b'Fháinne go minnic –nach fiú a léigheamh, ní bhíonn maith do Thír –ná do Theangain iongeanta'.¹⁹⁵ I ndán a chuir an Criomhthanach go dtí Cormac Ó Cadhlaigh, dán a léiríonn go mbíodh na hirisleabhair Ghaeilge ar fad á léamh aige, tugann sé moladh faoi leith don *Lóchrann* toisc an Ghaeilge a bheith gan cháim ann:

> Air shroistaint an Lóchrainn am láimh dam
>   Do dhinneas fichidí gáire ó chraoidhe,
> Air fheisceint blas-fhuaim ma dhaidh-mháthar
>   Cló-bhuailte ansa pháip chugham aríos,

Bíonn Stoc, agus Tír, agus Fáinne,
  A teacht chugham-sa go trágheamhail do shíor,
Tá cuid díobh súad bacach lán-bheárnach
  Sa thuile iongeanta sár-bhlasta bínn.

Is sé 'Fionán mac Coluim' an 'Duine Uasal'
  do sheól chugham air cuaird é aríos,
Agus do b fhéarr liom am láimh é annuair-seo
  Ná pé luibh eile is luachmhar sa Tír,
Bhí an Seabhac leis a Tagairt dá ghluaiseacht
  Bhí an Mhumhain a tabhairt buachalláin bhuidhe,
Anois ó's air na stuic an Treas úair do
  Ná leigimís úaghainn é aríos.

Is sé an 'Lochrann' an t-seóid díobh is breaghtha
  Go bhfuil Teanga ár sár-fhir ann shíor,
Is ansa Mhumhain a tá an chéad-sgoith is feárr di
  Is féidair a d'fhaghail ansa Tír,
Na fir léigheannta do théarnaig thar sáile
  Chun na gaedhilge thabhairt slán leó thar tuínn,
Is go dí Mumhain do bhí a stiubhariú thrí árdaibh
  Nua gur shroitheadar an t-oileán-so go m'bím.[196]

I ndán eile don *Lóchrann,* deir Tomás go léann sé féin 'go dlúth é'.

Ar theacht thar n-ais don Lóchrann,
  Is cóir dúinn a mhaith a mhaoidheamh,
Mar ní raibh sa tír 'á iúngnais,
  Ach glórtha gan mórán crích.
Glanann súd an bóthar,
  Do'n deórtha 's don dtaisdealaighe,
Tá radharc na súl do'n óige ann,
  Is tógan le mise a gcroidhe.

Aoinne a léighean an Lóchrann,
  Ba chóir do súd machtnamh cruinn,
Go bhfuil gach Gaedhluinn fúghanta ann,
  Ó gach ughdar dá bhfuil sa Tír.
Léighim-se féin go dlúth é,
  Is é sgrúdadh le barr an phinn,
'S níl ó'n a cheithre chúinne,
  Aon striúd ann nach bhfuil go fíor.

An t-óig-fhear nighte gleóidhte,
  Atá á sheoladh, is dá chur chuin cinn
Árd-chéimeach, léigheanta, mórdha,
  Gur bród dúinn, é bheith 'nár dtír,
Dá mbeinnise féin ám' ghéirseach
  Agus léas agam le mórán maoin',

Do bhfeárr liom é 'na léine,
Ná Éire, le fear gan chrích.

'S níl aon ainnir Ghaedhlach,
   ó Bhéara go Caisleán Nua,
Ná go seolfainn féin ár séirse,
   Go dtí an té úd á bhreacadh súd,
Do bheirim féin an chraobh do,
   Sa Ghaedhluinn dár casadh liúm,
Buadh is beannacht Dé aige,
   A n-aghaidh 'n lae a ghuidhim do súd.[197]

Is léir mar sin, nach raibh aon ghanntanas léitheoireachta ar an
gCriomhthanach idir leabhair agus irisleabhair, idir Bhéarla agus
Ghaeilge, agus gur mhinic a thugadh sé faoin léamh seo. Ar
ndóigh níor mheas Tomás riamh go raibh aon cheal oideachais nó
léinn air, agus is mar dhuine a bhfuil fios a ghnó aige a labh-
raíonn sé de ghnáth ar an ábhar atá léite aige, sna litreacha go dtí
a chairde, é teann go maith as a thuairim i gcónaí.

CAIBIDIL IV

SCRÍBHINNÍ THOMÁIS

Sa chaibidil dhéanach seo, déantar grinnstaidéar ar mhórsha-othair an Chriomhthanaigh: *Seanchas ón Oileán Tiar, Allagar na hInise* agus *An tOileánach*. Ní luaitear *Dinnsheanchas na mBlascaodaí*[1] anseo mar, tar éis mo sheacht ndícheall, chuaigh díom teacht ar lámhscríbhinn an leabhair. B'é ba dhóigh liom ar dtús gur i dteannta Flower a dhein Tomás an cnuasach logainmneacha seo a bhailiú, ach dealraíonn sé dom anois nach amhlaidh a bhí an scéal, mar níl aon tagairt dá leithéid i litreacha an Oileánaigh go dtí Flower, ná níl aon fhianaise i measc scríbhinní Flower i Roinn Bhéaloideas Éireann go raibh an saothar seo idir lámha acu beirt. Agus cé go bhfuil bailiúchán logainmneacha ar fáil ann a bhreac Flower ina leabhar nótaí le linn dó bheith ar an oileán i mBealtaine na bliana 1930, níl aon fhorbairt déanta ar chiall na logainmneacha céanna, agus táim lánchinnte de nach í seo lámhscríbhinn an leabhair. Saothar eile a ndéantar trácht sa chaibidil seo air, cé nach aon saothar mór é murab ionann agus na trí cinn eile, is ea an liosta a chuir Tomás agus Tadhg Ó Ceallaigh le chéile don Lochlannach, Marstrander, agus is leis sin a thosófar.

An díolaim ainmneacha
Tuigeadh cheana féin gurb i mí Iúil na bliana 1907 a tháinig Marstrander i dtír ar an mBlascaod Mór, agus gur chuir sé faoi ar an oileán go dtí aimsir na Nollag. Níorbh fhada i ndiaidh dó imeacht gur chuir an Lochlannach litir go dtí Tomás 'lán do pháipéir, Chuin ainim, gach ainimhaidhe air an d'Talamh, ainim gach éin sa spéir, ainim gach éisc sa bhfharraige, 7 ainim gach luibh a fás, do chur chuige annúan go Lochlainn, agus órdiughadh agam gan bainnt le cabhair as aon leabhar, ach, íad do leitiriú ansa bhlas do bhí agam fhéin'.[2] I bhfocail Sheáin Uí Chríomhthain: 'chuir sé leathanaigh mhóra fhada go dtí Tomás chuin ainm gach éin a bhí timpeall na mBlascaodaí a chur síos ar an liosta dó, cé méid ubh a bhíodh acu sa nead, cé méid gearrcach a thagadh ar an saol, agus rudaí mar sin.'[3]

Ní raibh Tomás de réir chomhairle Marstrander ar fad mar in ionad an obair a dhéanamh go neamhspleách mar a moladh dó

d'iarr sé cúnamh ar Thadhg Ó Ceallaigh, múinteoir rince a raibh
scoil Ghaelach ar bun ar an oileán aige ar feadh scaithimh bhig.
Chuadar i mbun oibre le cabhair a chéile. An rud ba 'litriú ceart'
ag Tomás ní hé a bhí ó Mharstrander ach b'é rud a fuair sé é:

Seadh, ní remhas ró oilte air an d'Teangain do bhreaca ansa n'aom-so,
Agus ma bhuachaill maith, níor mhór dam a bheith go sár mhaith
chuin na n'Ainimeacha so go léir do leitiriú ceart.

Do Thagaras an sgéal le Tadhg, Ó arsa Tadhg Dianfham le cabhair
a chéile íad go rábach a mhicó ar seisean. Ní raibh Tadhg ró
leisgiubhail chuin an ghnótha-so, mar do bhí smut do'n n'gnó a doll
chuin a mhaitheasa féin, Mar ba mho ainim do bhí agamsa air na
nighthe-se, nár chuadhlaidh sé féin ríamh. Do bhíodh Tamall gach lá
againn ortha, nua go reamheadar criochtnaighthe againn.[4]

I bpeannaireacht an Chriomhthanaigh féin a scríobhadh an
liosta d'ainmneacha na n-iasc agus na n-éan, na bhfeithidí agus na
bplandaí, 7 rl. ar an oileán.[5] I nGaeilge agus i mBéarla a
ríomhaigh Tomás na hainmneacha éagsúla, cuir i gcás 'bradán –a
Salmon', agus 'maircréal. –mackerel'. Uaireanta, rud a mbeadh
coinne ag duine leis, theip glan air an t-ainm a thabhairt leis i
mBéarla, agus sna cásanna seo thug sé mionchuntas i mBéarla ar
pé ní a bhí i gceist, a leithéid seo, cuirim i gcás: 'splincín, a wide
greenish fish, resembling the luitheóg but different inas much that
it swims about, whereas the luitheóg keeps to the bottom of the
sea', agus mar seo a mhíníonn sé 'Sighle an-phíce': 'a slender
brownish insect with little wings, it is found under stones and
runs quickly for the little holes when the stone is lifted'. Seo
sampla eile fós: 'Cráinn dubh. a smaller kind of whale.–very
plentiful here some years ago–used to annoy the fishermen very
much. She always used to keep around the shoals of mackerel'. Is
dócha gurb é an Ceallach faoi deara an ainm Béarla a bheith aige
chomh minic sin, pé ní mar gheall ar an gcuntas.

D'oibrigh Tomás leis go cúramach agus go slachtmhar, go
róshlachtmhar b'fhéidir, agus chuir sé ord ar na ranna éagsúla dá
shaothar. Nuair a ríomhann sé na héin ar an mBlascaod, mar
shampla, déanann sé iad a rangú mar leanas: 'na h-eunlaighthe
fairge', 'na h-Éanluighthe míne', 'na h-éanlaighthe talmhan
(móra)' agus 'Na hÉanluigthe talmhan (beaga.)'. Tá eagar éigin
le fáil laistigh de na ranna seo chomh maith. Seo thíos, mar
shampla, mar a ríomhann sé na 'hÉanluighthe míne':

Coileach   –a cock. ⎫
Cearc.   –a hen. ⎭

Barrdal.   –a drake. ⎫
lacha.   –a duck. ⎭

ganndal.   –a gander ⎫
gé.   –a goose. ⎭

Turcaoí   –a Turkey.

Ní foláir nó dhein sé cur síos ar gach ní, idir iasc agus éan, idir
phlanda agus fheithid, ar feadh a eolais agus é ag ríomhadh na
n-ainmneacha éagsúla. Mar seo, cuir i gcás, a leag sé amach
plandaí an oileáin; ní thugaim anseo ach leathanach amháin den
díolaim:

Planndaí

Fraoch.	Heath.
Craobh	Broom.
Buachallán buidhe.	Yellow rag-weed.
Cupóg liath.	doch-leaf–greyish in colour
Cupóg sráide.	dock-leaf, green in colour.
leanntóg	nettles
sgeach	Briar
spúnc.	colts-foot
lideán liosta,	burdock, also liodán liosta)
b'liostrán.	a weed growing among potatoes.
Úrlais chríona,	a bulky kind of herb growing among potatoes. It is gluey to touch.
aidhneán	Ivy.
milliona mear.	a plant that grows to the height of from 6 to 12 inches–it has a white flower.
Samha	Sorrel
arán glas.	leaves growing in the slits of rocks, they are round like pennies.
Néunartach,	a kind of bulb with a few bark leaves and a bluish flower, it was formerly used for tanning leather.
Iosnach	leaves growing in bunches in the slits of rocks, they are round like pennies.
Fionán	'bog-grass' –long white grass used for making súgáin or hay-ropes.
Coinnle-coradh	a bulb growing in bogs: the stem is long, and its blossom is a lovely blue.
Compraí	a plant with leaves something like carrots, having curative properties.
Raithineach	Ferns.
Fiorthan.	long coarse grass.
púir-Fhaille	long threads growing in cliffs and producing a white flower.
Neóinín bán	White daisy.
neóinín buidhe	yellow daisy (primrose)
glasair-léun	a little plant growing in meadows.
Fuillig.	a soft green weed in potatoe gardens.

amhráin-gléusta	a plant with its leaves almost resembling the ivy–but not quite so smooth.
pruiseach bhuidhe.	a yellow weed that grows in corn.
bliúcán	a plant like the milliona mear – its roots are eaten and are sweet to the taste.
Slándás	The lower leaves of the meadow-fox-tail. It has curative properties.
geitirí	Rushes
préumh-Fhairge	a coarse grass that grows in tufts. it is very tough.
Dileascach-na-gcloch.	Short hard bunches growing in rocks
muiruidhneach.	grass used for thatch.
Deilgine	thorns
gurradh préachán.	a plant growing among potatoes, it is like the fuillig but is hard.
mismín	Spearmint
bleacht-Fhóchadán,	thistle.
Coimeán-meall.	Camomile.
leamhach-bhuidhe.	marsh-mallow has curative properties.
lus-mór	white-mullen
aitean gallda	Furze
Caisre-bhán	a low growing plant given to pigs
Uilliostrum	long green leaves growing in marshy places.
Raithineach madra,	small-leaved fern.
Gabaiste Faille,	a wild plant with the leaves like cabbage, grown in the cliffs.
greidhiricí,	long slender plants, growing in rocks–sweet to taste.
dealg.	a thorn.
bainne-cíth-na-n-éun.	hemlock.
iosnach	an ever-green leafy tuft, that grows on mountains, it does not rise up, but spreads its leaves along the ground.

Nuair a bhí an gnó seo curtha de aige, sheol Tomás go dtí Marstrander in Oslo é. Ina dhiaidh sin a dhein an Lochlannach a chuid féin eagarthóireachta de réir na haibítre ar an gcnuasach. Mar seo a chuirtear tús leis an saothar sin.

A

1. ál únge, yngel. ál.
2. ala, eala, orret, acice Blask.[6]

De réir dealraimh, bhí sé ar intinn ag Marstrander an tráth sin taighde a dhéanamh ar chanúint an Bhlascaoid -rud nár chuir sé i gcrích riamh. Mar seo a chuireann Jan Erik Rekdal síos ar an taighde sin: 'This is Marstrander's own list partly based on what he got from Tomás. From another manuscript which is probably the first draft on a phonology of the Blasket dialect, it seems likely that he had the intention of writing a study of the dialect.'[7]

Seanchas ón Oileán Tiar

Cé gur sa bhliain 1910 a thug Flower aghaidh ar an mBlascaod Mór ar dtús, is cosúil nár chrom sé ar bhlúirí beaga béaloideasa idir scéalta, sheanchas agus fhilíocht bhéil a bhailiú ón gCriomhthanach go ceann tamaill ina dhiaidh sin. Dealraíonn sé gurbh é Flower go minic a chuireadh mar chúram ar an gCriomhthanach cur síos a dhéanamh dó ar ghné éigin de shaol an oileáin. Go luath sa bhliain 1912 mar shampla, thug Tomás tuairisc mhion dó ar chúrsaí iascaireachta san oileán, agus is léir ón litir seo gurbh é Flower a d'iarr air an cuntas úd a bhreacadh síos:

A Shár-fhir.

is cóir dam doll go dí ain iascaireacht (fishing) ná spáráil an sean-mháighistir aon rud i tá am chumas i dhéannamh duit 7 fháilte.

Sealagaireacht Iascaigh
Ar thoseanúghadh iascaigh dam-fhéin ar d'túis is sé an sean-iascach do bhí le'm línn, do chaitheas leath ma-Shaoghail leis, 7 an leath-eile leis an n'iascach núadh. Leis sin ba chóair go bh'fhuil sé am chumas cur-síos duit-se ar gach ceann aca cómh maith le aon duine eile, 7 go mór mhór ansa teanga-so, 7 rud eile ó'n nuair go bh'fhuilim a m'bun é dhéannta do'n té do chuir i chúram orm 7 Fáilte. An deifrígheacht deir an dá iascach:

An seanna Nóas
Báid mhóra dhá-sheól 7 hochtar fear i leannúmhaint gach báid aca saighine, mór fada aige gach bád, clocha móra dhá shúancáil, 7 cuirc ar i bharra, na cuirc 7 na clocha dhá chiomád ó chéile chaithfhaidís an t'iasc d'fhiscaint ar bárra an isge chuin an saighine do chur tímcheall air. an té ná bíoch sa bád bhíoch dorúgha aige i marúghadh sórt eile éisc leis, i mbáid bheaga

An nóas nuadh
Naomhóga na báid i tá andois ann, 7 triuar fear ionnta, saighiní aca do bhíonn ag gimtheacht leis an d'taoide ansa n'oidhche, 7 an naomhóg ceangilte dóaibh 7 maircréail do ghabhaid síad leó, nuair i bhíonn unúghadh na maircréail imighthe, tá glias eile aca. ansa t'Samhradh potaí chuin gliomach i mharbhúghadh ní'l cómhráighe an t'sean-a-nóais a baint leis a nóas núadh. is feárr mar tá an saoghal aca leis a nóas núadh, ná mar bhí aca leis an sean-a-nóas,
Sinné ma thaisc-se dhuit,
ar an n'deifrigheacht eatra,[8]

Ní foláir nó chromadar ar na ceachtanna foirmiúla le chéile i samhradh na bliana 1912 ar a dhéanaí. Tugann Flower cuntas dúinn ar an gcuma ar thugadar faoin obair ar dtús.

We have to discuss what form my lessons are to take. I want to practice myself in writing down the language from his lips. What is he to give me, isolated words and sentences, or tales and poems? The verdict falls for the tales and, since the Island once possessed a poet, Seán Ó Duínnlé, for his poems set in the circumstances which provoked them.... And so, he sitting on one side of the table, rolling a savoury sprig of dillisk round and round in his mouth to lend a salt flavour to his speech, and I diligently writing on the other side, the picture of the Island's past grew from day to day under our hands.[9]

Nuair a bhí Flower bailithe leis ón oileán an samhradh sin, ní raibh aon leisce ar Thomás an obair seo a chur i gcuimhne dó. 'Ná déin dearmad gan dul go dí an leabhar scribhte andis 7 aríst 7 ínns do'n Mháighistreás ansa teanga Ghallda gach ceann aca 7 beidh greann aici ortha'.[10] Ina dhiaidh sin a tháinig Tomás Ó Raithile i dtír ar an oileán agus d'inis an Criomhthanach dó go raibh cúram an tseanchais idir lámha aige féin agus ag Flower. De réir dealraimh mheas an Raithileach láithreach go mbeadh sé oiriúnach an t-ábhar seo a fhoilsiú sa Ghaeilge agus, mar a chífear ar ball, bhí baint aige leis na profaí na blianta ina dhiaidh sin. Ar ndóigh, ba mhór í spéis an Raithiligh féin sa seanchas seo, agus bheartaigh sé ar roinnt de a bhreacadh síos ó Thomás an samhradh ina dhiaidh sin. Seo cuntas Thomáis féin ar an scéal:

Bhí anna íongeantas ar Thomás Ó Raithilí nuair ínnseas dó an méid amhrán 7 sgealta a thuigis úam, is mór an dúil a bhí aige íonnta, do cheap sé leis go gcuirfá g'cló a n'Gaedhluinn iad, Trasna chuin Baile-átha-Cliath, 7 bhí sástacht air, dúbhairt sé liom an aith-bhliadhain go m'beadh sé féin orm chuin a bheidh a tógaint síos. Ní chreidim é ámhthach, mar buailfhaidh sgriosíonnach d'oig bhean-Ghaedhlach leis agus beidh sé bog air an n'oilean an uair-sin béidir chúig céad focal cruaidh do chuireas féin 7 Tomás a gobair. Sean-fhocail a beadh bh'fhoramhóar.[11]

An bhliain dár gcionn 1913, d'fhill Flower ar an mBlascaod agus lean sé de bheith ag breacadh an tseanchais ón Oileánach. I Meitheamh na bliana sin agus é bailithe leis ón oileán, chuir sé an tuairisc seo ag triall ar Meyer: 'I did a great deal on the Blaskets, took down stories three hours a day from Tomás, and hunted rabbits all day on the cliffs with Seán an Righ'.[12] Bliain ina dhiaidh sin bhí sé ar ais ar an oileán arís.

Fad a bhí an chéad chogadh domhanda ar siúl áfach, ní raibh deis aige filleadh ar an mBlascaod, ach, mar is léir cheana, lean an comhfhreagras idir é féin agus Tomás. I rith na mblianta sin (mar a bhí i ndán dó a dhéanamh leis an gCeallach ina dhiaidh

sin), sheoladh an Criomhthanach na scéalta tríd an bpost go dtí
Flower. Ag deireadh scéil dar teideal 'An Lanú Ghreanúr insa
Bhloscaed Mhor suim mhath aimsire ó shin', scéal nár foilsíodh
riamh, scríobh Tomás an litir seo:

A fharraire Shúggaidh
Seo sgéilín agam á chur chúghat chuin an aimsair a chiriúghadh
dhuit, 7 do'n Máighistreás mar is dócha go bh'fhuileansibh trí na
chéile aige an g'caith áibhmhéil seo air siúbhal. Ba mhaith liom dá
m'beadh leigheas a bh'fheárr ná é agam le cur chúaibh. Ínns do bhean
a tighe gach focal do, ní feárr liom an greann air fad a bheith agat-sa
air. Cunnas a tá Beabra 7 darnó Síle go b'fhuil ainm na mná
fógheannta ó Éireinn uirri.
Ma bheannacht chúaibh air fad, beannacht Dé, Mise an Sean-
a-Mháighistir, go gradamiúbhail duit.[13]

I litir a scríobh an Criomhthanach ag deireadh an scéil 'An
Spealadóir',[14] iarrann sé spéaclaí ar Flower, –é seo gan scrúdú súl
d'aon sórt a bheith déanta air! –agus deir go bhfuil trí fichid
bliain glan aige, rud a ligeann dúinn a mhaíomh gur timpeall na
bliana 1915 a scríobhadh é.

B'fhéidir ná beidhfá glas air gháire eile a dhéannamh, an taom go
m'beadh-so léighte agat, 7 níor bhfheárr liom é bhainnt gáire asat, ná,
cúpla ceann eile a bhainnt as a Máighistreás aca, mar is seo mar
thuighim. nár chuir sí cosc le'd láimh riamh, beag núa mór do b'fhonn
leat a shínne chuin a tSean-a-Mháighistir. cunnas mar Tá gach n'duine
agaibh, beag, 7 mór, an bháb go bhfuil ainim ma Shean-a-Mháthar
uirri, darnó ní cómhair dom í dhearmhuad, Síle. Tá an radharc a
bagairt orram. níor mhór liom duit féire-spiaclaí a thabhairt chúam má
thageantú arís, trí fichid an taos.
Ma bheannacht libh gach lá, 7 beannacht Dé ó'n Sean a
Mháighistir.[15]

Ba mhinic agus na scéalta seo á gcur aige go dtí é go lorgaíodh
Tomás comhairle agus cúnamh ón bhfear eile. A leithéid seo,
cuirim i gcás, ag deireadh cuid a dó den scéal 'An Fiagaí':[16]

is módh eachtradh eile air Dhiarmuid fós. Acht is maith liom Thu
chur óardiúghadh eile orm, mar b'fhéidir nár mhór dam é.

A dhuine-Uasail,Chríochtnuighthe.
Má thugis an Sean-a-Mháighistir, féin orram, núair a bhíomair a
d'teannta-chéile, níor mhór liom duit an úair-sin, acht geallaimse
dhuit nách maith liom doll a bh'fhad 7 me am aonar. gan cead an
óg-Mháighistir, mar a bhfuilim a dhéannamh go maith. Ba mhaith
liom go g'cuirfá óardiúghadh orram má táim is cummadh liom.
Cunnas mar tá an bheag 7 a mhór agaibh gach lá air fheabhas agaibh.
Tá Súil agam gur bhog an chuid-eile do'n Sgeal-So a chuirreas

chúmhat, an T'inflouns ort. Ba mhaith liom dá n'dianfhead. An S.A.
Mh. sa Bhlascaod Mhór sa bheannacht.[17]

An achaini chéanna aige ag bun an chéad chuid den scéal:

> is dóil liom go bhfhuil an sgéal-beag-so fada dhóthainn (crioch) acht
> níl crioch le beathadh Dhiarmuid fós, cad é an t'iongnadh dá mbeadh
> oiread cursíos air le Diarmuid Ó Duine núa le Robin son crusó.
> A Chara, tá an chainnt-seo air fad a gimmacht dréir na marc barra. is
> oth liom go b'fhuil an t-inflouns a bagairt ort a gcómhnuighe, tá
> deabha orram leó-so chúmhat, b'fhéidir go tabharfhaidís tógaint eile
> craoidhe dhuit, chuin na Máighstreás a táim a cur sgéal-so Dhiarmuid.
> B'fhéidir go m'bainfheadh sé cúpla gáire aisti, ó núair gur bean suilt í
> táim a breaca an dá thaoibh air na Páipéar-seo. Ba cheart duit
> óardiúghadh a chur orm, más tu an scoláire beag féin. Tá ma
> bheannacht chúaibh gach lá 7 beannacht Dé cunnas a tá Beabra. 7 an
> óigh-bhean eile go bhfhuil ainim ma Shean-a-Mháthar uirri 7 ní
> cháinfheach sion í. An S.A. Mh. go críonna. Sláinnte do Shíor
> chúaibh.[18]

D'fhágadh Flower bileoga ag Tomás chun na scéalta a bhreacadh
síos, ach ní i gcónaí a bhíodh a dhóthain díobh ag an Oileánach,
rud a chuireann sé in iúl dó ag deireadh an scéil 'Piaras Firtéur',[19]
'Geallaim-se dhuit a Chara, go m'béigeant dam cur air na
páipéir-seo, na sgoile, cé gur módh paipéar d'fhágais agam 7 íad
leis an Máighistreás leis agam'.[20]

Ba mhinic leis áfach go mbíodh leisce ar an gCriomhthanach na
scéalta a chur go dtí Flower. Féach na leithscéalta seo a leanas:

> Do bheadh sgéilin agam, 7 tá deabhadh orram[21]

> I dont Know what to do now, I have a little story written. but I am not
> sending it away. For I am afraid that Mr Flower is out from home.[22]

> is soth liom gan Sgéilínn a bheith agam le cur chúaibh, acht bead a
> breaca cínn bhig gan mhaoill.[23]

> Do chuirfhainn an sgeal-beag so chúghat níos a luatha, acht bhíos a
> brath, nua go m'beadh an Rí tacaighthe ó Dhaingean-uí chuise.[24]

Tuigtear cheana féin nach scéalta agus filíocht amháin a sheoladh
Tomás go dtí Flower, ach gur mhinic leis a thugadh sé tuairisc
uaidh ar chúrsaí an oileáin. Féach mar shampla an cur síos seo
aige ar na teaghlaigh éagsúla a bhí ag cur fúthu ann, aimsir an
Chéad Chogaidh:

> is cómhair dam an rud a chuiris mar chúram orram a dhéannamh a
> d'tubhais. na slionúidheacha, na tigthe 7 na daoine a chuar chúghat.
> aon tigh déag ar fhichid, a tá ann.

Daoine 176.

Muinntir Chéarna	*Slionúidheacha.*
mu. chotháin	mu. Dhálaigh
mu. Ghuithín	mu. Dhaoinléighe
mu. Shéaghdha	mu. Chriomhthain
mu. chonchiúbhair	mu. Shámháin/ Savage
mu. shúilleamháin	Oide Scoile[25]

Is léir ón mblúire thuas, gurbh é Flower a chuir ar Thomás an cuntas sin a bhreacadh síos, agus a sheoladh go dtí é. Is amhlaidh atá an scéal i dtaobh file an oileáin, Seán Ó Duinnshléibhe. Chuir Thomás tuairisc ar bheatha agus ar mhuintir an fhile ag triall ar Flower, tar éis don fhear eile an t-eolas a lorg air.

Dianfhead ma dhíocheall duit, chuin cúnntas a n'fhile a chur chughat, air feag m'eoalis ná fuíleasa agat ná beidh teiteach agam fad is beó dham má bhíonn aon rud eile leis, a teacht trasna ort, ná spáráil me.
An file ó Daoínnléighe sa Bhlascaod.
A b'Próiste Dhún-Chaoin a rugach é, Tháinaidh a mhuinntir isteach an n'Oileán 7 é na leanbh aca. Bhí tuisceint air bheagán Béarla aige na mhuinntir. 7 mar bhí an mheabhair aige an bhfile, bhí tuisceint air bhreac fhocal béarla aige. 7 is minic a chuireach sé breac-fhocal do ansa bhfhileigheacht.
2 fear néaghta i bead é, gan é rodh árd, ná ródh túbhtach, rioth, 7 léim aige 7 é daidh labhartha.
a chlann 3. aon mhac amháin Stíobhán, triúar ingean Máire, Cáit. 7 Peig. ní'l acht duine aca-so beó, Máire, a ndún-chaoín, a tá sí ó phós sí, tá a fear leis beó, chúaidh an bheirt eile ingean, go dí Meirice, fadó.
4 clann stíobháin. beirt mhac, 7 beirt ingean, iad eile pósta, mac leis ansa n'Oileán 7 beirt ingean, mac eile leis thall sa talamh Úr. Sinníad síolmhach an n'fhile agat, sa b'Praóiste Fíonn-Trágha, a bhí an stoc ba mhódh do mhuinntir Dhaoinnléighe ansa droith-Shaoghal.

5   beatha an fhile
bhí beagán talmhan aige, 7 iasgaire do beadh leis é, do bhíodh sé a spailpínnteacht comh fada síos le Conntaé Luiminne, 7 do rug cruaidh-chás ansa droith-shaoghal air, air nóas chead duine nach é, mar bhí an chlann gan bheith ládair an úair úad, do cheap sé a lán amhrán, 7 do bhí bun aige leó, mar do bhí droith dhaoine a gluaiseacht a núair úad, ná raibh géile do Dhia ná do Dhuine aca.[26]

Is léir mar sin, gur choimeád Flower Tomás i mbun oibre i gcaitheamh na mblianta seo. I dtosach na haimsire théadh sé dian ar an mBláithín an Ghaeilge a thuiscint uaireanta. Seo thíos nóta ina dtugann eagarthóir an leabhair, Séamus Ó Duilearga, faoi deara nach i gcónaí a thugadh Flower leis go cruinn an méid a bhíodh á rá ag an gCriomhthanach:

Bailiffs threaten Island,
The text is missing, only a typescript (in purple) being to hand I notice that these early typings of R.F. show that he was somewhat weak in Irish, and that his transcripts in ink (based often on these typescripts) are much more reliable. These must have been early typescripts.
S.Ó D. 27/3/56[27]

Mar bharr air seo tá míniúcháin ar fáil go tiubh sna scéalta a chuir Tomás ag triall ar Flower.

Sa téacs féin a fhaighimid iad seo de ghnáth, mar shampla, 'ní thiúarfheadh Capall-a-Cláis (capall nár cuireadh a dhóthainn d'ualach riamh air) na dhraom chúmhat, a m'beidh le breith leat agat, a léir mhéidhreig (bean bhorab mhínnáireach)'.[28] Uaireanta is míniú gonta ar chiall an fhocail é, mar shampla: 'níor stadeadar do'n tróigh-sin (an iarracht sion)';[29] 'do thuit an lug air a lag (mídhóchas) aca'.[30]

Uaireanta eile téann Tomás níos faide leo. A leithéid seo d'abairt, cuirim i gcás: 'mar a breágh táimíd ó lat-a-chait (baineann an focal-so, le aom bháitiúbhail) agat, do chas an bád abhaile, do chuireadar go dí na thigh féin é, 7 é i ndeire-na-feidde (gearraid do'n bhás). Ní maith liom focal gan bonn a chur chúmhat air eagla ná beadh sé agat'.[31] Sa sliocht seo thíos ní hamháin go bhfuil an chaint á míniú aige ach déanann sé í thagairt dó féin agus do Bhláithín mar léiriú ar an gcaradas atá eatarthu:

Na focail seo, a riothan isteach ansa chainnt chúgham, ba mhaith liom ath-mhioniúghadh a chur duit orra, mar 'is maith liom go maith i bhfhad úaim thu'. Sean-fhocal is seadh an abairt sin, 7 is sidé an bonn nua an bun a tá leis, an té go bhfuil a dhóthainn ansa t'Saoghal aige féin, 7 duine múinnteartha h'all nua bhus aige 7 é beó-bocht, is maith leis go maith i bhfhad úaidh é, sé sin faneamhaint glan do féin. gan aon nígh lorag air, acht ní marsin agamsa leatsadh é, mar is dócha na fuil a fear gan gaol sa domhan is módh agam ná thu. Tá cionnmaith agam air a Lochlannach leis, beidh ma ghradam daoibhe araon faid a bhead beó. 7 ma bheannocht do shíor. Seadh, caint a h'airighean [= thairrigíonn] caint, Sean-a-rádh eile. is minnic a tháinaidh cómhrádh mór ar bheagán focal.[32]

Bhíodh Tomás ciaptha cráite mar gheall ar a chuid seanchais i gcaitheamh na mblianta seo rud a chuir sé in iúl do Flower i litir chuige i mí Feabhra na bliana 1915: 'is oth liom go m'beidh ma chuid ealagair 7 sgéalta a bhásta is dócha, a dheascaibh an chogaigh seo ba mhór an truadh é, saor-sgéal an bhlascaoid mhóir, 7 gan aon doll go deó ariost air.'[33] I litir eile a scríobh sé chuige i Samhain na bliana 1917, tá an saothar sin fós ag

déanamh tinnis dó. Bheadh sciobadh air ach é a bheith ar fáil,
dar leis: 'Do b'fhriste mac-léighinn a d'fhagail ansa n'Oileán a
m'bliadhna mar a m'beadh an úantaráil-seo-air a saoghal, bíd
síad go léir a fiaraighe dhiom mar gheall ort, 7 air na sgéalta. Dá
m'beidís a g'cló ba chumma leó cad é an t'airgead a bheadh
orra'.[34] Ní bhíodh aon leisce ar Thomás brú a chur ar Flower agus
a chur i gcuimhne dó cad é mar chomaoin atá curtha aige air. Sa
bhlúire thíos tugann sé le tuiscint dó go bhfuil na hirisleabhair
Ghaeilge sásta an seanchas a fhoilsiú láithreach dá mbeadh sé
sásta é a scaoileadh chucu. Bheadh, leis, mura mbeadh é bheith
ar láimh cheana ag Flower, agus cá bhfios ná gur fearr a rachaidh
an margadh sin chun sochair fós dó:

> Tá na rops [sic] aige locht na b'páipéar Gaedhlach á bhainnt asam,
> chuin sgéalta stróinséartha a chur chúmhtha. Tá dúaiseanna aca a
> tharrac go tiubh air sgéalta nár chúaleadar riamh, is beag do'n
> t'sóart-sion le fághbhail anios aca, acht an méid a tá Thall agat-sa
> amháin aca. Tá fios math aca air íad a bheith again, acht deirim leo,
> go bh-fhuil a fear thall a faire air íad a chur a g'cló ó lá go lá, 7 nách
> maith liom íad aithnoachtaint. níor bh'friosta dhuit an tar-na-fear a
> dh'fhághbhail a d'tír na h'Éireann a dhéanfheadh sion acht me-fhéin
> amháin, acht má's caoith dham a bheith bocht ní caoith dham
> caileamhaint air Dhuine-Uasal is módh duais bheag a raghaidh chuin
> aon t'shínntiúbhais amháin dár shínn do lámh chugham tráth. 7
> b'fhéidair ná beadh sí follamh fós leis agat á shínne chúgham, le
> cóngnamh Dé.[35]

Nuair a bhí an cogadh thart d'fhill Flower ar an mBlascaod, agus
de réir chuntas an Oileánaigh féin, sa bhliain 1925, chuaigh an
bheirt acu siar ar an seanchas a bhí bailithe acu. 'Ansa
m'bliadhain-seo 1925, do tháinaidh sé arios, chuin gach focal dá
raibh sgribhte againn do chur le-chéile as bhéal a chéile, nua go
bhfhuaireamair len a chéile go réig socair iad'.[36] Dhá bhliain ina
dhiaidh sin bhíodar fós ag gabháil den saothar céanna. Seo thíos
an méid a deir Flower le R.I.Best ina thaobh:

> Tomás and I have been working on the book of stories and it is getting
> into reasonably good order. I hope to start printing soon after I get
> back. It is a fascinating collection with the whole life of the Island in
> the past generation in it, and talking over the tales again and again
> with Tomás, I have reached a fair understanding of that life which
> might too stand me in good stead in editing the collection.[37]

B'é an trua é, nach bhfaca ceachtar de bheirt acu an saothar i
gcló ina dhiaidh sin. Níor éirigh le Flower riamh an leabhar a
fhoilsiú. Bhí sé ar intinn aige é a chur i gcló faoi choimirce
Chumann na Scríbheann Gaeilge agus i dtuarascáil an Chumainn
sin sa bhliain 1925 fógraíodh go bhfoilseofaí a leithéid go luath:

Mr Robin Flower, the Chairman of the Executive Council of the
Society, has in preparation a volume entitled, 'The Great Blasket',
being a collection of tales told by Tomás Ó Criomhthainn of the Great
Blasket Island, Co. Kerry, and recorded by Mr. Flower. These tales
deal with the life of the island in the nineteenth century. A number of
poems by the Island poet, Seán Ó Duinnshléibhe, and others are
included, with stories illustrating the subjects of the poems.[38]

Cuireadh moill éigin ar an ngnó, áfach. I ndiaidh bhás Flower
(1946), bhronn a iníon Bairbre an cnuasach neamhfhoilsithe ar
Shéamus Ó Duilearga, agus d'iarr sí air cúram eagarthóireachta
an tsaothair a ghlacadh air féin.[39] Chrom Ó Duilearga ar an obair
sna caogaidí. Bhí an t-uafás oibre roimhe.

I dtús báire, b'éigean dó grinnstaidéar a dhéanamh ar phrofaí
an leabhair a bhí ullamh cheana féin ag Flower. Bhí na profaí seo
ina dhá gcuid. Tugaim anseo thíos liosta na n-eachtraí go raibh sé
ar intinn ag Flower iad a fhoilsiú, i dteannta uimhreacha
leathanaigh na bprofaí aige. Aithneofar láithreach go raibh sé i
gceist aige an tríú cuid den leabhar beagnach a fhágáil ar lár.

Cuid I

Leathanach	Ábhar
1	Seilg na nGuinéud
8	Cúis na bhFuipíní
17	Eachtraí na Bó
18	Eachraí an Chapaill
21	Piaras Firtéur
28	Seán Ó Duínlé agus an Chuíora Odhar
33	Amhrán na Cuilte
38	Na Filí
40	Ciniúint a dh'imigh ar Thruacail
44	Bean an Fhile agus an Bháile
47	Amhrán na Bó
50	Amhrán an Asail
52	Ráiseana na mBád
53	Beauty deas an Oileáin
55	Caoine na Lucys
57	Muiris agus Nóra
59	An Bád a dh'imig go Luimineach
63	Mola na gCapal
69	Risteárd Ó Bruineann
72	William Taylor
75	An Sladaí
77	Bolg an tSoláthair
78	An Fiagaí (I)
83	An Fiagaí (II)
88	Diarmuid Ó Sé agus an Mhéar Theinn

Ina dhiaidh sin agus uile ní raibh Flower lánsásta leis an dara roinn de na profaí agus chuir sé iad ag triall ar a sheanchara Tomás Ó Raithile le hiad a léamh. Dhein an Raithileach amhlaidh, agus is mó moladh a bhí aige dó. A leithéidí seo, mar shampla, faoi mar atáid leagtha amach ag Séamus Ó Duilearga:

R.F.	T.Ó R.
11 Inis ic Fhaoileáin	T. Ó R remarks: Omit the fh, for this is begging the (unknown) etymology.
12 cá bhfaighdís	T. Ó R 'bhfaghaidís (faghad is, I think, modelled on raghad)
12 i liútar éatar	l. éutar. pronounced not like éa in béal, but like éu (éa) in théudh, géuna (geese) 7 the like. réusún, buidéul.[41]

Ghlac Flower go réidh leis na moltaí seo, agus cuireadh isteach sa téacs iad, nuair a bhí an profa á cheartú aige. Níor dhein Séamus Ó Duilearga an dara profa a chur i gcló ach an oiread, gan a chuid eagarthóireachta féin a dhéanamh i dtosach air.

I dtús báire, dhein sé grinnstaidéar ar an bpeannaireacht agus ar na clóscríbhinní chun a chinntiú gurb é an Criomhthanach féin údar an ábhair go léir a chuirfí i gcló sa leabhar.Tháinig Mícheál Ó Gaoithín (an File) i gcabhair air agus chuir sé comhairle air. Ina dhiaidh sin, roghnaigh Ó Duilearga sé eachtra déag eile de chuid Thomáis le foilsiú, i dteannta an méid a bhí ag Flower cheana féin sna profaí. Ach bhí sé sásta cuid eile díobh a fhágáil ar lár; seo thíos, mar shampla, an nóta a scríobh sé ar scéal a bhí ag Tomás faoin bhfile áitiúil Seán Ó Duinnlé:

Seán Ó Duínle 7 the teacher −asks for tobacco 7 is refused. Orig. text by Tomás in file of matter put aside −in section *Amhráin bheannaithe*.

I am not going to publish this as R.F. w^d have included this short
piece (1st) had he intended to print it. This note is just to record its
presence in *nachlass* (in hand of Tomás).[42]

D'fhág Ó Duilearga na scéalta a leanas i leataoibh, leis: 'An
díoltóir éisc ón mBlascaod i nDaingean Uí Chúise',[43] 'Na
hoileánaigh Lá Fhéile Pádraig i nD. Uí Chúise insa tsean-
aimsir', agus 'An Lanú Ghreanúr insa Bhlascaod Mhor suim
mhath aimsire ó shin', mar mheas sé nach rabhadar oiriúnach
don chló. Tá cuid den mheon cúng céanna anseo agus a bhí ag
fear an Ghúim a dúirt le Seoirse Mac Thomáis nach gcuirfí *Fiche
Bliadhan ag Fás* i gcló gan an eachtra i dtaobh an dá gharsún sa
teach tábhairne i gCeanntrá a bheith bainte amach as ar dtús.[44]
Muran aon chreidiúint don Bhlascaod an t-ábhar, b'fhéidir a rá
gur lú ná sin de chreidiúint don eagarthóir an chaint seo:
'Unpublished Seanchas from Tomás. Omitted as not being
suitable.... All three are concerned with drunken carouses–funny
to *hear,* perhaps but *not* to print'. Scríobh sé arís go
drochmheastúil i dtaobh an chéad scéil thuas: 'Do not publish–a
drunken carouse of no credit to the Blaskets'.[45]

Ar an gcuma chéanna bhí sé de nós ag Ó Duilearga clabhsúr
scéalta áirithe a fhágáil ar lár. Ní foláir nó mheas sé go
mbainfeadh na 'haguisíní' seo ó chaighdeán an leabhair. Seo thíos
mar shampla, mar a chuir Tomás féin caipín ar an scéal 'Na Filí'.
(Níor foilsíodh an méid seo go dtí anois):

Do bhí fearrag air Mhícheál an úairsin, 7 do tug sé fé Sheághan, a
cáinne na cuilte a bhí air féin, acht féin mar dubhart theanna file
gáirbhseálta do beadh é, 7 ó's duine mise ná raibh 7 ná fuil tuca do'n
ghárseáltacht sion riamh, ní h'obair dam ma mheóan féin a lat leis an
soart sion, níor chuireas rud a leabhar ná b'páipéar riamh nár chás
liom é bheidh as chómhair an Ríogh. Rothansan, túarfhead gaeth
dhuitse air mar thug sé fé Sheághan, aimsair na cuilte.

A n'iofrann a tá an t'slúadh, 7 a glias chuin í fhúaidhte
Agus meanaidhthí-cruadh aige gach aon diabhal
Nuair a leathfhaidh sé air anúas le cómheacht ó'n bh'Fear Mór
Ansa Flaithisaibh Súas ná'r h'é sé.

Is sidí rann is feárr 7 is lúadh go bhfuil buiribeacht ínntí 7 ní air a
feabhas.[46]

Ina theannta sin, rud a mbeadh súil ag duine leis, d'fhág Ó
Duilearga na nótaí pearsanta a scríobh Tomás go dtí Flower i
leataobh. Nuair a bhí 'Eachtra an Dá Bhulán' á bhreacadh síos
aige, dhein Tomás an scéal féin a chur ar thaobh amháin de na
leathanaigh agus scríobh sé litir fhada phearsanta go dtí Flower ar
chúl na leathanach. Seo thíos blúire as:

SEOIRSE MAC THOMÁIS

Ó SHLIABH AN IOLAIR
(le caoinchead Roinn Bhéaloideas Éireann)

bíonn sé mar chúarám orram, gach Nodhlaig le chúig bhliadhna freagradh a chur air dhossaon leitireacha i n'Gaedhluinn. cuirrid air fad ceann chúgham go b'fhuil aithinne aca orram. Ná bíodh do cheann air íarraigh acht oiread leó.

Ma bheannacht 7 beannacht Dé chúaibh, deir bean, leanbh, 7 pháiste, ma dhóthchas go m'beidh an brise aige Sasanna air a namhaid, le línn na leitireach so a dholl chuin cínn.[47]

Ba mhinic leis a thapaigh Tomás an deis, agus na scéalta seo á mbreacadh aige, chun a bhuíochas a ghabháil le Bláithín agus lena bhean chéile. Seo an nóta atá aige i ndeireadh an scéil 'Muiris an Teamhair':

Seo rann bheag a chugham, an Sean-a-Mhaighaistir Gaedhlach do'n bh'fhear fíor Uasal, ó Lúnndain, a tá teacht gach bliadhain a foghlaim teanga Duthchais na h'Éireann air a laetheannta-saoire.

A Bhláithín a Duine Uasail, luaim leat gradam sa t-Saoghal,
Ma Shlán-beó úaim chúghat, an úachtar hársa go léir,
Do Shamailt níor ghluais chúghain, ó lúachtaint a t'soluis do'n ghréin
Sa b'Parathas Shuas go luath dhuit taréis dheire do Shaoghail.

níor mheasa leis a Sean-a-Mhághastair riamh é ná an Mháighistreás.

Sa Mhaghastreás shéimh tugaim leid duit shar a b'fheaca do Mhnáibh
Mar a mbeadh do dhiaidh-mhéinn-se ní dhéan-fhainn-se an molla so air bhláth
Da fheabhas é a thréighthe is ní féidair a shamhailt a dh'fhághbhail
ní bheadh sé cómh tréan-sion dá n'déanfeása cosc le na láimh.[48]

Uaireanta labhraíodh an Criomhthanach le Flower i dtaobh an ábhair a bhíodh á bhreacadh síos aige. Agus é ag caint i dtaobh an scéil 'Eachtra an Dá Bhulán' deir Tomás leis gur scéal é ar fiú é a bheith aige toisc gur scéal fíor é a bhí tite amach ar an oileán go gairid roimhe sin. Ina theannta sin, deir sé gurb í an eachtra ghreannmhar ab fhearr leis a bheith sa leabhar. Ina dhiaidh sin is uile, féach nach raibh sé i gceist ag Flower an scéal a bhfuil sé ag tagairt dó a fhoilsiú: 'Thuit an nídh seo amach air an dá ainmhidhe-seo, ó d'fhágais an t'oileán-so, gach blúaire dho cómh fíor, is go m'beadh do dhá shúil a féachaint orra... sé rud ba mhaith liom riamh a bhreaca, rud éigin a bhainfheadh gáire as fhear a léighte, níor mhaith liom an dúairceas ná an dubh-chaint a chur a láthair éinne'.[49]

Ar ndóigh bhí ardmheas ag Tomás ar na scéalta seo. Níor bhraith sé riamh go raibh aon ní iontu nach raibh oiriúnach le cur i gcló, mar a mheas Séamus Ó Duilearga, ná ní raibh aon leisce air an tábhacht a bhain leo a chur ar a shúile don fhear eile. 'IS mó giota do'n sóart-so fós tímcheall na n'Oileán-so gur mhór an trúagh gan íad a chur i g-cló. ach, níl agam sa ach aon pheann-amháin peann gan mheirig is seadh í–gur a buann do'n Duine Uasal a chuir am láimh í'.[50] An tréith ba thábhachtaí a d'aithin sé iontu, go rabhadar nua agus sean i dteannta a chéile. Taobh na nuaíochta is mó a leagann sé béim anseo air: 'Tá paidreacha agus ealagar i leabhartha agam go flúirseach, acht an méid a thugas duit ní raibh focal díobh i n-aon leabhar riamh, agus níl ná aca so ná beag mór a gcuirfead Chut'.[51] Mheas Tomás, leis, go mbainfeadh sé de thábhacht na scéalta dá bhfoilseofaí faoi dhó nó faoi thrí iad. Sa ghiota seo a leanas, deir sé go raibh sé i gcás idir dhá chomhairle ar dtús an scéal a chur go dtí *An Claidheamh Soluis* nó go dtí Flower féin.

Tá an sgéal-so ag gimmacht, mar tá, 123456, mar is do'n g'Claidheamh –a bhí sé scríobhte agam, acht caithfhid síad a n'gnó a dhianamh á cheal anois, mar ní chuirfhainn air chapall, aon cheann dár thugas duitse, a triall air aon duine eile, 7 ní bheidh so leis aca ó ñuair go bh fhuilim a chur chúghatsa–sin é an fáth nár dhéinneas an dá thaobh a bhreaca.[52]

Ní haon ionadh gur fhág Ó Duilearga na nótaí seo ar lár agus an leabhar á ullmhú don chló aige. Ina theannta sin bhí sé beartaithe ag Flower aistriúchán Béarla ar na scéalta a sholáthar. 'The volume will be printed as usual with the Irish text and English translation on opposite pages'.[53] Bhí an leagan Béarla de 'Seilg na nGuinéud' ullamh cheana féin aige. Seo thíos an chéad alt as. Chítear láithreach gur aistriúchán dlúth ar an téacs é. Sin é an saghas a mbeadh coinne againn leis uaidh, dar ndóigh: cuimhnigh ar *The Islandman* agus ar Myles na gCopaleen!

Catching gannets

This Island has always been haunted by certain remarkable birds called gannets. When fish are about, wherever they are in the sea these birds are on the look-out for them. The fishermen never got out any advantage[54] out of these birds till a while ago. They soar high in air and, if the fish stirs at all from the bottom of the sea, the gannet will spy him at once and will dart down on him like a swift arrow and go deep into the sea with that plunge. He may make as many as twenty-one attempts up and down before he catches a single fish, for, if he caught a fish every time he plunged, it wouldn't be long till he had a meal and a bellyful. They never stop, but up and down they go wherever they descry fish below them. They were at it like that, bird and fish, often and long before ever the fishermen islanders made out anything from them. Mackerel and herring are the fish they prefer and its very rarely that they strike any other sort of fish.[55]

Níor bhac Ó Duilearga le haistriúchán, áfach: i nGaeilge atá an leabhar ar fad aige, idir choirt is chraiceann. Sa bhliain 1956 a foilsíodh an cnuasach agus níor cuireadh athchló ó shin air. Ní raibh an seasamh céanna riamh i measc an phobail ag an saothar seo is a bhí ag leabhair eile de chuid Thomáis.

Ní haon ionadh é sin mar nach le Tomás féin le ceart ach leis an bpobal dár de é na scéalta atá i *Seanchas ón Oileán Tiar*, agus níorbh é féin a chum iad, cé go mbuaileadh sé a stampa féin orthu ó am go chéile, gan amhras. Céim mhór chun tosaigh ab ea an t*Allagar* agus *An tOileánach*. Níl aon fháil ar an bhfear féin sa *Seanchas* ach sa chín lae tosaíonn sé ar nochtadh chugainn mar chuid den phobal cainte agus trasnaíle. San *Oileánach* is é an duine is tábhachtaí den phobal sin é: is féidir leis seasamh siar agus a bhfuil ina thimpeall a mhíniú go neamhspleách, níos fearr ná mar a rinne aon duine roimhe ná ó shin. Agus is maith a bhí a fhios aige é.

Allagar na hInise

Tá inste cheana i dtaobh Bhrian Ó Ceallaigh a theacht go dtí an t-oileán sa bhliain 1917 agus i dtaobh conas mar a ghríosaigh sé an Criomhthanach chun dul i mbun pinn agus saol an Bhlascaoid a léiriú. Seo í an tuairisc a thugann Seán Ó Criomhthain dúinn ar an scéal:

> Is é Brian Ó Ceallaigh a spreag é chun gach rud dár scríobh sé, abair i gcás leabhar. Is é Brian a dúirt leis tabhairt faoi, agus is é an chuma a thosnaigh Brian le Tomás: 'Scríobh síos', arsa Brian, 'a Thomáis, gach rud a chífir amárach, pé rud a chífidh tú. Is é inniu an Luan,' a dúirt sé. 'Scríobh ar gach rud a chífidh tú Dé Luain agus ansin arís' ar seisean 'tar Dé Máirt.'[56]

In 'Ag tagairt don leabhar', chímid cuntas ar conas mar a d'éirigh le Tomás ar dtús. 'Tráthnóna éigin bhí an bheirt againn ag gabháil thar scata páistí ar an mbóthar agus iad ag amhránaíocht. D'iarras ar Thomás giota a scríobh ar a bhfaca sé an nóimeat san. Cúpla lá ina dhiaidh sin, bhí "Guth ar Nóin" críochnaithe aige'.[57] Tugann Máire Ní Ghaoithín le tuiscint gur dhuine de na leanaí seo í féin:[58]

> Oícheanta gealaí ghabhaimis cailíní an bhaile go léir bóthar Bharra an Bhaile lastuas siar chomh fada leis an nDuimhe agus bóthar Bhun an Bhaile laistíos aniar ag amhránaíocht.... Oíche acu seo chuala Tomás Ó Criomhthain sinn, an guth aoibhinn ag gabháil thar cheann a thí, mar bhí bóthar Bhun an Bhaile ag gabháil dá bhinn. 'An guth ar Nóin' a thug Tomás air seo.[59]

I ndiaidh dó slán a fhágáil ag an oileán, d'iarr Brian ar an Oileánach cuntas cín lae a chur chuige. Ní haon ionadh sin, mar díreach ag an am a bhí Brian istigh san oileán is ea a foilsíodh cuntas cín lae sa *Lóchrann* le Bríd Stac[60] (cailín óg a raibh cónaí uirthi láimh le Dún an Óir.[61] Foilsíodh tuairiscí laethúla Bhríde ina leabhrán 34 leathanach i samhradh na bliana 1918,[62] agus b'fhéidir go raibh sé seo, leis, léite ag an gCeallach. Seo thíos an chéad bhlúire a bhí sa *Lóchrann* aici:

Bealtaine.
Dé Máirt (1)–Tá an lá istig buidheachas le Dia. B'aoibhinn an lá é ó eirighe gréine ar maidin go dul faoi dhi tráthnóna. Ba mhoch ar maidin a bhíomair ag cur an bhóthair dínn ag dul ar sgoil. Ba thaithneamhach iad na guirt ghlasa fé na mbrataibh bláth agus ba thaitneamhaighe fós glór uaigneach na dtonn ag tuitim ar an dtráig agus sgreadach na bhfaoíleán os a gcionn. Go deimhin bhí sgáil an tsamhraidh ar gach rud. Sé uaire a chloig na dhiaidh sin bhíomair ar an mbóthar céadna ag filleadh abhaile agus blátha deasa gá mbailiú againn le h-aghaidh altóra na Maighdine Muire. Chaitheas cuid mhór den dtráthnóna ag gabháilt dom leabharthaibh. Is minic a deirtear liom sa bhaile nuair a bhíonn rud le déanamh 7 leabhar im' dhorn agamsa. 'Ó Mhaise eireóchaidh an léigheann id' cheann, a Bhríghid 'agus nuair chonaic seanduine ó'n mbaile seo againn-ne, peann luaidhe agam, ó chianaibh sé dúbhairt sé: 'Arú cuir uait agus ná bí ag cur síos ar do chómharsanaibh. Táid 'na ndreóilínibh spóirt sa "Lochrann" agat. Ní i gcómhnuidhe a ritheann le lucht magaidh a chailín. B'fhearra dhuit aire thabhairt duit féin.' Do chuireas 'sna chosaibh, geallaimse dhuit, mar ní h-aon an-dhóithín an té seo' áirighthe nuair thagann gomh ar a theangain le n-easbadh tobac, tá's agat.[63]

B'fheidir a rá, gan amhras, nach bhfuil an cuntas aici chomh spéisiúil ná chomh hanamúil agus is gnáthach le cuntais *Allagar na hInise* a bheith, ach dhealródh sé ar a shon sin gurbh é a chuir an fráma seo de réir an lae ar a shúile don Cheallach ar dtús agus ina dhiaidh sin do Thomás Ó Criomhthain. Cé nach féidir é a dheimhniú ar fad tá oiread fianaise againn nach mór ar an tuairim seo i ndeireadh na dála agus atá againn ar mhúnla na dírbheathaisnéise a bheith sroichte chuige ó Ghorcí. Dá fhaid ó chéile Bríd Stac agus an Rúiseánach, bhí Brian Ó Ceallaigh i lár baill chun iad a thabhairt le chéile agus chun iad a chur in aithne do Thomás Ó Criomhthain. Bhí a ábhar féin aige siúd agus gan uaidh ach go ndéarfaí leis conas é a chur in iúl, rud a dúirt an Ceallach leis gan mhoill, mar i bhfómhar na bliana céanna seo, 1918, fuair Tomás nóta uaidh ag iarraidh air tabhairt faoi: 'Sgríobh cúntas cínn lae chugham, dá mbé do thoil é, Brian Ó Ceallaigh'.[64]

Ar an gcéad lá de Dheireadh Fómhair a chrom Tomás ar na tuairiscí a bhreacadh. Mar seo a chuir sé tús leo; tosú lag go maith is ea é, gan é puinn chun tosaigh ar chéad iarracht Bhríde Stac, gan ann ach an insint lom:

An chéad lá do'n mí deire fóghmhair, dé máirt, lá mór éisg do beadh é, gach naomhóg bog-lán le chéile, do chuaghdar go Dún-Chaoín leis. Bíonn daoine róampa ansion, a chuirean air barra é, 7 a b'pádh go maith dhóaibh, réal as gach céad a chuirid air barra, coróinn a míle. Bíonn capaill ollamh chuin é thabhairt go Daingean-uí-Chúise. Bíonn trí sgillinne as gach céad aige fear a chapaill, bíonn fiche céad air chapall mhaith trí púint a túalach.[65]

Nuair a thug Tomás faoi na tuairiscí seo ar dtús, ní raibh aon chuimhneamh aige an uair sin (ná ag Brian féin b'fhéidir) go gcuirfí i gcló lá éigin iad. Ní raibh iontu dar leis ach slí chun snas agus slacht a chur ar Ghaeilge Bhriain. 'Do cheapas air d'tiubhais gur chuin a bheith a léigheamh na teangan do bhí sé'.[66] Mar is léir ón véarsa thíos, mheas an Criomhthanach nach raibh sna blúirí seo ach áis chun na Gaeilge a mhúineadh do Bhrian, ionas go mbeadh sé 'air úachtar Gaedhlaibh'.

A shár-fhir ghasta léigheannta,
Ard-chéimeach nách meata craoidhe,
Nách miste liom mar dhéinnis,
An Ghaedhluinn a bhreith úagham síos,
Táim a déannamh fós duit féinaidh,
Cé s' léir dúinn gur fada í an tslíghe,
chuin go m'beidhfeá air úachtar Gaedhlaibh
Ó Sé an tAon-Mhac a chuir thu am línn.[67]

Nuair a bhí cuntas an mhí sin curtha de aige chuir Tomás in iúl do Bhrian gur gheal leis leanúint leis an obair, bíodh go raibh sé mall ag tabhairt faoi.

Ní féidair liom, a thuile cúnntais a thabhairt duit, a chara ma chraoidhe. Beidh an Rí a doll amach amáireach, tá cúnntas an laé andiu agam duit, ach, ní feidair liom cúnntas an laé amáiraidh, a thabhairt duit, mar tá sé gan teacht.

Tá deamhadh maith déannta agam lé-seo 7 beagán oibre is seadh í ach níl aon leath-sgéal agam, ná go b'fhuil ma ghluinne agam le'n n'ól, sí sin ma phíp, go b'fhága Dia súas ad t'sláinnte thu.

Is maith an sás, an cúnntas-so, chuin eóalais a thabhairt do Chigaire Gheadhlach, más maith leat, cúnntas mí eile, a dh'fhághbhail cuir chúgham páipéar eile mar é-seo, mar tá sé go h'anna mhaith 7 cuirfhead chúghat 7 fáilte.[68]

Thuig Tomás go maith nár rith an Ghaeilge go héasca go dtí Brian[69] agus, mar ba nós leis a dhéanamh le Flower roimhe sin, ba mhinic é ag míniú na bhfocal crua dó.[70] Uaireanta is sa téacs féin a fhaighimid na míniúcháin seo, cuir i gcás a leithéid seo: 'do cheapas go raibh an clabhasúar (finnished) agat ortha'[71] agus 'A chara, mar n'glanfaidh an sgamall a tá as ciúghann na h'Éireann a noliúghacht, (early) [= ina luathacht?] beidh breall air a saoghal. Aon fhocal a bheidh cruaidh ort, cuir chugham aríost é'.[72] Féach chomh maith '"do bhí cuid aca sion ródh mhaith" ar seisean, "do bhíoghdar a ceannach díghe dhom gur thugadar ma thriopall (tónn, nua bonn) annáirde"'.[73] Uaireanta is ar imeall an leathanaigh a mhíníonn Tomás an focal crua dó, cuir i gcás a leithéid seo i dtaobh an fhocail 'reibilúan-taoigheacht'. 'Focal maith fada é seo focal slán is seadh é bféidir go b'fhuil air na focail is síadh ansa Ghaedhluinn le ceart sgéiméireacht-rógaireacht-an bhríghe.'[74] Seo an nóta aige ar 'gríscínn': 'doran báirneach a róasta air theine'.[75] Is ar éigean, áfach, a bhainfí ciall as an míniú a leanas a thug Tomás ar an bhfocal 'dhríairtheóair' [= díthreoir], go háirithe agus gan aon bhaint ag an bhfocal sin leis an gceann a chuirtear á mhíniú: 'not in good, order, alone, the fellow in good order, yo couldent call him the name dríairtheóach [= díthreabhach/díthreoch], singular, 1 person'[76] Scríobhadh sé nótaí mar seo chomh maith: 'osgail do shúile as-so amach, 7 ná leig thart an graiméar. Táim chuin gach spalla do chur isteach'.[77] Ba mhinic leis a chuirfeadh Tomás a thuiscint féin ar chúrsaí áirithe go dtí Brian. Ar nóta imill san *Allagar* faoin dáta 27/10/1919 scríobh sé: 'Ní raghaidh ma thata go cúas-dall úagham. pé scéal é. Sláinnte 7 saoghal chughat, 7 dá m'beadh eólas ma ghnótha agam a dtaobh –an sgríbh-seo go léir, ba mhaith liom é'.[78]

Breis is bliain ina dhiaidh sin, i litir a scríobh sé ar 'Anair a Sé 1921' chímid go bhfuil Tomás ag fáil tuirseach de na tuairiscí laethúla, agus gur tábhachtaí leis anois cúrsaí tobac ná cúrsaí an *Allagair*. Tá an obair ag dul i bhfaid, agus gan aon ní dá bharr fós aige: 'Tá an saoghal thríceile gan eamhras–ach ba chomhair go maireann duine éigein a déarfheadh liom tá deire agat, nua níl, agus go mór-mhór na laetheannta Chínn-bhliadhna, go raibh mo shúil anaírde le fíacha an tobach. Is maith liom go nóasfeá dham a g'cúpla línne má sé do thoil é, réighteach na m'beart-so'.[79] Ina dhiaidh sin, áfach, nuair a bhí an staincín curtha de aige, sheol sé véarsa go dtí an Ceallach ag gabháil buíochais leis as na tuairiscí a léamh, agus, is dócha, as pé rud a bhí faighte aige uaidh idir an dá linn. Meabhraíonn sé na sean-laethanta ar an mBlascaod dó arís:

Is fada é ár n'gradam araon
    a g'ceangal le chéile do shíor,
Is mór é an breaca sa léigheamh
    Sa cúnntas ó'n dtaobh-so lán-fhíor,
    faid a mhairfhead beidh gradam ma chléibh
    Do'n bh-fharraire éachtach do bhí,

lán-tamall a naice le'm Thaobh
Do chuireadh faid air ma laethe sin fíor.[80]

Mí ina dhiaidh sin, aimsir na Nollag 1922, chuir Tomás an litir thíos ag triall ar an gCeallach. Pinn atá uaidh an turas seo:

A Chara na féile,
Do fuaireas do leitir có slán foláin 7 d'fág sí do chromh féin, níor sgitóg mar mhagadh leis í ach ceann le fuaimeant lán dórnáidí, a mhuire a deireadh na h'ógaibh-féach leitir mhór Kelly–bhí cuid mhaith breac agam roímpe–tuisc na bpáipéar do bheith agam 7 is sinné an ceart.
Cuir chugham pé rud is maith leat 7 comhearla na d'teannta.
Ba mhaith liom le'd toill– da g'caithfeá cúpla sgiotóg pínn isteach ansa chéad leitir eile chugham, is síad is guinne oram, ó chuir an tAthair mac Clúin–busca beag air fad chugham aca. Tá an ceann deire aca am láimh.
An fear Thíar.[81]

I gcaitheamh na mblianta seo 1918 -1922, sheoladh Brian bileoga bána go rialta go dtí an tOileánach agus nótaí mar seo scríte anseo is ansiúd ar na laethanaigh aige:

To anybody opening this letter. These sheets of paper are sent for a purely literary and personal purpose.[82]

To anybody opening this letter. These sheets of paper are sent for a purely personal and private purpose.[83]

To anybody opening this letter. These sheets of paper are sent for a purely literary purpose.[84]

Chuireadh an Ceallach dátaí ar fhormhór na leathanach seo, ach is annamh a dhéanadh an tOileánach a leithéid, rud a fhágann gur deacair uaireanta a dhéanamh amach go cruinn, cathain a breacadh na tuairiscí éagsúla.[85] Is cosúil go mbreacadh Brian dátaí ar na bileoga go minic sula seoladh sé go dtí an Criomhthanach iad, agus nuair a chuireadh Tomás féin aon dáta orthu go ndéanadh sé é ar scríobh na tuairisce dó. Dá dheasca sin, is annamh a réitíonn dátaí na beirte acu le chéile. Ag tús Allagar na hInise, mar shampla, chímid 'Meadon Fhóghmhair' scríte i láimh an Cheallaigh agus ní foláir nó chuir Brian na bileoga sa phost go dtí an 'fear thiar' ag an am sin, ach is cosúil gur cuireadh moill éigin ar Thomás sa tslí nár thug sé faoi na tuairiscí go dtí an mhí ina dhiaidh sin. Is minic leis a fhaighimid dhá dháta i láimh an Cheallaigh. Féach mar shampla an tuairisc a bhfuil na dátaí seo uirthi: 25.10.1922 (scríofa le peann) agus 'With 27.1.1922' (le peann luaidhe).[86] Agus seo dátaí Bhriain ar chuntas eile: 28.10.21 (scríofa le peann) agus 'With 2.12.22' (le peann luaidhe) ina dhiaidh.[87] Ceist íogair is ea ceist seo na ndátaí a gcaithfear aghaidh a thabhairt uirthi uair eile.

Uair éigin go luath sa bhliain 1923 d'éirigh Tomás as na tuairiscí seo, ach arís, is deacair a rá go baileach cathain a chuir sé i leataoibh uaidh iad. I dtús báire is iad 29.12.1922 agus 1.3.1923 na dátaí déanacha i bpeannaireacht an Cheallaigh ar an lámhscríbhinn seo. Ní móide, áfach, go mbaineann an chuid de faoin dáta Márta 1923 le *Allagar na hInise* féin agus is é is dóichí go raibh deireadh curtha leis na tuairiscí am éigin roimhe sin. Ar aon nós, mar a chífear ar ball, bhí tús maith curtha aige leis *An tOileánach* faoin am seo. Ar an láimh eile, is cinnte go mbíodh giotaí fánacha den *Allagar* á scríobh aige go ceann i bhfad ina dhiaidh sin agus i lámhscríbhinn a dhírbheathaisnéise tagaimid ar dhá ghiota agus 'cuntas laé' mar theideal ag Tomás orthu, ceann acu scríofa i mBealtaine 1923[88] agus an ceann eile i mí Iúil na bliana céanna.[89] Is cosúil, mar sin, go raibh an dá mhúnla ag déanamh uanaíochta ar a chéile go ceann tamaill, gan aon deighilt chruinn déanta ag Tomás fós eatarthu.

Sula bhfágfaimid an t*Allagar,* níor mhiste, b'fhéidir, a lua anseo gur ar éigean a bhí na tuairiscí seo curtha de ag an gCriomhthanach nuair a chrom beirt oileánach eile ar a gcuntais féin, iad roinnte de réir aimsire ar chuma an *Allagair.* Is iad Eibhlín Ní Shúilleabháin (deirfiúr Mhuiris) agus Mícheál Ó Gaoithín (an File) an bheirt sin agus ní foláir nó sheolaidís araon na tuairiscí seo go dtí an Ceallach chomh maith.[90]

An tOileánach
Ní fios go baileach cathain a chrom Tomás ar scéal a bheatha a ríomhadh ar dtús. Deir sé féin tamall de bhlianta ina dhiaidh sin: 'do thosnuigheas air ma Sgéal-féin Meitheamh 1922.'[91] Mar is léir thuas, áfach, ní móide go bhfuil an dáta seo cruinn. 4.2.1923 an chéad dáta a chítear ar an lámhscríbhinn ach ní féidir brath air seo ar fad ach an oiread mar tá tús na lámhscríbhinne céanna ar iarraidh, agus gan le fáil di ach cuid den athscríobh a dhein an Ceallach uirthi. Seo an nóta atá scríofa ar imeall an leathanaigh sin ina thaobh: 'an chuid tosaigh do so i scríbhinn Bhriain Uí Ch.'[92] Is cosúil mar sin, gur tamall gearr roimh Fheabhra na bliana 1923 a chrom Tomás ar a dhírbheathaisnéis a chumadh, agus gur féidir brath ar an Seabhac nuair a deir sé 'i mí Eanáir, 1923, a thosnuigh Tomás ar a "bheatha" a scríobhadh.'[93]

Luadh cheana nach i gcónaí a thuigeadh Brian an Ghaeilge go cruinn, agus nuair a dhein sé an chéad chaibidil de *An tOileánach* a athscríobh, más athscríobh é, dhein sé praiseach cheart de in áiteanna.[94] B'fhéidir nach athscríobh chuige é. Cé nach bhfuil aon

fhianaise eile againn a chuirfeadh leis an tuairim, tharlódh gur
fhill sé ar an oileán uair éigin agus gur bhreac sé síos an méid seo
ó bhéalaithris Thomáis. Mhíneodh sin é bheith bearnach,
breallach is áiteanna. Tá peannaireacht an Chriomhthanaigh féin
soiléir agus soléite, agus ba dhóigh le duine gurbh fhéidir le Brian
a chuid scríbhneoireachta a dhéanamh amach gan dua. Pé patrún
a bhí aige á leanúint, scríofa nó labhartha, d'fhág Brian na focail
chrua ar lár nuair a scríobh sé an chaibidil seo an chéad uair. Ina
dhiaidh sin a rinne sé iarracht ar na focail áirithe seo a chur
isteach chomh cruinn agus ab fhéidir leis agus is cosúil gur de réir
na fuaime a bhí sé ag dul go minic. 'Ar a minicí' atá aige do 'ar a
mbainne cí',[95] agus 'airigheacht' do 'earraíocht'[96] agus 'lanncáin'
do 'lámhacáin' aige.[97] Ar ndóigh, thuig Tomás go maith go
rachadh sé dian ar Bhrian cuid den chaint a thuiscint agus ní fada
a bhí An tOileánach ar bun aige nuair a chuir sé an nóta seo ag
triall air: 'cuir chugham aon fhocal ná tuicfhair thar nais'.[98]
De réir chaint Thomáis, ní ar a shon féin, ach ar mhaithe leis
an teanga, a dhein sé scéal a bheatha a chumadh. 'Sé-sin an fáth
gur láimhsíos an peann-so im láimh. Dubhart ná leicfhainn a
d-teanga, go deó air lár má fhéatfhainn.'[99] Dheineadh sé
idirdhealú i gcónaí idir an dá shaothar, agus b'é a thuairim riamh
nach raibh aon bhaint ag scéal a bheatha le Allagar na hInise. Ina
theannta sin, chreid sé (mar is léir ón litir thíos) nach raibh aon
mhúnla liteartha á leanúint aige, agus gur 'laom-díreach amach' a
bhí an scéal á insint aige:

Ba mhaith liom dá m'beadh fhios agam an mó leatheannach breac
anois agam am sgéal féin. Níl aon órdiúghadh agat á chur orram anois
le fada, ba cheart duit olc nua maith do rádh, Ní mar Thuigean duine
do Thuigean beirt. Rud-eile, is dóil liom-sa, gur laom-díreach amach
mar do chuireas an saoghal digheam is fearr an sgéal.
    Níl aon sgéal amháin air aon bheirt dá b'fhuil air an Saoghal.
Leis-sin, an Té a Tá a sgríobh a sgéil-féin, má's gádh dho doll a lorag
cabhartha air sgéal chách, cuirfhaidh sion amach as a sgéal féin é, 7 ní
bheidh a sgéal féin ná sgéal aoinne eile aige.
    Tá an peann-so ag gimeacht air a b-Páipéar air nóas úisge na
h'abhann gan aon stop. Aon mhachtnamh amháin a Tá orram a
dhéannamh, Sé-sin, gan aon bhainnt do bheith agam leis an méid a tá
curtha agam tharam. A doll air aghaidh a g'comhnuidhe, cainnt nuadh
do shíor.[100]

Ar ndóigh, fad a bhí a dhírbheathaisnéis á chumadh ag Tomás,
bhíodh Allagar na hInise ag déanamh tinnis dó i gcónaí, cé go
raibh sé curtha dá láimh faoin am seo aige. Cúrsaí pá a bhíodh ag
cur isteach air. Bhraith sé an t-airgead de dhíth air, agus mheas
sé go raibh in am dó méid a bhí tuillte aige, dar leis, as an

leabhar a fháil. Mar seo a labhair sé ina thaobh leis an gCeallach; ní mór an fonn a bhí air go dtí an dara leabhar agus gan é díolta as an gcéad cheann fós:

> Do cheapas go m'beadh an leabhar amuth, ó úair go h'úair, 7 go sroithfheadh fáltas me do chuirfheadh a seimim Dhomhnall na Gréine me, obair thraom, do beadh í darnó. B-fheár liom-sa púnt andiu faid do bheinn beó, ná fiche ceann is me marbh, 7 nách docht an gnó dham preabadh chuin buird aríos chuin gnó is truime ná é gan congnamh beag éigin do chuirfheadh fonn oram. Ar bhóal duit aon t-seift do chuirfheadh púintín sa mí air bhórd na h'oibre, a choimeádfheadh ann me gan é fhágaint. Cuirfhaidh ma bheatha-sa leatha air do shúile ma théigheann chuin Cínn. Beidh Éire mheathta mar ainim air Éire, an lá bheidh leabhar "Thomáis Domhnaill mic Criomhthain", ansa T-siopa gan díol. Déin machtnamh 7 cuir chugham toradh an mhachtnaibh sin mar dubhairt an Seabhac a d'taobh an leabhair liom.[101]

An port céanna á sheinm aige i véarsa a chuir sé ag triall ar Bhrian mí ina dhiaidh sin –an t-airgead gan é a shroicheadh fós, deireadh na foighne caite aige:

> Do cheapas a stóair gur miollionóir thu
>   Agus Cárta Cúill
> IS go n'dianfeá dham treóir chuin an ghnó
>   Mhór Thábhachtach úghad
> Ma bheatha-sa air fághail is táisc
>   lán-mhór darnó
> IS gan faic air an g'clár do chuirfheadh
>   Rás chugham-féin chuin siubhail.[102]

Lean Tomás den *Oileánach* go ceann bliana go leith. Deir sé 'do leannas air go Meitheamh 1924'.[103] 1.6.1924 an dáta déanach atá i láimh Bhriain sa téacs agus is cosúil nár sheol Tomás a thuilleadh chuige as sin amach. Seo an méid a deir an Seabhac ina thaobh: 'Chuireadh sé 'na choda é go dtí Brian ar feadh bliadhna go leith. Tré chúis éigin do stad sé annsan i Meitheamh na bliadhna 1924 gan é a chríochnú.'[104] Ach más ea b'fhada ó bheith críochnaithe fós é, mar ina dhiaidh sin a ghlac an Seabhac cúram eagarthóireachta na lámhscríbhinní air féin. Insíonn sé féin dúinn conas mar a ghlac sé seilbh orthu:

> Bhí na lámhscríbhní ar feadh tuairim dhá bhliadhan ag Brain.... I ndeireadh na bliadhna 1925 bhí díombáidh agus mí-dhóchas air.... Tháinig sé chugham-sa agús thug dom na scríbhní agus d'iarr orm a g'cúram a ghlacadh orm feasta ar son Thomáis Uí Chriomhthain agus na Gaedhilge. Do ghlacas iad ar choingheall go mbeadh Tomás sásta agus go mbeadh cead agam na scríbhní nó aon chuid díobh a úsáid do

réir mar badh dhóigh liom féin ab fhearr. Ní fada go bhfuaireas litir ó
Thomás 'á rádh go raibh sé lán-tsásta.[105]

I ndeireadh na bliana 1925 a ghlac an Seabhac an cúram seo air
féin agus a chrom sé ar chomhairle a chur ar Thomás. Deir sé
féin go raibh cuid mhaith oibre le déanamh aige ar na scríbhinní.
I dtús báire bhí litriú dá chuid féin ag Tomás ar a lán focal agus
an litriú seo bunaithe ar fhoghraíocht Ghaeilge na nDuibhneach.
Dá bhrí sin, dar leis féin ach go háirithe, b'éigean don Seabhac
an téacs a athscríobh 'ó thúis deire d'fhonn an litriú a thabhairt ar
ghnáth-dhul leis an litriú a chleachtathar fé láthair .i. géilleadh
roinnt do'n fhoclóir agus roinnt eile don chainnteóir'.[106] Mheas
an Seabhac, leis, go raibh an iomarca den athrá sa téacs in
eachtraí ar an dul céanna á insint arís is arís eile. Dá dheasca sin,
d'fhág sé scéalta áirithe de chuid an Chriomhthanaigh i
leataoibh.[107] Ina theannta sin, cheap sé go raibh a lán bearnaí sa
shaothar, agus d'iarr ar Thomás iad a líonadh. 'Do líon –cuid
aca–le freagraí ar cheisteanna i dtaobh iomad mion-rudaí, agus le
haistí ar leith de shaghas caibideal a III ("Na Tighthe Bhí
Againn"),[108] cuid de XVI ("An Inid 1878" .i. a phósadh, 7 rl.),
cuid de XX ("Brácadh an tSaoghail"), agus urmhór na dtrí
gcaibidlí deiridh'.[109]

Sa bhliain 1926 chuir Tomás deireadh den chéad uair leis an
Oileánach. Seo mar a bhí an clabhsúr sin; níor dhein sé dearmad
ar a tháille an uair seo ach an oiread:

Deireadh an Sgéalaidhe fadó, taréis sgéil a rádh dho, –sinné ma
sgéal-sa, agus má tá bréag ann bíodh. Sé-seo, ma sgéal-sa, agus ní-l
bréag na Chorp-ach, laom na fírinne....
Aon duine do ghlacfhaidh na leabhartha-so do láimh –pé beag-nua
mór é an Táile, go d-tugadh Dia a lúach fé sheacht dóaibh, a maíonn
–agus a sláinnte.

Agus go d'Tugadh Sé, slíghe ansa
Riogheacht Bheannaighthe dúinn go léir.[110]
A Chríoch, Márta a 3, 1926.[111]

Níor ghlac an Seabhac leis seo mar chríochnú, áfach, agus nuair a
bhí an leabhar á ullmhú don chló aige ní foláir nó loirg sé
deireadh níos oiriúnaí, mar ba dhóigh leis, ó Thomás. Dhein an
tOileánach amhlaidh, agus nóta suimiúil uaidh ag gabháil leis an
gclabhsúr seo: 'B'-féidir ná fuil irreaball geara anois air, má tá
abairt ann, nách annsa leat féin, fág amuth é'.[112] Ba dhóigh leat
ar an gcaint seo Thomáis nár thaitin sé leis go ndéarfadh an
Seabhac leis go raibh 'eireaball gearr' aon uair ar a shaothar!

Ina dhiaidh sin dhein an Seabhac an dá leabhar a chur tríd an
gcló agus b'eisean chomh maith a bhaist an dá theideal *Allagar na
hInise* agus *An tOileánach* orthu. Is é is dóichí gurb ón leabhar

An t-Eileanach i nGàidhlig na hAlban, saothar a thiomsaigh John MacFadyen, a thóg sé an teideal do leabhar Thomáis.[113] Cuireadh an t*Allagar* i gcló don chéad uair sa bhliain 1928. Bhí deich mbliana ann an uair sin ó chrom Tomás ar dtús air. Níor cuireadh ach b'fhéidir trian den *Allagar* i gcló ag an am seo. Is ag glacadh le moltaí an fhoilsitheora a bhí an Seabhac nuair a d'fhág sé na coda eile ar lár. Is léir ó na miontuairiscí thíos nach raibh An Gúm toilteanach glacadh leis an leabhar iomlán mar a bhí sé:

Cunntas Cinn Lae (74–T. Ó Criomhthainn).

Tuairmí Ph. Béaslaí –an iomarca san lámhsgríbhinn agus í gan bheith réidh don chlódóir mar atá sí–gádh le h-aithsgríobhadh agus giorrú.

Socruigheadh an méid sin a chur i n-úil don 'Seabhac' agus a iarraidh air cnuasach a dhéanamh de na píosaí is fearr –an oiread agus a dhéanfadh leabhrán go mbeadh toirt réasúnta ann agus é sin a chur isteach chughainn airís.[114]

Cuireadh *An tOileánach* i gcló an bhliain dár gcionn, 1929. Tugann Pádraig Ua Maoileoin tuairisc dúinn ar an mbród is ar an mórchúis a bhí ar a athair críonna nuair a tháinig scéal a bheatha chuige ar ais tar éis na mblianta. 'Bhíos féin sa Bhlascaed an lá a tháinig na chéad chóipeanna tríd an bpost go dtí an Criomhthanach, agus is cuimhin liom an gliondar agus an mórtas beag a tháinig ina shúile nuair a d'oscail sé amach an chéad cheann acu'.[115] Nuair a léigh Tomás na leabhair, ní raibh aon locht le fáil aige orthu, ná ar aon duine a raibh baint aige leo ó thosach deireadh. Mar seo a scríobh sé i dtaobh *An tOileánach* i litir go dtí an Seabhac (6-10-1929):

A dtaobh an leabhair-sin do, ó anuair nár chuir sé aoínne go gleann-na-ngealt ó'n dtaobh-so thír, ní ceart giréan....

Maidir, le'm thaobh-fhéin do'n sgéal a dtaobh an leabhair, níor mhollas, agus níor cháinneas na measc é. Bheadh fuar agam a bheith a d'iarraig é chur go crannaibh na gréine, mar a m'beadh gur léim sé féin ann. Bhí sé molta sar a bh-fheaca-sa riamh é. rud-eile, molla na mathar, cáinne na th-inginne, nua is geal leis an bh-fiach-dubh a ghearcach féin, a bheadh le rádh liom.

Neósad duit-se na thaobh. Is módh leabhar ansa tig, lán cáir[t] asail, ach gach úair ba mhaith liom breith air cheann aca, is seadh do léighinn iad, ach ní raibh sé am chumas stop do-so gur bhuail a chríoch liom. Ba dhóil le duine oram nár chuadhla aon rud riamh do bhí shíos ann. Ní hiongeantas marsin, gur imig an gallar céadhna air a n'draom nár chuadhlaig, agus ná feacaidh riamh iad. Caibideal, léighte, agus Caibideal éile i glaodhach ort, agus an Caibideal eile níos géire, nár fág sé splinc ag aoinne.[116]

Bhí an gnó i leataoibh anois ag Tomás agus an t-airgead faighte
aige. Mar chomhartha buíochais don Seabhac, cheap sé an dán
molta thíos dó. Buailimid leis na huaisle ar fad a chuir comhairle
air anseo, ach tá buíochas ar leith aige do bheirt, don Seabhac
féin, ar ndóigh, agus do Bhrian Ó Ceallaigh 'ó bhruach Loch
Léin' i gCill Airne.

D'on Seabhac

Faid air do shaoghal a shéimh-fhir chaithisaigh
fé réim go leannair go críoch do shaoghail,
Air do theacht air an 'Saoghal is léir nár ceapach dam
Tú bheith mar thaca agam am choimeád ó'n ndéirc,
Ná bac sion ná shaoíl go bhfhuil do ghniomheartha a g'eannas dam,
Mar bím-se do shíor a guidhe chuin paraithis,
Chuin lámhuigheacht do tabhairt leó-so fóngeanta a bhraitheann me,
Chuin daidh shaoghal air talamh is na dhíaid Ríogheacht Dé.

Is fada do bhíos-sa díomhaóin geallaim duit
Gan paoínn do bharra ma sgríbhínn féin,
Ach, do leannas do'm láimh gan prás gan airgead
Ach, le haoírde gradaim do'n d'treabhchus gaedheal,
Ach tagan an lá ón Mághaistir Beannaighthe,
Go d'tugan díolaoigheacht do'n Té chigheann sé ceartiseach,
Ní maith leis a shaothar a dholl i n'éag ar talamh leis,
Go d'tugadh díol níos fearra dhúinn na Ríogheacht gheal féin.

An Coiste breágh-Uasal do fuair dam airgead
Gan bhuairt gan basca íad go críoch a saoghail,
Pé beag mór a luadhfhaid ní bheidh grúaim ó ghlaca orram
Ach, guidhe agus beannacht gan eiraidhe laé,
Is ceart dam darnó an fear fóngeanta a bheartaigh dam,
Ainim a lúadh mar is mór mo ghradam do,
Do choimeád do shíor go cruínn i bhfhearras me,
Is sé 'Brian Ó Ceallaigh' é, ó bhrúach 'Loch Léin'.[117]

Ina dhiaidh sin níor thug Tomás faoi aon mhórshaothar eile.
Lean sé ar ailt, ar dhánta agus ar sheanfhocail a bhreacadh síos
áfach. I mBealtaine na bliana 1928 chuir sé an litir thíos ag triall
ar Fhionán Mac Coluim:

A Chara Uasail,...
    Seo, sgéal air 'Fionn mac Cumhaill' agat, ceann nách gearra
níor breacas riamh an n'aon pháipéar é go dí-so-ná n'fheaca a g'cló ag
aoine é ach oiread. Dair liom gur tusa an chéad duine i n'Éirinn do
léighfhaidh é, sé-sin a tá úagham. is maith liom a g'comhnaidhe,
róampa amach Thu. Agus rud éigin, nuadh do chur ad Treó nár
b'fhéidir leó bainnt leat. Ba mhinic do chuadhla á rádh fadó é agus
ba mhinnic do chuires féin leis digheam é, 7 gur dhinneas an oidhche
do chiriughadh leis.

Do chúaidh geata thall 7 a bhus air lár úagham, agus do thugas tamall maith do lá a machtnamh ortha nua gur chuireas le'n a chéile íad, Sgéal fada is seadh é, go bhfhuil mórán focall ann. Tá an ghaedhluinn cheart nádbhurtha ma Shíansear ann, 7 ní-l sí cruaidh.

Dá m'beadh tamall sois agat, 7 cúigear –nua seisear gaedhilgeóirí mar Thu féin i Teannta é léigheamh dóaibh, is iongeantach liom mar a d'tubharfhaidís clúas duit ná téighead aon cheann do's na h'uimhreacha amú ort air a bheith á leigheamh duit, Seó mar tá sé i g'imeacht, 1 2 3 4 [56789]10.

Feachad a n'díaidh 'Cruach Conaill' fós ach, ó rángaig so agam do sgaoíleas leis, 7 dair liom go b'fhuil sé air sgéalta breághtha Fhínn.

Tá sgéal breágh eile leis agam agus n'fheadar ar sgríobhas riamh é, núa nár dheinneas an Teideal a tá leis.

'Íarla Lioxná',

mar a bhuail sé leat Thall-na-Thoir, abair liom é 7 déanfhead é bhreaca dhuit, cé eile go n'déanfham do níos a thúisge e -an gaedheal gan ghaol is annsa liom i n'Éirinn. sí-seo an abairt do caithim le gach n'duine do sheasaibh an T-oileán-so le fiche bliadhan agus bíonn iongnadh ortha.

Ta fios an méid-seo agat is dócha, gur gairrid go m'beadh leabhar liom amuth, ar a g'cunntas chinn laé, úghad. Do chuir an Seabhac bile deas Chugham Thanna ar, 7 tá sé agam 20£.

Táim go baoch do, agus é go maith dham leis, 7 do's na h'Uaisle do ghlac leis. Beidh rud éigin eile leis agam le faghail a bheag-nua mhór annúair dó bheith an leabhar olamh.

Seóal chugham Colúid ná beidh beag air a Chuma-so, 7 bead á bhreaca 7 á líonna.[118]

Dhá bhliain ina dhiaidh sin, timpeall na bliana 1930, dhein Cormac Ó Cadhlaigh liosta de na scéalta a fuair sé ó Thomás taca an ama sin. Níor foilsíodh ach ceann amháin de na scéalta seo agus tá na cinn eile ar iarraidh sa lá atá inniu ann. Seo thíos an liosta sin:[119]

1. An bhean dhubh air íarraig.
2. An téad dearag is gallar nach fóngeanta é.[120]
3. An Píopaire Sídhe
4. An Lung Sidhe.
5. Cainnt na n'Ógaibh ansa 'Bhlaoscaod' Cáit agus Áine
6. An Dá Ghírrseach 7 an 'Cáca'.
7. Balcaire garsúnna.
8. Ó'n mBlascaod Meath na Maircréal an tÁilteoir.
9. An bríste air mhnáibh.
10. Ó'n mBlascaod (comhrá beirte) Oidí Éireann.
11. Ó'n mBlascaod -Seanfhocail.
12. Teallaireacht bheag eile.
13. Lá aonaig dam a nDaingean Uí Chúise.
    An ceathrar ban nár bheannaig Pádraig ná an síol gur díobh iad. is dócha.

An bheirt bhan a liúsbáil a chéile amuth ansa pholl 7
an bhirdeóag eatartha.

An fear 7 an bhean tuatha.

Lá aonaigh dam a nDaingean Uí Chúise.

14. Tigh Bhríghde
An Triúar Ban maidean an Aonaigh.

Ar ndóigh is iomaí scéal a sheoladh Tomás go dtí Cormac agus ba
gheal leis i gcónaí a ailt féin a fheiceáil sa *Lóchrann*. Seo thíos
litir gan dáta a chuir sé go dtí é á chur sin in iúl dó.

A Chara, na náran.
gaibh ma leathsgéal a d'taobh sgríobh air a dá thaobh, bhí deire
na b'piléar caithte agam, agus ba bheag liom an dá leathannach.

Is sé is oth liom, gan aiste bheag liom a bheith air gach úair,
úair sa mí is seadh é, cuirim aiste gach mí go dí an 'Fáinne' leis, bím a
cur go dí an páipéar mór leis, *Ind.*' ...
Ó'N *m'Blascaod*.
Ní chaitheann aoinne uaidh an focal-so
do chigheann ansa pháipéar chuin tusaig é.
gan a m'bainnean leis a léigheamh.
A dréir mar déarfeá liom, ba mhaith liom an focal gach uair air
Le mór mheas. Tomás Ó Criomhthain.[121]

Bhí dúil ag Cormac féin sna seanfhocail agus chuir Tomás
seanfhocail ón mBlascaod chuige uair nó dhó sa bhliain 1931. Seo
deich gcinn as leathchéad díobh a chuir Tomás ag triall air agus
an dáta 31 Eanáir 1931 ag Cormac orthu:

Bíonn ingean an mhór-eóluis go mór-ghradamach,
IS feárr Dia ná an t-ór,
IS feárr amadán macánnta do phósa, ná sglamhadóir athiseach.
Na Táinnte deórtha uisge nár mhór chuin luinge shúncáil
Bíonn an mhil go milis ach bíonn an mheach ceallagach,
níor cheart d'fhear chaoch a thuairim a thabhairt fé dhaitheanna.
Bíonn gach níghe so-dhéannta aige an té do chreideann,
An Té dhinnean an poll Titeann sé ann,
Dónt open the door do ghuth shurach gan guth fhóngeanta do bheith
na treó,[122]

D'éirigh Tomás as an gcumadóireacht de réir a chéile. Ar aon
nós, ní raibh an tsláinte ar fónamh aige agus bhí sé ag ceiliúradh
de réir a chéile agus ba ghairid nach raibh ar a chumas a
thuilleadh a scríobh. Seo thíos an litir a dheachtaigh sé dá mhac
agus a seoladh go dtí an Seabhac i mí Iúil na bliana 1935:

An lámh do scríobh an t-oileánach ní féidir lé greim do cur am beal
anois ná fiú amháin an cnápa do dúna dom. Táim gan a bheith air
fóghnamh lé breis 7 mi anuas, ach go bfuillim ag boghadh as an
leabaidh lé Seachtmhain, ach amháin gur lé coghamh bhean a tighe a

tagaim an cuineadh. Is dócha gur dathaca tá sa géaga agam. Ní féidir domsa mo baodhuchas a chur indúbhail duit-se go brách na breithe, ach go bhfuill aon ní amháin agam dhá iarraig air an Máighistir Beannaigthe duit. Saol buan gan Galar na Máchail a bhroṅnadh ort as ucht a bhfuill deannta agat dom féin.

Sé mo thuairim ná béarfadh air an bpeann go brách aríst, ach beidir nár ceart greann ar air dhinn Sí dom. Mo deig méin do'd chairid go leir 7 do'd mhnaoí 7 dod mach.

Rath ó Dhia orraibh.

Tomás Ó Criomhthain.[123]

Faoi ceann dhá bhliain eile, bhí an Criomhthanach caillte curtha[124] ach leath a chlú is a cháil ar fud na hÉireann ina dhiaidh sin. Aithníodh go raibh mianach neamhchoitianta ann féin agus ina chuid scríbhinní, go háirithe *Allagar na hInise* agus *An tOileánach,* ach, má bhí, ní mór an trácht a bheadh air mura mbeadh an comhluadar léannta a bhíodh ina threo.

Aithne níos fearr a thabhairt don léitheoir ar an gcomhluadar sin aidhm an leabhair seo. Ní lúide gradam Thomáis na seanchairde seo a bheith suite síos arís ina theannta mar a bhídís tráth den saol, an tráth a gineadh litríocht phróis an Bhlascaoid agus gach ar lean í.

NÓTAÍ

CAIBIDIL I

1. Mícheál Ó Mainnín, 'Na Sagairt agus a mBeatha i bParóiste an Fheirtéaraigh', *Céad Bliain 1871-1971*, Mícheál Ó Cíosáin, eag. (Baile an Fheirtéaraigh 1973) lgh 1-35 (lch 26). Féach chomh maith an t-aguisín leis an leabhar céanna lgh 268-270.

2. Féach Breandán Ó Conaire, 'Tomás an Bhlascaoid', *Comhar* (Lúnasa 1977) lgh 16-19 (lch 16) mar a bhfuil sé déanta amach ag an údar gur sa bhliain 1854 a saolaíodh Tomás: 'más ceadmhach dúinn glacadh le Lá San Tomáis mar lá breithe an údair is féidir a mhaíomh, dar liom, gur rugadh é ar an 21ú Nollaig 1854.'

3. Séipéal Naomh Uinseann i mBaile an Fheirtéaraigh, séipéal Naomh Gobnait i nDún Chaoin agus séipéal Naomh Maolcéadair i gCill Chúile.

4. Féach Joan & Ray Stagles, *The Blasket Islands: Next Parish America*, Island series 4 (Baile Átha Cliath 1980) lgh 43-46. Deir na húdair gur osclaíodh scoil Phrotastúnach ar an oileán sna blianta 1839-40 ach gur dúnadh arís í deich mbliana ina dhiaidh sin.

5. LS G 1022, An Leabharlann Náisiúnta (LN, feasta). Lámhscríbhinn *Allagar na hInise*, agus deich gcinn litreacha ó Thomás go dtí Brian Ó Ceallaigh. Ar lár AI[1] (bheifí ag súil leis i ndiaidh leathanaigh 44 ann), AI[2]151.

6. Mícheál Ó Mainnín, 'Achrann Creidimh in Iarthar Dhuibhneach', *Céad Bliain 1871-1971*, lgh 40-61 (lch 54).

7. Ed 9/1934, Oifig na dTaifead Poiblí. I measc an bhailiúcháin úd tá an litir seo a scríobh an tAthair Liam Mac Aogáin go dtí Seán Ó Sirideáin, Oifig an Oideachais Náisiúnta, Baile Átha Cliath. 29-9-1883 dáta na litreach. Bhí an Tiarna Ó hAogáin (1812-1885) a luaitear anseo ina theachta dála i gceantar Thrá Lí i gcaitheamh na haimsire seo (1863-1865). Ball den Bhord Oideachais Náisiúnta ab ea é ó 1858 ar aghaidh agus mholadh sé an córas i gcónaí. Thug sé a thacaíocht dó nuair a toghadh mar theachta dála é: he 'upheld the national system of education as "the greatest boon and blessing which since emancipation was ever conferred on Ireland by the imperial government".' George Smith a chuir ar bun, Sir Leslie Stephen agus Sir Sidney Lee eag. *The Dictionary of National Biography*, Uimh. XIV (Oxford University Press) lgh 947-949 (lch 948). Ba mhinic ina dhiaidh sin a thug sé óráid ar son chórás an oideachais náisiúnta. Ceapadh mar thiarna seansailéara é sa bhliain 1868. Féach tagairtí eile dó in Charles Kidd agus David Williamson eag., *Debrett's Peerage and Baronetage* (Macmillan 1985) lch 197, Peter Townsend eag., *Burke's Peerage Baronetage and Knightage* (London 1967) lgh 1895-1897, agus in Rev. Kieran O'Shea, 'David Moriarty (1814-77) IV'

in *Journal of the Kerry Historical and Archaeological Society* (1973) lgh 131-142 (lch 138).

8. Ed 9/1934, Oifig na dTaifead Poiblí.

9. Ed 2/197, Fóilió 11, V18-36-16, Oifig na dTaifead Poiblí. Clárú ar na scoileanna náisiúnta a bunaíodh i gceantar Chiarraí atá sa taifead seo. Ar ndóigh in LN LS G 1020, lámhscríbhinn de *An tOileánach*, deir Tomás 'deich mbliadhna do bhíos an lá-so a doll air scoil dam a dubhairt ma mhathair Timcheall sa mbliadhain 1846': $0^1 22$, $0^2 21$. Sa lámhscríbhinn tá an dáta 1846 ag Tomás scriosta amach agus an bhliain 1866 scríte ag Brian Ó Ceallaigh i bpeann luaidhe os a chomhair. Is cosúil gur 1864 an dáta cruinn.

10. Ed 4/185, V17-32-49, Oifig na dTaifead Poiblí, lch 43. Leabhar tuarastail na múinteoirí i gceantar Chiarraí don bhliain 1864.

11. LN LS G 1020; $0^1 20$, $0^2 20$.

12. An LS chéanna; $0^1 20$, $0^2 20$.

13. An LS chéanna; $0^1 23$, $0^2 22$.

14. An LS chéanna; $0^1 25$, $0^2 23$.

15. Pádraig Tyers, eag., *Leoithne Aniar* (Baile an Fheirtéaraigh 1982) lgh 115-116.

16. LN LS G 1020; $0^1 23$, $0^2 22$.

17. Ed 2/197 Fóilió 11, V18-36-16, Oifig na dTaifead Poiblí.

18. *Leoithne Aniar*, lch 116.

19. Ed 9/1934, Oifig na dTaifead Poiblí. I measc an bhailiúcháin úd, tá an litir seo a scríobh an tAthair Liam Mac Aogáin go dtí an tUasal Ó Conghaíle, an cigire ceantair i dTrá Lí. 16-11-1883 a dáta.

20. Ed 4/185, V17-32-49, Oifig na dTaifead Poiblí, lch 43.

21. Na huimhreacha seo tógtha ó Ed 4/185, V17-32-49, lch 43, Ed 4/186, V17-32-50, lch 44 agus Ed 4/187, V17-32-51, lch 44, Oifig na dTaifead Poiblí. Is iad seo leabhair thuarastail na múinteoirí i gContae Chiarraí sna blianta 1864-1868.

22. Ed 4/187, V17-32-51, Oifig na dTaifead Poiblí, lch 44.

23 Tá ord na múinteoirí a bhí ar an mBlascaod bunoscionn ag Tomás. Deir sé gur Roibeard Gabha, mar a thugann sé air, a tháinig i ndiaidh Áine Ní Dhonnchadha ($0^1 29$, $0^2 27$) ach is léir nach bhfuil sin cruinn.

24. Ed 4/187, V17-32-51, Oifig na dTaifead Poiblí, lch 44.

25. LN LS G 1020; $0^1 56$, $0^2 54$.

26. An LS chéanna; $0^1 47$, $0^2 44$-45.

27. An LS chéanna; $0^1 48$, $0^2 46$.

28. Ed 4/188, V17-32-52, Oifig na dTaifead Poiblí, lch 44. Leabhar tuarastail na múinteoirí i gceantar Chiarraí sna blianta 1869-1870.

29. LN LS G 1020; $0^1 56$, $0^2 54$.

30. Ed 4/188, V17-32-52, Oifig na dTaifead Poiblí, lch 44.

31. LN LS G 1020; $0^1 29$-30, $0^2 27$.

32. An LS chéanna; $0^1 70$, $0^2 66$.

33. *Céad Bliain 1871-1971*, lch 29.

34. Ibid., lch 31.

35. Ed 4/1213, V5B-28-24, Oifig na dTaifead Poiblí, lch 22. Leabhar tuarastail eile ina bhfuil cuntas ar na múinteoirí i gceantar Chiarraí sna blianta 1869-1870. Féach chomh maith *The Blasket Islands: Next Parish America*,

lch 40, mar a bhfuil tagairt don fhear seo. 'In the following decade, however, we find an interesting couple, Michael Hannafin and Joan Scanlon, whose surnames are both "foreign". They had three children in the island, baptised in 1871, 1873 and 1875.'.

36. LN LS G 1020; $0^1$69-70, $0^2$66-67.
37. An LS chéanna; $0^1$70, $0^2$66.
38. Na huimhreacha seo bainte as Ed 4/1213, V5B-28-24, lch 22, Ed 4/1214, V5B-28-25, lch 22, Ed 4/1215, V5B-28-26, lch 24, Ed 4/1216, V5B-28-27, lch 25, Oifig na dTaifead Poiblí. Is iad seo leabhair thuarastail na múinteoirí i gceantar Chiarraí sna blianta 1869-1876.
39. Ed 9/1934, Oifig na dTaifead Poiblí. I measc an bhailiúcháin seo tá 'Memorandum of Proficiency' ar scoil an oileáin sna blianta 1871-1875.
40. Ed 2/197, Fólió 11, V18-36-16, Oifig na dTaifead Poiblí.
41. Ed 2/197, Fóilió 11, V18-36-16, Oifig na dTaifead Poiblí.
42. Ed 4/1216, V5B-28-27, Oifig na dTaifead Poiblí. lch 25.
43. LN LS G 1020; $0^1$71, $0^2$67-68.
44. An LS chéanna; $0^1$71, $0^2$68.
45. Ed 4/1216, V5B-28-27, Oifig na dTaifead Poiblí, lch 25.
46. LN LS G 1020; $0^1$71, $0^2$68.
47. Ar ndóigh, níl ann ach b'fhéidir, mar, faoi mar is léir ón gcuntas oifigiúil, bhíodh 'monitors' anois is arís ag na múinteoirí éagsúla i scoil an Bhlascaoid.
48. LN LS G 1020; $0^1$71-72, $0^2$68-69.
49. Ed 4/1216, V5B-28-27, Oifig na dTaifead Poiblí, lch 25.
50. LS *Seanchas ón Oileán Tiar,* Roinn Bhéaloideas Éireann. I measc an bhailiúcháin seo, tá cnuasach litreacha a chuir Tomás agus oileánaigh eile go dtí Robin Flower agus a bhean chéile.
51. Ibid., 29.12.1911 dáta na litreach Gaeilge go dtí Flower a ghabhann leis an litir seo.
52. Ibid., 3.12.1918 dáta na litreach Gaeilge go dtí Flower a ghabhann leis an litir seo.
53. Ibid., 12.2.1912 dáta na litreach Gaeilge go dtí Flower a ghabhann leis an litir seo.
54 Ibid., litir gan dáta.
55. Ibid., litir gan dáta.
56. Ibid., litir gan dáta.
57. Ibid., litir gan dáta.
58. Ibid., litir gan dáta.
59. Ibid., 'Oidhche Nodhlag díreach' atá scríofa ar an litir féin; 1.1.1926 an stampa poist ar an gclúdach a théann leis, is é sin má théann: Deir Séamus Ó Duilearga an méid seo ina thaobh: 'I cannot decide if this envelope which enclosed letter when I got it belongs to it as envelope is date 1926 and enclosed letter refers to a book. This must be the intended book by R.F. and not *An tOileánach* wh. was pub^d in 1929'.
60. Ibid., litir gan dáta.
61. Ibid., litir gan dáta.
62. Ibid., 29.12.1911 dáta na litreach Gaeilge go dtí Flower a ghabhann leis an litir seo.
63. Ibid., litir gan dáta.

64. Ibid., 29.12.1911 dáta na litreach Gaeilge go dtí Flower a ghabhann leis an litir seo.
65. 'Oidhche Nodhlag díreach' atá mar dháta leis an litir seo.
66. Ibid., 20.11.1917 dáta na litreach Gaeilge go dtí Flower a ghabhann leis an litir seo.
67. Ibid., 1.1.1917 dáta na litreach.
68. Ibid., litir gan dáta.
69. Ibid., 23.12.1915 dáta na litreach.
70. Ibid., litir gan dáta.
71. 2.1.1920 dáta na litreach.
72. Ibid., 12.2.1912 dáta na litreach Gaeilge go dtí Flower a ghabhann leis an litir seo.
73. Ibid., 28.1.1913 dáta na litreach Gaeilge go dtí Flower a ghabhann leis an litir seo.
74. Ibid., litir gan dáta.
75. Ibid., litir gan dáta.
76. Ibid., 2.1.1914 dáta na litreach Gaeilge go dtí Flower a ghabhann leis an litir seo.
77. Ibid., 2.1.1914 dáta na litreach Gaeilge go dtí Flower a ghabhann leis an litir seo.
78. Ibid., 15.8.1913 dáta na litreach Gaeilge go dtí Flower a ghabhann leis an litir seo.
79. Ibid., litir gan dáta.
80. Ibid., 28.10.1914 dáta na litreach.
81. Ibid., 23.12.1915 dáta na litreach.
82. Ibid., 23.12.1915 dáta na litreach.
83. Ibid., 30.8.1915 dáta na litreach.
84. Ibid., 28.10.1914 data na litreach.
85. Féach 0[1]261, 0[2]249.
86. Ibid., 1.1.1917 dáta na litreach.
87. Ibid., 3.12.1918 dáta na litreach Gaeilge go dtí Flower a ghabhann leis an litir seo.
88. Ibid., litir gan dáta.
89. Ibid., 23.12.1915 dáta na litreach.
90. Ibid., 28.10.1914 dáta na litreach.
91. An litir seo le fáil i gcnuasach de na litreacha a chuir Eibhlís Ní Shúilleabháin go dtí George Chambers ag Niamh Bn. Uí Laoithe, Baile an Lochaigh, An Daingean. Cóip den chnuasach seo ag Roinn Bhéaloideas Éireann. Féach chomh maith, Eibhlís Ní Shúilleabháin, *Letters From The Great Blasket*, Seán Ó Coileáin, eag. (Cló Mercier 1978) lgh 25-26.
92. Seán Ó Criomhthain, 'Tomás Ó Criomhthain Mar Is Cuimhin Lena Mhac Seán É', *Feasta* (Eanáir 1957) lgh 9-10, 23 (lch 9).
93. LN LS G 1020; 0[1]244, 0[2]235.
94. *Leoithne Aniar*, lch 100.
95. LN LS G 1022; A1[1]54-55, A1[2]170.
96. *Leoithne Aniar*, lch 100.
97. Ibid., lch 38.
98. Ibid., lch 101.

99. An tAthair Peadar Ó Laoghaire, *Niamh* (Baile Átha Cliath 1907).
100. LN LS G 1020; $0^1$244, $0^2$235.
101. An LS chéanna; $0^1$243, $0^2$232.
102. *Leoithne Aniar*, lch 101. Féach chomh maith Seán Ó Criomhthain, *op.cit.*, *Feasta* (Eanáir 1957) lch 9.
103. LN LS G 1020; $0^1$243, $0^2$232.
104. *Op,cit.*, *Feasta* (Eanáir 1957) lch 9.
105. LN LS G 1020; $0^1$262, $0^2$251.
106. LS 34. Roinn Bhéaloideas Éireann, lch 283. Féach, chomh maith, Seán Ó Coileáin, 'Tomás Ó Criomhthain, Brian Ó Ceallaigh agus An Seabhac', in Seán Ó Mórdha, eag., *Scríobh* 4 (Baile Átha Cliath 1979) lgh 159-187 (lgh 166-168).
107. LN LS g 1022. Dán é seo nár foilsíodh go dtí anois. Bheifí ag súil leis in $AI^1$12, $AI^2$95.
108. Domhnall Ó Ceocháin, eag., *Saothar Dámh-Sgoile Mhúscraighe* (Baile Átha Cliath 1933) lgh 8.
109. LS 34, Roinn Bhéaloideas Éireann, lch 294d.
110. LS *Seanchas ón Oileán Tiar*, Roinn Bhéaloideas Éireann. Féach, leis, cnuasach Sheosaimh Laoide, LN LS G 592, agus Seosamh Laoide, eag., *Tonn Tóime* (Baile Átha Cliath 1915) lgh 65-69.

CAIBIDIL II

1. Féach cur síos ar Sheosamh in Diarmuid Breathnach agus Máire Ní Mhurchú, *1882-1892 Beathaisnéis A hAon* (Baile Átha Cliath 1986) lgh 35-36.
2. Féach Seósamh Laoide, 'Cuaird i n-Aisdear–I' in *Irisleabhar na Gaedhilge* (Feabhra 1908) lgh 58-61, 'Cuaird i n-Aisdear–II' in *Irisleabhar na Gaedhilge* (Márta 1908) lgh 121-125, 'Cuaird i n-Aisdear–III' in *Irisleabhar na Gaedhilge* (Aibreán 1908) lgh 150-155.
3. Seósamh Laoide, 'Cuaird i n-Aisdear–II'. *Irisleabhar na Gaedhilge* (Márta 1908) lgh 121-125 (lch 122).
4. Seósamh Laoide, 'Cuaird i n-Aisdear–III', *Irisleabhar na Gaedhilge* (Aibreán 1908) lgh 150-155 (lch 150).
5. Ibid., lch 155.
6. Dírbheathaisnéis neamhfhoilsithe Chormaic Uí Chadhlaigh, *Scoláire Bocht: Mar is fearr is cuimhin liom*, Cuid a dó, lgh 86-200 (lch 178). (*Scoláire Bocht*, feasta.)
7. Ibid., lch 179.
8. Ibid., lch 179.
9. *Leoithne Aniar*, lch 79.
10. *Scoláire Bocht*, lch 180.
11. Ibid., lch 184.
12. Ibid., lgh 179-180.
13. Ibid., lch 180.
14. An tAthair Peadar Ó Laoghaire, *An Craos Deamhan* (Baile Átha Cliath 1905).
15. *Scoláire Bocht*, lch 181.
16. Ibid., lch 181.
17. An tAthair Peadar Ó Laoghaire, *Séadna* (Baile Átha Cliath 1904).

18. *Leoithne Aniar,* lch 79.
19. *Scoláire Bocht,* lgh 183-184.
20. Féach an cur síos ar an bhfear seo ag Seán Ó Lúing, 'Carl Marstrander (1883-1965)', *Journal of the Cork Historical and Archaeological Society* Iml. 248 (1984), lgh 108-124. Féach, chomh maith, Seán Ó Lúing, 'Triall na Scoláirí ar Chorca Dhuibhne (2)' *Agus* (Bealtaine, 1984) lgh 19-21, agus Magne Oftedal, 'Professor Carl Marstrander (1883-1965)', *Studia Celtica* 2 (1967) lgh 202-204.
21. Seán Ó Lúing, *Journal of the Cork Historical and Archaeological Society* Iml. 248 (1984) lch 109.
22 Ibid., lch 109.
23. LN LS 11,001 (28) (ii). Páipéirí R.I. Best: litreacha ó Marstrander go dtí é.
24. *Leoithne Aniar,* lch 80.
25. LN LS G 1020; 0^1244, 0^2232.
26. Seán Ó Lúing, *Journal of the Cork Historical and Archaeological Society* Iml. 248 (1984) lch 110.
27. LN LS 11,001 (28) (ii), Aistriú Béarla ag Seán Ó Lúing, *Journal of the Cork Historical and Archaeological Society* Iml. 248 (1984) lch 109.
28. *Scoláire Bocht,* lch 181.
29. Seán Ó Lúing, *Journal of the Cork Historical and Archaeological Society* Iml. 248 (1984) lch 110.
30. LN LS 11,001 (28) (ii). 10.9.1907 dáta na litreach. Féach chomh maith, Seán Ó Lúing, ' "To Be a German..." Oidhreacht Khuno Meyer' in Seán Ó Mórdha, eag., *Scríobh* 5 (Baile Átha Cliath, 1980) lgh 258-281 (lgh 265-266), mar a bhfuil an litir seo foilsithe.
31. *Leoithne Aniar,* lgh 81-82.
32. *Scoláire Bocht,* lch 181.
33. LN LS G 1020; 0^1244-245, 0^2235.
34. *Leoithne Aniar,* lch 81.
35. LN LS G 1022; ar lár $A1^1$, $A1^219$-20.
36. An LS chéanna; 0^1245, 0^2235.
37. *Leoithne Anair,* lch 81.
38. LS *Seanchas ón Oileán Tiar;* Roinn Bhéaloideas Éireann.
39. Ibid., 29.4.11 dáta na litreach.
40. Ibid., 29.12.11 dáta na litreach.
41. Ibid., 7.11.12 dáta na litreach.
42. LN LS 11,001 (28) (ii). 4.9.13 dáta an chárta.
43. LS *Seanchas ón Oileán Tiar;* 2.1.14 dáta na litreach.
44. Ibid., 28.6.15 dáta na litreach.
45. Ibid., 'Iúl a sé' mar dháta ar an litir.
46. Ibid., litir gan dáta is ea í.
47. Féach cur síos ar Flower in Seán Ó Lúing, 'Robin Flower, Oileánach agus Máistir Léinn', *Journal of the Kerry Archaeological and Historical Society* Iml 10 (1977) lgh 111-142. Féach chomh maith Seán Ó Lúing, 'Robin Flower (1881-1946)', *Studies* (Summer/Autumn 1981) lgh 121-134.
48. LN LS 11,001 (28).
49. Robin Flower, *The Western Island* (Oxford University Press 1944) lch 12.
50. LS *Seanchas ón Oileán Tiar.*

51. Ibid., 25.8.10 dáta na litreach.
52 Ibid., 29.4.11 dáta na litreach.
53. Ibid., 5.6.11 dáta na litreach.
54. LN LS 11,000 (22). Páipéirí R.I.Best: litreacha ó Flower go dtí é.
55. LS *Seanchas ón Oileán Tiar;* 18.9.11 dáta na litreach.
56. Ibid., 12.2.1912 dáta na litreach.
57. Ibid..
58. Ibid., 2.1.1914 dáta na litreach.
59. LS *Seanchas ón Oileán Tiar;* ceann de leabhair nótaí an Bhláithín.
60. LS *Seanchas ón Oileán Tiar;* 20.9.14 dáta na litreach.
61. Ibid., 12.2.15 dáta na litreach.
62. Ibid., 6.3.15 dáta na litreach.
63. Ibid., 22.3.15 dáta na litreach.
64. Ibid., 28.6.15 dáta na litreach.
65. Ibid., 20.11.17 dáta na litreach.
66. Ibid., litir gan dáta is ea í. Tá an méid seo scríofa ag Ó Duilearga os a cionn
    '[1916?]'.
67. LN LS G 1022.
68. LS *Seanchas ón Oileán Tiar;* 26.1.'21 dáta na litreach.
69. Ibid., 'oidhche na Cuda-Móire' mar dháta ar an litir seo. Luann Tomás an
    cóta i litir eile a bhfuil an dáta seo 13.4.24 uirthi.
70. Ar lár 0^1 (bheifí ag súil leis ar lch 260); $0^2$248.
71. LS *Seanchas ón Oileán Tiar;* ceann de leabhair nótaí an Bhláithín.
72. Féach *Béaloideas* Iml. II. Uimh I. (1929) lgh 97-111, ina bhfuil sé scéal a
    bhreac Flower síos ó Thomás, ó Pheig Sayers agus ó Ghobnait Ní Chinnéide
    i mí Aibreáin na bliana 1929, agus arís ibid., lgh 199-210, ina bhfuil ceithre
    scéal a scríobh Flower síos ó Pheig agus ó Ghobnait i bhfómhar na bliana
    céanna.
73. LN LS 11,000 (22); 23.4.29 dáta na litreach.
74. Máire Ní Ghaoithín, *An tOileán a Bhí* (Baile Átha Cliath 1978) lch 69.
75. Féach mar a dheineann Eibhlís Ní Súilleabháin tagairt do Flower a bheith ar
    an oileán ag an am sin ina litreacha go dtí George Chambers, *Letters From
    The Great Blasket* gan dáta, lch 48.
76. LS *Seanchas ón Oileán Tiar;* 12.3.37 dáta na litreach.
77. Féach an cur síos ar Bhrian ag Seán Ó Coileáin, 'Tomás Ó Criomhthain,
    Brian Ó Ceallaigh agus An Seabhac', in Seán Ó Mórdha, eag., *Scríobh 4*
    (Baile Átha Cliath 1979) lgh 159-187. cf. *1882-1982 Beathaisnéis a hAon,* lgh
    56-57.
78. Bailiú dar teideal Cnuasach Cuimhne Thomáis Uí Chriomhthain i Leabhar-
    lann an Daingin.
79. Ibid..
80. *An tOileán a Bhí,* lch 69.
81. LS an Daingin.
82. LN LS G 1022. Níl sé foilsithe in aon eagrán de *Allagar na hInise;* bheifí ag
    súil leis in $A1^1$ i ndiaidh lgh 66, agus in $A1^2$, lch 212.
83. An LS chéanna. Níl sé foilsithe in aon eagrán de *Allagar na hInise;* bheifí ag
    súil leis in $A1^1$ i ndiaidh lgh 182, agus in $A1^2$ i ndiaidh lgh 351.
84. An LS chéanna. Ar lár $A1^1$; $A1^2$20.

85. Féach Seán Ó Coileáin, *Scríobh* 4, lch171.
86. LN LS G 1022.
87. Ibid..
88. LS *Seanchas ón Oileán Tiar;* 20.11.17 dáta na litreach.
89. LN LS G 1022; 2.12.21 dáta na litreach.
90. An LS chéanna. Giota nár foilsíodh go dtí seo is ea é; bheifí ag súil leis an A1[1], lch 145, A1[2], lch 317.
91. An LS chéanna. Níor foilsíodh go dtí seo; bheifí ag súil leis in A1[1] i ndiaidh lgh 82, agus in A1[2] i ndiaidh lgh 260.
92. An LS chéanna; 1.1.22 dáta na litreach.
93. LN LS 15,785; deich gcinn de litreacha ó Thomás go dtí Brian Ó Ceallaigh. 'meadhon Fhogmhair a SE' mar dháta ar an litir áirithe seo.
94. Ibid., 'Deire Fógmhair a cúigh' mar dháta ar an litir.
95. LN LS G 1022. Dán nár foilsíodh go dtí seo is ea é; bheifí ag súil leis in A1[1]16, A1[2]107.
96. LN LS 15,785; 'Deire Fógmhair a cúigh' mar dháta ar an litir.
97. Ibid., 'meadhon fhogmhair a SE' mar dháta ar an litir.
98. LN LS G 1022. Dán nár foilsíodh go dtí seo is ea é; bheifí ag súil leis in A1[1] i ndiaidh lgh 58, agus in A1[2] i ndiaidh lgh 177.
99. Ibid., 'End of Feb 1919' ag an gCeallach ar an litir seo.
100. LN LS 15,785; litir gan dáta is ea í.
101. LN LS G 1022.
102. LN LS 15,785; giota gan dáta is ea é.
103. Ibid., litir gan dáta is ea í.
104. LS an Daingin. 'Lá san Stufán' an dáta ar an litir seo.
105. Ibid..
106. Féach cur síos ar an bhfear seo in Seán Ó Súilleabháin, 'In Memoriam Fionán Mac Coluim (1875-1966)', *Béaloideas* Iml. xxxiii (1967) lgh 181-183 agus in *1882-1982 Beathaisnéis a hAon*, lgh 37-39. Féach chomh maith LN LS 24,400, mar a bhfuil litreacha ó thimirí éagsúla go dtí Fionán.
107. *Leoithne Aniar,* lch 104.
108. LN LS G 1021. Scéalta agus dialann le Mícheál Ó Gaoithín, agus dialann le Eibhlín Ní Shúilleabháin, chomh maith le cúpla litir ó Mhícheál go dtí Brian Ó Ceallaigh agus blúire de leabhar nótaí leis an gCeallach.
109. LS *Seanchas ón Oileán Tiar.*
110. LS an Daingin. Féach chomh maith. Pádraig Ó Fiannachta, 'Aibhleoga Léinn agus Litríochta', *An Sagart* (Samhradh 1970) lgh 25-27, atá ceangailte isteach leis an gcnuasach toisc an chaibidil dhéanach den leabhar a bheith i gcló ann díreach faoi mar a scar sí le láimh Thomáis.
111. Ibid., 5-7-1934 dáta na litreach seo.
112. Ibid., 23-5-1929 dáta na litreach.
113. LN LS G 1021.
114. LS an Daingin; 16.10.29 dáta na litreach.

CAIBIDIL III

1. LN LS G 1020; 0[1]243, 0[2]232.
2. *An tOileán a Bhí,* lch 59.

3. Pádraig Ua Maoileoin, *Na hAird Ó Thuaidh* (Baile Átha Cliath 1960) lgh 163-164.
4. LN LS G 1020; 0^1244, 0^2232.
5. *Feasta* (Eanáir 1957) lch 9.
6. *Na hAird Ó Thuaidh*, lch 163.
7. *An tOileán a Bhí*, lch 60.
8. LN LS G 1020; 0^1243-244. 0^2232.
9. *Leoithne Aniar*, lch 109.
10. LN LS G 1022.
11. Tomás P. Ó Laochdha, 'An Chómhacht a bhí ag an Athair Peadar Ó Laoghaire agus ag Pádraig Ó Conaire ar Mhuinntir a linne féin' (tráchtas neamhfhoilsithe M.A., Coláiste Ollscoile, Corcaigh, 1941) lch 47.
12. Tomás Ó Floinn, 'Urscéalaíocht na Gaeilge', *Comhar* (Aibreán 1955) lgh 6-10 (lch 8).
13. Gearóid Ó Nualláin, ' "An t-Athair Peadar." Rí na n-Ughdar', *Misneach* (3 Aibréan 1920) lch 3.
14. Pádraig A. Breatnach, '*Séadna:* Saothar Ealaíne', *Studia Hibernica* 9 (1969) lgh 109-124 (lch 124).
15. Pádraig Mac Piarais, ' "Séadna" and The Future of Irish Prose', *An Claidheamh Soluis* (24 Meán Fómhair 1904) lch 8.
16. LN LS G 1021.
17. Tomás Ó Criomhthain, 'An Guth ar Neóin', *An Lóchrann* (Nollaig 1917) lch 1. An t-alt seo le feiceáil chomh maith ar an taobh istigh de chlúdach tosaigh $A1^2$.
18. LN LS G 1022; ar lár $A1^1$, $A1^220$.
19. LN LS 15,785.
20. LN LS G 1022. Níl sé foilsithe in aon eagrán de *Allagar na hInise;* bheifí ag súil leis in $A1^1$ i ndiaidh lgh 44, agus in $A1^2154$.
21. An LS chéanna. Níl sé foilsithe in aon eagrán de *Allagar na hInise;* bheifí ag súil leis in $A1^1$ i ndiaidh lgh 37, agus in $A1^2134$.
22. LN LS G 1020; 0^158, 0^256.
23. Máire Bn. Uí Chroitigh, 'Séadna: Cosamhlacht an tsaoghail ann leis an saoghal atá caithte' (tráchtas neamhfhoilsithe M.A., Coláiste Ollscoile, Corcaigh, 1942) lch 3.
24. An tAthair Peadar Ua Laoghaire, *Séadna:* an dara cuid (Baile Átha Cliath 1898) lch 1 (den réamhrá). Ní aontódh Pádraig Ua Maoileoin ar fad leis an méid sin: féach Aindrias Ó Muimhneacháin, eag., *Flós Fómhair 1973* (An tOireachtas 1973) lch 28. Ach féach a bhfuil le rá ag Domhnall Bán Ó Céileachair ina thaobh *Sgéal mo Bheatha* (Oifig an tSoláthair 1940) lch 165: 'Samhluíghim gurbh é an cheapadóireacht é ba mhó chonnac riamh, agus ba chruinne, agus bhí gach aon fhocal de chómh cruinn chómh deisbhéalach, gan aon tuitim focail, mar a thiocfadh an Ghaoluinn a béal na sean-daoine i mBaile Mhúirne deich mbliadhna 's dathad ó shin'.
25. Douglas Hyde, 'Canon Peter O'Leary and Dr. Kuno Meyer', *Studies* 9 (1920) lgh 297-301 (lch 299).
26. Daniel A. Binchy, ''Two Blasket Autobiographies', *Studies* 23 (1934) lgh 545-560 (lch 552).

27. LN LS G 1020; $0^1$86. $0^2$81. Féach samplaí eile den úsáid chéanna den chanúin seo in $0^1$107, $0^2$99, $0^1$185, $0^2$181, $0^1$207, $0^2$200.
28. An LS chéanna; $0^1$237, $0^2$227. Féach sampla eile den úsáid chéanna in A1^{1}74, A1^{2}234.
29. An LS chéanna; $0^1$24, $0^2$23. Féach samplaí eile den úsáid chéanna in $0^1$79, $0^2$75, $0^1$99, $0^2$92, A1^{1}63, A1^{2}215, A1^{1}96, A1^{2}276.
30. LN LS G 1020; $0^1$106, $0^2$98.
31. An LS chéanna; $0^1$110, $0^2$103.
32. Féach an méid a deir Seán Ó Coileáin ina thaobh in *Scríobh* 4, lch 186, nóta 8.
33. R.A. Breatnach, 'Dioscán Duibhneach', *Éigse* VII (1975) lgh 262-266 (lch 263).
34. Ibid.. Tá tuairim caite ag Seán Ó Coileáin, *Scríobh* 4, lch 164, go mb'fhéidir gurb ionann 'sin nua' agus 'is ionannú'.
35. LS an Daingin.
36. An tAthair Pádraig Ua Duinnín, eag., *Foras Feasa ar Éirinn*, Irish Texts Society III (London 1908) lch 94-96.
37. Osborn Bergin, eag., *Sgéalaigheacht Chéitinn*, an dara heagrán (Baile Átha Cliath 1925) lch 94.
38. An tAthair Peadar Ua Laoghaire, *Séadna* (Baile Átha Cliath 1904) lch 131.
39. Ibid., lch 24.
40. Ibid., lch 260.
41. Ibid., lch 24.
42. Ibid., lch 220.
43. Ibid., lch 146.
44. Ibid., lch 98.
45. J. V. Luce, 'Homeric Qualities in the Life and Literature of the Great Blasket Island', *Greece and Rome* xvi (1969) lgh 151-168 (lgh 158-159).
46. LN LS G 1022. Ar lár A1^1: bheifí ag súil leis roimh lgh 42; A1^{2}141.
47. An LS chéanna; A1^{1}171, A1^{2}339. I bhfíorthosach scéal a bheatha, labhraíonn sé air féin faoi mar dá mbeadh sé ag cur síos ar ainmhí nó ar éan beag: is é 'deire an áil' é, é 'mar bheadh gearrach éin' ag an gcuid eile acu agus 'gach nduine aca ag cur a ghoblaigh féin am béal': LN LS G 1020.
48. Níl sé foilsithe in aon eagrán de *Allagar na hInise;* bheifí ag súil leis in A1^{1}16, A1^{2}107.
49. An LS chéanna. Ar lár A1^1: bheifí ag súil leis roimh lgh 45; A1^{2}155.
50. An LS chéanna. Ar lár A1^1; bheifí ag súil leis roimh lgh 52; A1^{2}164.
51. An LS chéanna; A1^{1}53, A1^{2}167.
52. An LS chéanna; A1^{1}129, A1^{2}306.
53. An LS chéanna. Giota neamhfhoilsithe go dtí seo is ea é. An dáta Nollaig 1922 ag an gCeallach air.
54. LN LS 15,785. Meán Fómhair a sé an dáta ar an litir seo.
55. LN LS G 1022. Chítear an litir seo faoin dáta 27.1.1922 ag an gCeallach.
56. An LS chéanna. Chítear an litir seo faoin dáta 25.2.1922 ag an gCeallach.
57. LN LS 15,785. Meán Fómhair a sé an dáta ar an litir seo.
58. Féach (i) W.F. de V. Kane, 'The Black Pig's Dike: the ancient boundary fortification of Uladh', in *Proceedings of the Royal Irish Academy* 27 C 14 (1909) lgh 301-328, agus (ii) Margaret E. Dobbs, 'The Black Pig's Dyke and

NÓTAÍ: CAIBIDIL III

NÓTAÍ: CAIBIDIL III   131

the campaign of the Táin Bó Cuailgne', in *Side-Lights on the Táin age and other studies* (1917) reprinted from *Zeitschrift für celtische Philologie* viii (1912) lgh 339-346.

59. Pierre Loti, *An Iceland Fisherman* (Collins Clear-Type Press, London and Glasgow) an t-eagrán áirithe atá i gceist. Níl aon dáta foilsithe air.
60. Is cosúil gurb é an Seabhac a scríobh an t-alt seo. Féach an méid a deir Seán Ó Coileáin ina thaobh in *Scríobh* 4, lch 162.
61. A1^{1}iii, A1^{2}ix.
62. LN LS 15,785; litir gan dáta.
63. An LS chéanna; litir gan dáta is ea í.
64. An Seabhac, 'Tomás Ó Criomhthain, Iascaire Agus Ughdar', *Bonaventura* (Samhradh 1937) lgh 24-31 (lch 27). Féach, chomh maith, Pádraig Ua Maoileoin, 'An Criomhthanach', *Ár Leithéidí Arís* (Baile Átha Cliath 1978) lgh 61-70 (lch 69).
65. An Seabhac, *Bonaventura* (Samhradh 1937) lch 27. Féach chomh maith, 'Ag tagairt don Leabhar', A1^{1}iii, A1^{2}ix.
66. Séamus Ó Grianna, 'Leabhar na Míosa, Allagar na hInise', *Fáinne an Lae* (Feabhra 1929) lch 3.
67. LS an Daingin.
68. Tá sean-eagráin den dá leabhar fós ag iníonacha Sheáin, agus is cinnte, dar liom, gurb iad seo na leabhair a bhí ag Tomás féin. Maxim Gorky *My Childhood,* agus *In the World,* translated by Mrs Gertrude M. Foakes (London) na heagráin atá i gceist. Níl aon dáta foilsithe ar na leabhair seo ach bhí an t-eagrán áirithe seo de *My Childhood* sa British Library Catalogue chomh luath leis an mbliain 1915 agus *In the World* ann sa bhliain 1917.
69. *Leoithne Aniar,* lch 103.
70. Ronald Hingley, *Russian Writers and Society 1825-1904* (London 1967) lch 24.
71. Nina Gourfinkel, *Gorky,* translated by Ann Feshbach (New York 1960, reprinted Connecticut 1975) lgh 66-67.
72. Dan Levin, *Stormy Petrel: The Life and work of Maxim Gorky* (London 1967) lch 21.
73. *Leoithne Aniar,* lch 103.
74. LS an Daingin, 0^{1}266, 0^{2}256.
75. *Stormy Petrel,* lch 175.
76. Máirtín Ó Cadhain, *Páipéir Bhána agus Páipéir Bhreaca* (Baile Átha Cliath 1969) lch 26.
77. C.D.E. Tolton, *André Gide and the Art of Autobiography: A Study of Si le grain ne muert* (Toronto 1975) lgh 71-72.
78. Maxim Gorky, *My Childhood,* translated with an introduction by Ronald Wilks (Penguin Books 1966) lch 10 (den réamhrá).
79. *My Childhood,* translated by Mrs. Gertrude M. Foakes, lgh 104-105.
80. LN LS G 1020; 0^{1}23, 0^{2}22.
81. *Maxim Gorky and His Russia,* lch 4.
82. Helen Muchnic, 'Maxim Gorky' in *From Gorky to Pasternak: Six Modern Russian Writers* (London 1963) lch 29-103 (lch 49).
83. Gerhard Habermann, *Maxim Gorki* (New York 1971) lch 76.

132 NÓTAÍ: CAIBIDIL III

84. Richard Hare, *Maxim Gorky: Romantic Realist and Conservative Re-volutionary* (Oxford University Press 1962, reprinted Connecticut 1978) lgh 87-88.
85. LS an Daingin 0^1263, 0^2252.
86. Nollaig Mac Congáil, *Scríbhneoirí Thír Chonaill* (Baile Átha Cliath 1983) lch 28.
87. Pádraig Ó hÉalaí, 'Pros-Litríocht an Pharóiste', *Céad Bliain 1871-1971,* lgh 147-164 (lgh 151-152).
88. Roy Pascal, *Design and Truth in Autobiography* (London 1960). Sa leabhar seo, déanann an t-údar idirdhealú idir dírbheathaisnéis agus cuimhní cinn. Duine a bhíonn fiafraitheach fiosrach faoi féin a scríobhann dírbheathaisnéis agus sé an fear inste scéil an lárphointe suime. Sna cuimhní cinn, deir sé, leagtar béim ar ócáidí agus ar dhaoine seachtaracha.
89. *In the World,* lch 455.
90. LS an Daingin, 0^1265, 0^2256.
91. *In the World,* lgh 208-209.
92. *Taighde i gComhair Stair Litridheachta na Nua-Ghaeilge ó 1882 anuas,* lgh 138-139. Féach chomh maith Cathal Ó hÁinle, 'Gnéithe d'Ealaín An Ghearrscéil', *Promhadh Pinn* (Maigh Nuad 1978) lgh 153-164 (lgh 154-155).
93. *From Gorky to Pasternak,* lch 33.
94. Henry Gifford, 'Gorky and proletarian writing' in *The Novel in Russia* (London 1964) lgh 135-146 (lch 137).
95. *Stormy Petrel,* lch 272.
96. *From Gorky to Pasternak,* lch 78.
97. *My Childhood,* lch 17.
98. Ibid., lch 285.
99. LN LS G 1020; 0^180, 0^276.
100. An LS chéanna. Níl sé foilsithe in aon eagrán de *An tOileánach.* Bheifí ag súil leis in 0^1171, 0^2165.
101. An LS chéanna; 0^128, 0^226.
102. LS an Daingin; 0^1263, 0^2252.
103. Pádraig Ó hÉalaí, 'An Bheathaisnéis mar litríocht', *Léachtaí Cholm Cille* 1 (Maigh Nuad 1970) lgh 34-40 (lch 35).
104. *Leoithne Aniar,* lch 104.
105. LN LS G 1020; 0^1100, 0^293.
106. An LS chéanna; 0^1156, 0^2148.
107. Tomás Ó hAilín, 'Seanchas ar Léamh agus Scríobh na Gaeilge i gCorca Dhuibhne', *Journal of the Kerry Archaeological and Historical Society* 4 (1971) lgh 127-138 (lch 134).
108. LN LS G 1229.
109. *My Childhood,* lch 150.
110. Ibid., lch 155.
111. *Maxim Gorky,* lch 3.
112. *Leoithne Aniar,* lch 103.
113. Knut Hamsun, *Growth of the Soil* (London) an t-eagrán atá i gceist. Níl aon dáta foilsithe air.
114. James Stewart, 'Boccaccio in the Blaskets' (aiste nár foilsíodh fós ach atá le teacht i gcló sa *Zeitschrift für celtische Philologie* gan mhoill) lch 2. Féach

chomh maith Bö Almqvist, *An Béaloideas agus an Litríocht* (Cló Dhuibhne 1977) lgh 14-20.

115. LN LS G 1021. Measann Stewart gurb é aistriúchán Kelly ar an *Decameron* (London 1855) a bhí ag Mícheál Ó Gaoithín nuair a dhein sé na scéalta seo a thiontó go Gaeilge: clóscríbhinn 'Boccaccio in the Blaskets', lch 4.

116. Clóscríbhinn 'Boccaccio in the Blaskets', lch 10.

117. Lady Gregory, *Gods and Fighting Men* (London 1904).

118. W.M.L. Hutchinson, E. Rhys, ed., *The Muses Pageant*, Vol. II (Everyman's Library) an t-eagrán atá i gceist. Níl aon dáta foilsithe air. Ar an taobh istigh den chlúdach, chítear an méid seo: 'Seán Ó Criomhthain agus Eibhlís –An Blascaod Mór'.

119. Michael Fairless, *The Roadmender* (London 1910).

120. Robert Chambers, *The Mystery Lady* (Watford, Great Britain, 1932).

121. Robin Flower, *Eire and Other Poems* (London 1910).

122. LS *Seanchas ón Oileán Tiar;* 29 Nollaig 1911 dáta na litreach.

123. Ibid..

124. Ibid., 16-1-1913 dáta na litreach.

125. Ibid., 2-1-1914 dáta na litreach.

126. Ibid..

127. Ibid..

128. Ibid., litir gan dáta is ea í.

129. Robin Flower, 'An Irish Island: The Story of the Blaskets', *Transactions of the Honourable Society of Cymmrodorion* (1931-32).

130. An Seabhac, *Tríocha-Céad Chorca Dhuibhne* (Baile Átha Cliath 1938) lch xviii.

131. An Seabhac, eag., *Seanfhocail na Muimhneach* (Baile Átha Cliath 1926).

132. LS an Daingin. Féach chomh maith, Pádraig Ó Fiannachta, 'Aibhleoga Léinn Agus Litríochta', *An Sagart* (Samhradh 1970) lgh 25-27, atá ceangailte isteach leis an gcnuasach toisc an chaibidil dhéanach den leabhar a bheith i gcló ann díreach faoi mar a scar sí le láimh Thomáis.

133. Féach an méid a deir Seán Ó Coileáin ina thaobh in *Scríobh* 4, lch 187, nóta 21.

134. LS an Daingin.

135. An Seabhac, *An Ceithearnach Caoilriabhach* (Baile Átha Cliath 1910).

136. An Seabhac, eag., *An Seanchaidhe Muimhneach* (Baile Átha Cliath 1932).

137. An Seabhac, *Jimín Mháire Thaidhg* (Baile Átha Cliath 1921).

138. LN LS G 1021.

139. S. Ó Dubhda, *An Duanaire Duibhneach* (Baile Átha Cliath 1933).

140. LS an Daingin; 23-5-1929 dáta na litreach.

141. Ibid., 16-10-1929 dáta na litreach.

142. Seosamh Laoide, eag., *Duanaire na Midhe* (Baile Átha Cliath 1914).

143. Seosamh Laoide, eag., *Réalta Den Spéir* (Baile Átha Cliath 1915). Taobh istigh den chlúdach anseo, chítear chomh maith 'Tomás Ó Maoileoin, Baile 'n Ghóilín.'.

144. Seosamh Laoide, eag., *Tonn Tóime* (Baile Átha Cliath 1915).

145. LS 4 B 42, Acadamh Ríoga na hÉireann.

146. LS *Seanchas ón Oileán Tiar;* 6 Lúnasa 1915 dáta na litreach.

147. LS 4 B 42, Acadamh Ríoga na hÉireann.

148. LS *Seanchas ón Oileán Tiar.*
149. LS 4 B 42, Acadamh Ríoga na hÉireann.
150. *Tonn Tóime,* lch 148.
151. Ibid., lch v.
152. Seosamh Laoide, 'Tonn Tóime', *An Claidheamh Soluis* (26 Meitheamh 1915) lch 8.
153. LS 4 B 42, Acadamh Ríoga na hÉireann, 8-7-1915 dáta na litreach.
154. An LS chéanna. Litir gan dáta is ea í.
155. *Tonn Tóime,* lch 141.
156. LS 4 B 42, Acadamh Ríoga na hÉireann.
157. Seosamh Laoide, *An Claidheamh Soluis* (26 Meitheamh 1915) lch 8.
158. An tAthair Seoirse Mac Clúin, *Réilthíní Óir* Cuid I agus Cuid II (Baile Átha Cliath 1922).
159. LN LS G 1020; $0^1$261-262. $0^2$250.
160. LN LS G 1022. Níl na línte seo foilsithe in aon eagrán de *Allagar na hInise;* bheifí ag súil leo in A1^1 i ndiaidh lgh 66 agus in A1^{2}212.
161. LN LS G 1020; $0^1$262, $0^2$250.
162. LN LS G 1022. Tá deireadh na litreach seo ar lár. 11-7-1921 dáta an Cheallaigh uirthi.
163. *Réilthíní Óir,* Cuid I (réamhrá).
164. LN LS G 1020. Foilsíodh cuid den alt seo in $0^1$262, $0^2$250.
165. *Leoithne Aniar,* lch 83.
166. LN LS G 1020. Níl sé foilsithe in aon eagrán de *An tOileánach;* bheifí ag súil leis in $0^1$262, $0^2$251.
167. Níl an ceart ag Máire Francach anseo, nuair a labhraíonn sí ar ábhar *Réilthíní Óir* a bheith bailithe sa bhliain 1922, cé gur sa bhliain sin a tháinig an leabhar amach.
168. M.L. Sjoestedt-Jonval, *Description d'un Parler Irlandais de Kerry* (Paris 1938) lch x.
169. Ibid., lch ix.
170. Litreacha ó Thomás go dtí Flower, Roinn Bhéaloideas Éireann.
171. Carl Marstrander, 'Deux Contes Irlandais', in Osborn Bergin and Carl Marstrander, ed., *Miscellany presented to Kuno Meyer* (Halle 1912) lgh 371-481 (lch 388).
172. An tAthair Peadar Ó Laoghaire a d'aistrigh, *An Soisgéal as Leabhar an Aifrinn* (Baile Átha Cliath 1902).
173. An tAthair Peadar Ó Laoghaire a d'aistrigh, *An Soisgéal Naomhtha de réir Mhaitiú* (Baile Átha Cliath 1903).
174. An tAthair Peadar Ó Laoghaire, *Mo Scéal Féin* (Baile Átha Cliath 1915).
175. Seán Ó Dálaigh, 'Turas go dtí an t-Oileán Thiar', *An Claidheamh Soluis* (7 Deireadh Fómhair 1911) lgh 3-4 (lch 3).
176. Seán Ó Dálaigh, *Clocha Sgáil* (Baile Átha Cliath 1930). Ar an taobh istigh den chlúdach chítear an t-ainm 'Seán Ua Cuileamhain'.
177. Seán Ó Dálaigh, *Timcheall Chinn Sléibhe* (Comhlacht Clódála Áth Luain Teo. 1933). 'Scoil an Oileáin–Seán Ó Criomhthain' atá scríofa taobh istigh de chlúdach an leabhair seo.
178. LN LS G 1020. Níl sé foilsithe in aon eagrán de *An tOileánach;* bheifí ag súil leis in $0^1$261, $0^2$250.

179. Comórtas XIV, 'Sean-sgéalaidheacht', *Imtheachta an Oireachtais*, leabhar 11 (1901), an leabhar atá i gceist.
180. LN LS G 1020. Níor foilsíodh é seo in aon eagrán de *An tOileánach;* bheifí ag súil leis in 0^1261, 0^2250.
181. Féach an méid a deir Seán Ó Coileáin ina thaobh in *Scríobh* 4, lch 163.
182. LS *Seanchas ón Oileán Tiar.*
183. Seán Mistéil, *Imleabhar Príosúin* cuid a haon (Baile Átha Cliath 1910), Cuid a dó (Baile Átha Cliath 1911).
184. *Béaloideas* Iml. II, Uimh. II (Nollaig 1929).
185. Pádraig Ó Conaire, *Deoraidheacht* (Baile Átha Cliath 1916).
186. An tAthair Pádraig Ua Duinnín, *Cill Áirne* (Baile Átha Cliath 1902).
187. Tadhg Ó Murchadha a d'aistrigh, *Eachtra Robinson Crusó* (Baile Átha Cliath 1909).
188. An tAthair Pádraig Ua Duinnín, *Cormac Ua Conaill* (Baile Átha Cliath 1905).
189. An tAthair Donncha Ó Donnchú, eag., *Filíocht Mháire Bhuidhe Ní Laoghaire* (Baile Átha Cliath 1931). Ar an taobh istigh de chlúdach an leabhair, chítear an méid seo 'Seán Ua Cuileamhain, Dúin Cormaic in Uíbh Ceinnsealaigh, 1.8.'32.–E. Ó Sullivan, Aug. 7th '33'.
190. Mícheál Ó Siochfhradha, *Seo mar Bhí* (Baile Átha Cliath 1930).
191. Séamus Ó Dubhghaill, *Muinntear na Tuatha* (Baile Átha Cliath 1910). Tá sé le tuiscint óna bhfuil scríofa ar an taobh istigh den chlúdach anseo gur duais ab ea an leabhar seo, a bhuaigh Máire Ní Bhriain, scoil Dhún Chaoin, ón *Lóchrann* i mí Eanáir na bliana 1912, de bharr tomhaiseanna a fhreagairt. Cormac Ó Cadhlaigh a bhí mar eagarthóir ar *An Lóchrann* ag an am seo. Féach *An Lóchrann* (Nollaig 1911) lch 1, mar a bhfuil an duais fógartha, agus *An Lóchrann* (Eanáir agus Feabhra 1912) lch 2, mar a bhfeictear an toradh.
192. Tadhg Ó Donnchadha, eag., *Dánta Sheáin Uí Mhurchadha* (Baile Átha Cliath 1907).
193. *Leoithne Aniar,* lch 116.
194. LN LS G 1022. Ar lár $A1^1$: bheifí ag súil leis i ndiaidh lgh 65; $A1^2205$.
195. LN LS G 1224. I mBealtaine na bliana 1920 a scríobhadh an litir seo. An LS seo caillte ag an Leabharlann Náisiúnta i láthair na huaire.
196. An scríbhinn seo ag Esther, iníon Chormaic Uí Chadhlaigh. An dáta 7 Meitheamh 1930 ag Cormac uirthi.
197. Tomás Ó Criomhthain, 'Ar theacht thar n-ais don Lóchrann', *An Lóchrann* (Eanáir 1917) lch 5.

CAIBIDIL IV

1. Tomás Ó Criomhthain, *Dinnsheanchas na mBlascaodaí* (Baile Átha Cliath 1935).
2. LN LS G 1020; 0^1245, 0^2236.
3. *Leoithne Aniar,* lch 82.
4. LN LS G 1020; 0^1245-246, 0^2236.
5. Tá an díolaim ainmneacha seo le fáil i measc pháipéir Mharstrander san Ollscoil in Oslo. Mo bhuíochas do Jan Erik Rekdal as cóip de a chur chugam.

6. Páipéir Mharstrander san Ollscoil in Oslo.
7. Litir a chuir Jan Erik Rekdal chugam faoin dáta 5.3.85.
8. LS *Seanchas ón Oileán Tiar*, 12.3.12 dáta na litreach.
9. *The Western Island*, lgh 15-16.
10. LS *Seanchas ón Oileán Tiar;* 12.8.12 dáta na litreach.
11. Ibid., 16.1.13 dáta na litreach.
12. LS 4224, Coláiste na Tríonóide; 12.6.13 dáta na litreach.
13. LS *Seanchas ón Oileán Tiar*.
14. SOT 153-158.
15. LS *Seanchas ón Oileán Tiar*.
16. SOT 112-115.
17. LS *Seanchas ón Oileán Tiar*.
18. Ibid..
19. SOT 211-218.
20. LS *Seanchas ón Oileán Tiar*.
21. Ibid., 20.9.14 dáta na litreach.
22. Ibid., 28.10.14 dáta na litreach.
23. Ibid., 6.3.15 dáta na litreach.
24. Ibid., 22.3.15 dáta na litreach.
25. Ibid., 'deire foghmhair a sé-dhéag' dáta na litreach. '[1916?]' scríofa ag Séamus Ó Duilearga uirthi. Féach chomh maith SOT 263.
26. Ibid., 'márta i fhiche' dáta na litreach. Féach chomh maith SOT 248.
27. Ibid.
28. Ibid., SOT 42.
29. Ibid., SOT 157.
30. Ibid., SOT 79.
31. Ibid., SOT 86.
32. Ibid., an nóta seo ag Tomás i dtéacs an scéil 'Na Filí': SOT 40-42.
33. Ibid., 12.2.15 dáta na litreach.
34. Ibid., 20.11.17 dáta na litreach.
35. Ibid., 'deire foghmhair a sé-déag' dáta na litreach.
36. LN LS G 1020; 0^1260, 0^2248.
37. LN LS 11,000 (22).
38. SOT vii.
39. SOT viii.
40. As leabhar nótaí le Séamus atá i dteannta LS *Seanchas ón Oileán Tiar* a thógas an t-eolas seo. Tugaim teidil na scéalta as SOT.
41. Ibid. Féach leis an nóta atá ag R.A. Breatnach ar liútar-éatar san aiste aige 'Dioscán Duibhneach', *Éigse* 7/4 (1955) lgh 262-266.
42. Ibid.
43. Foilsíodh leagan den scéal seo sa *Lóchrann* (Márta 1917) lgh 6-7.
44. Muiris Ó Súilleabháin, *Fiche Blian ag Fás* (An Sagart, Maigh Nuad 1976) lch 6.
45. LS *Seanchas ón Oileán Tiar*.
46. Ibid., ar lár SOT (Bheifí ag súil leis ar lch 42).
47. Ibid., SOT 122-126.
48. Ibid., SOT 144-148.

49. Ibid., SOT 122-126.
50. Ibid., an nóta seo ag deireadh an scéil dar teideal 'An Drapadóir', SOT 109-111.
51. Ibid.
52. Ibid., an nóta seo i lár an scéil 'Eachtra an Dá Bhulán' SOT 122-126.
53. SOT vii.
54. Tá an méid seo 'got out any advantage' scriosta amach ag Flower, agus 'made any sense' scríofa aige ina ionad os a chionn.
55. LS *Seanchas ón Oileán Tiar*, ceann de leabhair nótaí Flower.
56. *Leoithne Aniar*, lch 102.
57. A1^{1}iii, A1^{2}ix.
58. Chífear láithreach nach réitíonn an dá chuntas le chéile ar fad, rud a thugann tacaíocht don argóint ag Seán Ó Coileáin nach é Brian in aon chor a dhein an t-alt seo a scríobh. Féach *Scríobh* 4, lch 162.
59. *An tOileán a Bhí*, lch 61.
60. Chímid an cuntas cín lae seo sa *Lóchrann* (Meán Fómhair 1917) lgh 4-7, agus sa *Lóchrann* (Deireadh Fómhair 1917) lgh 5-6, agus sa *Lóchrann* (Samhain 1917) lgh 4-5. I mí na Samhna 1917, tagaimid leis ar fhógra sa *Lóchrann*, lgh 4-5 a luann 'leabhair bheaga bhlasta na Gaedhilge'. Ina measc tá *Cunntas Cinn Lae* le Brighid Stac.
61. Rugadh Bríd in Ard na Caithne le hais Dhún an Óir. Ní raibh ach ocht mbliana déag slán aici nuair a fuair sí bás sa bhliain 1919. Ag an am sin, bhí sí á hullmhú féin chun múinteoireachta. Fógraíodh a bás sa *Lóchrann* (Márta 1919) lch 5. Féach chomh maith *An Lóchrann* (Aibreán 1919) lch 3, mar a bhfuil dán molta 'Brighid Stac R.I.P.' ó Mhícheál Ó Gaoithín.
62. Sa *Lóchrann* (Meitheamh 1918) lch 3, tá an méid seo: '*Mí Dem Shaoghal* le Bríd Stac. Tá fhios ag lucht léighte "An Lóchrainn" go dtuigeann Bríd Stac conus aistí beaga do scrí go deas. Tá an "Cuntas Cinn Lae" úd in a leabhrán 34 leathanach anois agus é an-oireamhnach do lucht foghlumtha na Gaedhilge'. Féach Máirin Nic Eoin, *An Litríocht Réigiúnach* (Baile Átha Cliath 1982) lch 63, mar a bhfuil tagairt do leabhar Bhríde.
63. *An Lóchrann* (Meán Fómhair 1917) lch 4.
64. LN LS G 1022. (An nóta seo ar bharr an leathanaigh dár tosach an dara lá fichead de Dheireadh Fómhair, 1918).
65. LN LS G 1022. Giota neamhfhoilsithe go dtí seo is ea é.
66. LS An Daingin.
67. LN LS G 1022. Dán nár foilsíodh go dtí seo is ea é. Bheifí ag súil leis i ndiaidh lgh 42, A1^2.
68. An LS chéanna.
69. I litir go dtí an Seabhac, deir Tomás 'níor léas litir i nGaelainn le Brian riamh'. LS an Daingin.
70. Féach na samplaí atá luaite ag Seán Ó Coileáin in *Scríobh* 4, lch 170.
71. LN LS G 1022; ar lár A1^1, A1^{2}64.
72. An LS chéanna. Níl sé foilsithe in aon eagrán de *Allagar na hInise*. Bheifí ag súil leis in A1^1 roimh lch 66, agus in A1^2 i ndiaidh lgh 193.
73. An LS chéanna; ar lár A1^1, bheifí ag súil leis i ndiaidh lgh 66, A1^2 lch 212.
74. An LS chéanna; ar lár A1^1, A1^{2}70.

75. An LS chéanna; ar lár A1^1, A1^{2}68.
76. An LS chéanna; ar lár A1^1, A1^{2}53.
77. An LS chéanna; an blúire seo faoin dáta 16.12.1922 ag Tomás.
78. An LS chéanna.
79. LN LS 15,785.
80. LN LS G 1022. Dán nár foilsíodh go dtí seo is ea é. An dáta 1.11.1922 ag an gCeallach air.
81. An LS chéanna.
82. An LS chéanna; an litir seo faoin dáta 3.4.1921. Féach leis Seán Ó Coileáin, Scríobh 4, lch 168.
83. An LS chéanna; an litir seo faoin dáta 24.4.1921. Féach leis Seán Ó Coileáin, Scríobh 4, lch 169.
84. An LS chéanna; an litir seo faoin dáta 1.11.1922. Féach leis Seán Ó Coileáin, Scríobh 4, lch 169.
85. Féach an méid a deir Seán Ó Coileáin ina thaobh in Scríobh 4, lch 185, nóta 5.
86. A1^{1}167, A1^{2}336; an dáta 'Aibreán 1922' ag an mbeirt eagarthóir ar an tuairisc seo.
87. A1^{1}133, A1^{2}308; an dáta 'Samhain 1921' ag an mbeirt eagarthóir ar an tuairisc seo.
88. Ar lár 0^1; bheifí ag súil leis ar lch. 65, 0^{2}62-63.
89. Níor foilsíodh an blúire seo go fóill; bheifí ag súil leis in 0^1 i ndiaidh lgh 85, agus in 0^2 i ndiaidh lgh 80.
90. Féach an cur síos atá ag Seán Ó Coileáin ar na saothair sin in Scríobh 4, lgh 173-175.
91. LS an Daingin.
92. LN LS G 1020. An nóta seo scríofa i dtosach chaibidil a dó.
93. An Seabhac, Bonaventura (Samhradh 1937) lch 28.
94. Féach an méid a deir Seán Ó Coileáin ina thaobh in Scríobh 4, lch 175.
95. LN LS G 1020; 0^{1}8. 0^{2}13.
96. An LS chéanna; 0^{1}9, 0^{2}14.
97. An LS chéanna; 0^{1}10, 0^{2}15.
98. An LS chéanna; níor foilsíodh é seo in aon eagrán de An tOileánach; bheifí ag súil leis in 0^{1}42, agus in 0^{2}39.
99. An LS chéanna; níor foilsíodh sé seo in aon eagrán de An tOileánach; bheifí ag súil leis in 0^{1}53, 0^{2}52.
100. LN LS 15,785. Litir gan dáta is ea í.
101. LN LS G 1020. An dáta 'July 1923' ag an gCeallach uirthi.
102. An LS chéanna; an rann seo le fáil i dtosach litreach go bhfuil 'August 1923' ag an gCeallach uirthi.
103. LS an Daingin.
104. An Seabhac, Bonaventura (Samhradh 1937) lch 28.
105. Ibid..
106. 0^{1}5.
107. D'fhág an Seabhac eachtraí áirithe ar lár, mar shampla, ag deireadh caibidil viii, lch 85, d'fhág se trí eachtra i leataoibh; 'An Bhean Mhuch', 'An Tiománaidhe Aduaidh' agus 'An Taibhreamh'. D'fhág sé 'In Inis Mhicileáin'

amach ag deireadh caibidil xv, lch 157. Níor fhoilsigh sé 'An Bád Báithte' ach an oiread; ar lch 97 a bheadh sé dá gcuirfí sa leabhar é.
108. Tá an chaibidil seo caillte ó shin.
109. An Seabhac, *Bonaventura* (Samhradh 1937) lgh 28-29.
110. LN LS G 1020; níl sé i gceachtar den dá eagrán: 0^1262, 0^2251 na hionaid a mbeadh coinne againn len é a fháil.
111. Táim in amhras faoin dáta sin 'Márta a 3' ag Tomás. B'fhéidir go raibh áthas chomh mór sin air, ag críochnú an tsaothair dó, gur chuimhnigh sé ar an gcanúin 'Márta a trí' atá go minic tríd an leabhar aige chun ardmheanma a chur in iúl.
112. LS an Daingin.
113. John MacFayden, *An-Eileanach: Original Gaelic Songs, Poems and Readings* (Glasgow: A. Sinclair 1980; 2nd ed. Glasgow: Maclaren 1921).
114. LS U 115, bosca 18, Coláiste na hOllscoile, Corcaigh. Páipéirí pearsanta Thorna.
115. 0^27.
116. LS an Daingin.
117. LS 34, lgh 283-284, Roinn Bhéaloideas Éireann. Cóip d'amhrán a cheap Tomás don Seabhac, agus a chuir sé ag triall ar Fhionán Mac Coluim.
118. Ibid., lgh 279-282.
119. LN LS G 1228.
120. Foilsíodh é seo in *An Lóchrann* (Deireadh Fómhair 1931) lch 7.
121. Cnuasach Esther, iníon Chormaic Uí Chadhlaigh.
122. Ibid.; foilsíodh iad seo in *An Lóchrann* (Bealtaine 1931) lch 4.
123. LS an Daingin.
124. Cailleadh é ar an seachtú lá de Mhárta sa bhliain 1937.

LIOSTA LÉITHEOIREACHTA

(a) BUNLEABHAIR

Ó Criomhthain, Tomás, *Allagar na hInise*, An Seabhac, eag. (Baile Átha Cliath 1928).

——, *Allagar na hInise*, P. Ua Maoileoin, eag. (Baile Átha Cliath 1977).

——, *An tOileánach*, An Seabhac, eag. (Baile Átha Cliath 1929).

——, *An tOileánach*, P. Ua Maoileoin, eag. (Baile Átha Cliath 1973).

——, *Seanchas ón Oileán Tiar*, S. Ó Duilearga, eag. (Baile Átha Cliath 1956).

(b) LEABHAIR EILE

Almqvist, Bö, *An Béaloideas agus an Litríocht* (Cló Dhuibhne 1977).

Bergin, Osborn, eag., *Sgéalaigheacht Chéitinn*, an dara heagrán (Baile Átha Cliath 1925).

Breathnach, Diarmuid agus Máire Ní Mhurchú, *1882-1982 Beathaisnéis a hAon* (Baile Átha Cliath 1986).

Chambers, Robert W., *The Mystery Lady* (Watford, Great Britain 1932).

Comórtas xiv, 'Sean-sgéalaidheacht', *Imtheachta on Oireachtais*, leabhar 11 (1901).

Fairless, Michael, *The Roadmender* (London 1910).

Flower, Robin, *Eire and Other Poems* (London 1910).

——, *The Western Island* (Oxford University Press 1944).

Gifford, Henry, *The Novel in Russia* (London 1964).

Gourfinkel, Nina, *Gorky,* translated by Ann Feshbach (New York 1960, reprinted Connecticut 1975).

Gorky, Maxim, *Childhood,* translated by Margaret Wethlin, Translation revised by Jessie Coulson, With an Introduction by C.P. Snow (Oxford University Press 1961).

——, *My Childhood,* translated by Mrs. M. Foakes (London n.d.).

——, *My Childhood,* translated and introduced by Ronald Wilks (Penguin Books 1966).

——, *In the World,* translated by Mrs. Gertrude M. Foakes (London n.d.).

Gregory, Lady, *Gods and Fighting Men* (London 1904).

Habermann, Gerhard, *Maxim Gorki* (New York 1971).

Hamsun, Knut, *Growth of the Soil* (Picador edition, London 1980).

Hare, Richard, *Maxim Gorky: Romantic Realist and Conservative Revolutionary* (Oxford University Press 1962, reprinted Connecticut 1978).

Hingley, Ronald, *Russian Writers and Society 1825-1904* (London 1967).

Hutchinson, W.M.L., *The Muses Pageant*, Vol. II, E. Rhys, ed. (Everyman's Library).

Kaun, Alexander, *Maxim Gorky and His Russia* (New York 1931).

Laoide, Seosamh, eag., *Duanaire na Midhe* (Baile Átha Cliath 1914).

——, eag., *Réalta Den Spéir* (Baile Átha Cliath 1915).

——, eag., *Tonn Tóime* (Baile Átha Cliath 1915).

Levin, Dan, *Stormy Petrel: The Life & Work of Maxim Gorky* (London 1967).

Loti, Pierre, *An Iceland Fisherman* (Collins Clear Type Press, London & Glasgow n.d.).

——, *Iceland Fisherman*, translated by W.P. Baines (Everyman's Library n.d.).

Mac Congáil, Nollaig, *Scríbhneoirí Thír Chonaill* (Baile Átha Cliath 1983).

Mac Clúin, An tAthair Seoirse, *Réilthíní Óir* cuid a haon agus a dó (Baile Átha Cliath 1922).

MacFayden, John, *An t-Eileanach:Original Gaelic Songs, Poems and Readings* (Glasgow: A Sinclair 1890, 2nd Ed. Glasgow: Maclaren 1921).

Mac Tomáis, Seoirse, *An Blascaod a Bhí* (Maigh Nuad 1977).

Mistéil, Seán, *Imleabhar Príosúin* cuid a haon agus a dó (Baile Átha Cliath 1910, 1911).

Muchnic, Helen, *From Gorky to Pasternak: Six Modern Russian Writers* (London 1963).

Ní Aimhirgín, Nuala, *Muiris Ó Súilleabháin* (Maigh Nuad 1983).

Nic Eoin, Máirín, *An Litríocht Réigiúnach* (Baile Átha Cliath 1982).

Ní Ghaoithin, Máire, *An tOileán a Bhí* (Baile Átha Cliath 1978).

Ní Shúilleabháin, Éibhlís, *Letters From the Great Blasket*, Seán Ó Coileáin, eag. (Cló Mercier 1978).

Ó hÁinle, Cathal, *Promhadh Pinn* (Maigh Nuad 1978).

Ó Cadhain, Máirtín, *Páipéir Bhána agus Páipéir Bhreaca* (Baile Átha Cliath 1969).

Ó Céileachair, Domhnall Bán, *Sgéal mo Bheatha* (Baile Átha Cliath 1940).

Ó Ceocháin, Domhnall, eag., *Saothar Dámh-Sgoile Mhúsgraighe* (Baile Átha Cliath 1933).

Ó Cíosáin, Mícheál, eag., *Céad Bliain 1871-1971* (Baile an Fheirtéaraigh 1973).

Ó Conaire, Pádraig, *Deoraidheacht* (Baile Átha Cliath 1916).

Ó Criomhthain, Tomás, *Dinnsheanchas na mBlascaodaí* (Baile Átha Cliath 1935).

Ó Crohan, Tomás, *Island Cross-Talk: Pages from a* diary, translated by Tim Enright (Oxford University Press 1986).

——, *The Islandman,* translated by Robin Flower (Oxford University Press 1944).

Ó Dálaigh, Seán, *Clocha Sgáil* (Baile Átha Cliath 1930).

——, *Timcheall Chinn Sléibhe* (Comhlacht Clódála Ath Luain Teo., 1933).

Ó Donnchú, An tAthair Donncha, *Filíocht Mháire Bhuidhe Ní Laoghaire* (Baile Átha Cliath 1931).

Ó Droighneáin, Muiris, *Taighde i gComhair Stair Litridheacht na Nua-Ghaeilge ó 1882 anuas* (Baile Átha Cliath 1936).

Ó Dubhda, Seán, *An Duanaire Duibhneach* (Baile Átha Cliath 1933).

Ó Dubhghaill, Séamus, *Muinntear na Tuatha* (Baile Átha Cliath 1910).

Ó Murchadha, Seán, (na Ráithíneach), *Dánta Sheáin Uí Mhurchadha* (Baile Átha Cliath 1907).

Ó Murchadha, Tadhg, a d'aistrigh, *Eachtra Robinson Crusó,* cuid a haon (Baile Átha Cliath 1909).

Ó Searcaigh, Séamus, *Nua-Sgríbhneoirí na Gaedhilge* (Baile Átha Cliath 1933).

Ó Siochfhradha, Mícheal, *Seo Mar Bhí* (Baile Átha Cliath 1930).

Ó Siochfhradha, Pádraig, *An Baile Seo 'Gainne* (Baile Átha Cliath 1913).

——, *An Ceithearnach Caoilriabhach* (Baile Átha Cliath 1910).

——, *An Seanchaidhe Muimhneach* (Baile Átha Cliath 1932).

——, *Jimín Mháire Thaidhg* (Baile Átha Cliath 1921).

——, *Seanfhocail na Muimhneach* (Baile Átha Cliath 1926).

——, *Tríocha-Céad Chorca Dhuibhne* (Baile Átha Cliath 1938).

Ó Súilleabháin, Muiris, *Fiche Blian ag Fás* (Maigh Nuad 1976).

Pascal, Roy, *Design and Truth in Autobiography* (London 1960).

Sjoestedt-Jonval, M.L., *Description d'un Parler Irlandais de Kerry* (Paris 1938).

Stagles, Joan & Ray, *The Blasket Islands: Next Parish America,* Island Series 4 (Baile Átha Cliath 1980).

Thomson, George, *The Blasket That Was: The Story of a Deserted Village* (Maigh Nuad 1982).

Tolton, C.D.E., *André Gide and the Art of Autobiography: A study of Si le grain ne meurt* (Toronto 1975).

Tyers, Pádraig, eag., *Leoithne Aniar* (Baile An Fheirtéaraigh 1982).

Ua Duinnín, An tAthair Pádraig, *Cill Áirne* (Baile Átha Cliath 1902).

——, eag., *Foras Feasa ar Éirinn* Iml.iii (Irish Texts Society, London 1908).

Ua Laoghaire, An tAthair Peadar, *An Craos-Deamhan* (Baile Átha Cliath 1905).

——, a d'aistrigh, *An Soisgéal as Leabhar an Aifrinn* (Baile Átha Cliath 1902).

——, a d'aistrigh, *An Soisgéal Naomhtha de réir Mhaitiú* (Baile Átha Cliath 1903).

——, *Mo Scéal Féin* (Baile Átha Cliath 1915).

——, *Niamh* (Baile Átha Cliath 1907).

——, *Séadna* (Baile Átha Cliath 1904).

——, *Séadna:* and dara cuid (Baile Átha Cliath 1898).

Ua Maoileoin, Pádraig, *Ár Leithéidí Arís* (Baile, Átha Cliath 1978).

——, *Na hAird Ó Thuaidh* (Baile Átha Cliath 1960).

Uí Chearnaigh, Seán Sheáin, *An tOileán a Tréigeadh* (Baile Átha Cliath 1974).

Wolfe, Bertram, D., *The Bridge and The Abyss: The Troubled Friendship of Maxim Gorky and V.I. Lenin* (New York 1967, reprinted Connecticut 1983).

(c) AISTÍ IN IRISLEABHAIR

Binchy, Daniel A., 'Two Blasket Autobiographies', *Studies* 23 (1934) lgh 545-560.

Biuso, Thomas N., 'Looking Into Blasket Island Photographs', *Éire-Ireland* Iml. xix, Uimh. 4 (Geimhreadh–Winter 1984) lgh 16-34.

Breatnach, Pádraig A., 'Séadna: Saothar Ealaíne', *Studia Hibernica* 9 (1969) lgh 109-124.

Breatnach, R.A., 'Dioscán Duibhneach', *Éigse* vii (1955) lgh 262-266.

Dobbs, Margaret E., 'The Black Pig's Dyke and the campaign of the Táin Bó Cuailgne' in *Side-Lights on the Táin age and other studies* (1917) reprinted from *Zeitschrift für celtishe Philologie* viii (1912) lgh 339-346.

Flower, Robin, 'An Irish Island: The Story of the Blaskets', *Transactions of The Honourable Society of Cymmrodorion* (1931-32) lgh 1-33.

——, 'Sgéalta Ón mBlascaod', *Béaloideas* ii (Meitheamh 1929) lgh 97-111.

——, 'Sgéalta Ó'n mBlascaod', *Béaloideas* ii (Nodlaig 1929) lgh 199-210.

Greene, David, 'Carl J.S. Marstrander (1883-1965)', *Studia Celtica* 2 (1967) lgh 204-205.

Hyde, Douglas, 'Canon Peter O'Leary and Dr. Kuno Meyer', *Studies* 9 (1920) lgh 297-301.

Kane, W.F. de V., 'The black Pig's Dike: the ancient boundary fortification of Uladh', *Proceedings of the Royal Irish Academy* 27 C 14 (1909) lgh 301-328.

Kidd, Charles agus David Williamson, eag., *Debrett's Peerage and Baronetage* (Macmillan 1985) lch 197.

Laoide, Seosamh, 'Cuaird i n-Aisdear i' *Irisleabhar na Gaedhilge* (Feabhra 1908) lgh 58-61.

——, 'Cuaird i n-Aisdear ii', *Irisleabhar na Gaedhilge* (Márta 1908) lgh 121-125.

——, 'Cuaird i n-Aisdear iii' *Irisleabhar na Gaedhilge* (Aibreán 1908) lgh 150-155.

Luce, J.V., 'Homeric Qualities in the Life and Literature of the Great Blasket Island', *Greece and Rome* xvi (1969) lgh 151-168.

Marstrander, Carl, 'Deux Contes Irlandais' in Osborn Bergin and Carl Marstrander, ed., *Miscellany presented to Kuno Meyer* (Halle 1912) lgh 371-486.

Ó hAilín, Tomás, 'Seanchas Ar léamh agus Scríobh na Gaeilge i gCorca Dhuibhne', *Journal of the Kerry Archaeological and Historical Society* 4 (1971) lgh 127-138.

Ó Coileáin, Seán, 'Tomás Ó Criomhthain, Brian Ó Ceallaigh agus An Seabhac', in Seán Ó Mórdha, eag., *Scríobh* 4 (1979) lgh 159-187.

Ó Dúshláine, Tadhg, 'Litríocht as Ithir an Dúchais', *Léachtaí Cholm Cille* V (Maigh Nuad 1974) lgh 54-68.

Ó hÉalaí, Pádraig, 'An Bheathaisnéis Mar Litríocht', *Léachtaí Cholm Cille* I (Maigh Nuad 1970) lgh 34-40.

Ó Fiannachta, Pádraig, 'Allagar na hInise', *Léas ar Ár Litríocht* (Maigh Nuad 1974) lgh 8-19.

——, 'Litríocht Chorca Dhuibhne: Tomás Ó Criomhthain', *Léas Eile ar ár Litríocht* (Maigh Nuad 1982) lgh 247-265.

Oftedal, Magne, 'Professor Carl Marstrander (1883-1965)', *Studia Celtica* 2 (1967) lgh 202-204.

Ó Háinle, Cathal, 'Tomás Ó Criomhthain agus "Caisleán Uí Néill" ', *Irisleabhar Mhá Nuad* (197?) lgh 84-109.

Ó Lúing, Seán, 'Carl Marstrander (1883-1965)', *Journal of the Cork Historical and Archaeological Society* Iml. 248 (1984) lgh 108-124.

——, 'Robin Flower, (1881-1946)', *Studies* (Summer/Autumn 1981) lgh 121-134.

——, 'Robin Flower, Oileánach agus Máistir Léinn', *Journal of the Kerry Archaeological and Historical Society* 10 (1977) lgh 111-142.

——, ' "To Be a German..." Oidhreacht Khuno Meyer' in Seán Ó Mórdha, eag., *Scríobh* 5 (1980) lgh 258-281.

Ó Mainnín, Mícheál, 'Achrann Creidimh in Iarthar Dhuibhneach', *Céad Bliain 1871-1971*, Mícheál Ó Cíosáin, eag., (Baile an Fheirtéaraigh 1973) lgh 40-61.

——, 'Na Sagairt agus a mBeatha i bParóiste an Fheirtéaraigh', *Céad Bliain 1871-1971*, Mícheál Ó Cíosáin, eag., (Baile an Fheirtéaraigh 1973) lgh 1-35.

Ó Shea, Rev. Kieran, 'David Moriarty (1814-77), i, The Making of a Bishop', *Journal of the Kerry Archaeological and Historical Society* 3 (1970) lgh 84-98.

——, 'David Moriarty (1814-77), ii, Reforming a diocese', *Journal of the Kerry Archaeological and Historical Society* 4 (1971), lgh 106-126.

——, 'David Moriarty (1814-77), iii, Politics', *Journal of the Kerry Historical and Archaeological Society* 5 (1972) lgh 86-102.

——, 'David Moriarty (1814-77) iv, Ecclesiastical Affairs', *Journal of the Kerry Historical and Archaeological Society* 6 (1973) lgh 131-142.

144 LIOSTA LÉITHEOIREACHTA

Ó Siochfhradha, Pádraig, 'Tomás Ó Criomhthain, Iascaire Agus Ughdar', *Bonaventura* (Samhradh 1937) lgh 24-31.

Ó Súilleabháin, Seán, 'In Memoriam Fionán Mac Coluim (1875-1966)', *Béaloideas* Iml. xxxiii (1967) lgh 181-183.

——, 'Litríocht Chorca Dhuibhne agus An Béaloideas', *Éire-Ireland* 6, Uimh. 2 (1971) lgh 66-75.

——, 'Béaloideas mar Ábhar Litríochta', *Studia Hibernica* 2 (1962) lgh 221-228.

Quin, E.G., 'Historical Note', *Dictionary of the Irish Language* Royal Irish Academy, 1913-1976, lgh iii-vi.

Smith, George, a chuir ar bun, Sir Leslie Stephen agus Sir Sidney Lee eag., *The Dictionary of National Biography* Uimh. xiv (Oxford University Press) lgh 947-949.

Stagles, Joan, 'Nineteenth-Century Settlements in the Lesser Blasket Islands', *Journal of the Kerry Archaeological and Historical Society* 8 (1975) lgh 73-88.

Stewart, James, 'An Allusion in Allagar na hInise', *Éigse* xx (1984) lgh 226-227.

——, 'An tOileánach-More or Less', *Zeitschrift für Celtische Philologie* 35 (1976) lgh 234-263.

——, 'Boccaccio in the Blaskets' (aiste nár foilsíodh fós ach atá le teacht i gcló sa *Zeitschrift für celtische Philologie* gan mhoill).

Townsend, Peter, eag., *Burke's Peerage Baronetage and Knightage* (London 1967) lgh 1895-1897.

Ua Maoileoin, Pádraig, 'An Scríbhneoir agus an Béaloideas', in Aindrias Ó Muimhneacháin, eag., *Flós Fómhair* (1973 An tOireachtas) lgh 17-35.

(d) AILT IN IRISÍ AGUS I NUACHTÁIN

Bean Aniar, 'Brighid Stac', *An Lóchrann* (Márta 1919) lch 5.

Biuso, Tom, 'The Poet's Ring–Fáinne an Fhile, Blasket Memories in a U.S. Reunion', *Evening Echo* (Tuesday 26.6.1984) lch 9.

——, 'The Poet's Ring–Fáinne an Fhile, Mike Guiheen's Token of Love', *Evening Echo* (Wednesday, 27.6.1984) lch 9.

Enright, Tim, 'Pádraig Keane–King of the Blasket', *Evening Echo* (Saturday, 25.2.1984) lch 8.

Fear Eagair, 'Múinteoirí Taistil', *An Lóchrann* (1 Nollaig 1906) lch 8.

Fear gan Ainm, 'Leabhair Bheaga Bhlasda na Gaeilge', *An Lóchrann* (Samhain, 1917) lgh 4-5.

Fear gan ainm, 'Mí Dem Shaoghal', *An Lóchrann* (Meitheamh 1918) lch 3.

Laoide, Seosamh, 'Tonn Tóime', *An Claidheamh Soluis* (26.6.1915) lch 8.

Mac Coluim, Fionán, 'Tá múinteoirí taisdil ag teasdabháil uainn fé láthair', *An Claidheamh Soluis* (16.4.1904) lch 9.

Mac Piarais, Pádraig, ' "Séadna" and The Future of Irish Prose', *An Claidheamh Soluis* (24.9.1904) lch 8.

McGrath, Walter, 'Seoirse Mac Thomáis–Colossus of Greek and Gaelic Worlds', *Evening Echo* (Thursday, 20.12.1983) lch 8.

——, '30 Years Ago Tomorrow They Left the Great Blasket Forever', *Evening Echo* (Wednesday, 16.11.1983) lch 7.

Ní Éalaí, Nuala, 'Peig Sayers 25 Years Dead; Unforgettable Days and Nights in a Blasket Homestead', *Evening Echo* (Thursday, 8.12.1983) lch 10.

Ní Ghuithín, Máire, 'An Nollaig San Oileán Tiar', *Evening Echo* (Thursday 8.12.1983) lch 10.

Ní Mhurchú, Eibhlín, 'Duine Íseal Uasal', *Feasta* (Márta 1983) lgh 21-22.

Ní Shúilleabháin, Eibhlís, 'Brighde agus na Buachaillí Bána', *An Lóchrann* (Samhain 1931) lch 5.

——, 'Ó'n mBlascaod. Bacach Bhaile Mhúirne', *An Lóchrann* (Bealtaine 1931) lch 5.

——, 'Ó'n mBlascaod. Máire Bhán agus an Duine Marbh', *An Lóchrann* (Aibreán 1931) lch 6-7.

Ó Cadhlaigh, Cormac, 'Duaiseanna', *An Lóchrann* (Eanáir agus Feabhra 1912) lch 2.

——, 'Tomhaiseanna', *An Lóchrann* (Nollaig 1911) lch 1.

Ó Conaire, Breandán, 'Ómós do Thomás Ó Criomhthain', *Comhar* (Márta 1977) lgh 15-16.

——, 'Ómós do Thomás Ó Criomhthain (2)', *Comhar* (Aibreán 1977) lgh 19-23.

——, 'Ómós do Thomas Ó Criomhthain (3)', *Comhar* (Meitheamh 1977) lgh 23-25.

——, 'Tomás an Bhlascaoid', *Comhar* (Lúnasa 1977) lgh 16-19.

——, 'Tomás an Bhlascaoid', *Comhar* (Meán Fómhair 1977) lgh 18-21, 27.

Ó Criomhthain, Seán, 'Bean a' Leasa', *An Lóchrann* (Feabhra 1931) lgh 7-8.

——, 'Tomás Ó Criomhthain Mar is Cuimhin Lena Mhac Seán É', *Feasta* (Eanáir 1957) lgh 9-10.

Ó Criomhthain, Tomás, 'Ag Díol Éisg', *An Lóchrann* (Márta 1917) lgh 6-7.

——, 'An Guth ar Neóin', *An Lóchrann* (Nollaig 1917) lch 1.

——, 'Do'n Lóchrann', *An Lóchrann* (Eanáir 1917) lch 5.

——, 'Ó'n mBlascaod. An t-éad dearg is galar nách fóghanta é', *An Lóchrann* (Deireadh Fómhair 1931) lch 7.

——, 'Ó'n mBlascaod. Seanfhocail', *An Lóchrann* (Bealtaine 1931) lch 4.

Ó Dálaigh, Seán, 'Turas go dtí an t-Oileán Thiar', *An Claidheamh Soluis* (7.10.1911) lgh 3-4.

Ó Fiannachta, Pádraig, 'Aibhleoga Léinn Agus Litríochta', *An Sagart* (Samhradh 1970) lgh 25-27.

Ó Floinn, Tomás, 'Urscéalaíocht Na Gaeilge', *Comhar* (Aibreán 1955) lgh 6-10.

Ó Gaoithín, Mícheál, 'Brighid Stac R.I.P.', *An Lóchrann* (Aibreán 1919) lch 3.

Ó Grianna, Séamus, 'Leabhar Na Míosa, Allagar na hInise', *Fáinne an Lae* (Feabhra 1929) lch 3.

Ó Lúing, Seán, 'Triall Na Scoláirí Ar Chorca Dhuibhne', *Agus* (Aibreán 1984) lgh 15-17.

——, 'Triall na Scoláirí ar Chorca Dhuibhne (2)', *Agus* (Bealtaine 1984) lgh 19-21.

——, 'Triall na Scoláirí ar Chorca Dhuibhne (3)', *Agus* (Meitheamh 1984) lgh 7-9.

——, 'Triall na Scoláirí ar Chorca Dhuibhne (4)', *Agus* (Iúil 1984) lgh 21-22.

Ó Muimhneacháin, Aindrias, 'Ríphrionsa Lucht na Gaeilge', *Feasta* (Márta 1983) lgh 4-7.

Ó Nualláin, Gearóid, ' "An tAthair Peadar." Rí na n-Ughdar', *Misneach* (3.4.1920) lch 3.

Ó Siochfhradha, Pádraig, 'Tomás Ó Criomhthain agus Brian Ó Ceallaigh', *Irish Press* (21.12.1956) lch 21.

Stac, Brighid, 'Cúnntas Cinn Lae', *An Lóchrann* (Meán Fómhair 1917) lgh 4-7.

——, 'Cúnntas Cinn Lae ar Leanamhaint', *An Lóchrann* (Deireadh Fómhair 1917) lgh 5-6.

——, 'Cúnntas Cinn Lae ar Leanamhaint', *An Lóchrann* (Samhain 1917) lgh 4-5.

Stagles, Ray, 'Back to the Great Blasket', *Evening Echo* (3.3.1986).

Ua Maoileoin, Pádraig, 'Scríbhneoirí Chorca Dhuibhne 1', *Comhar* (Eanáir 1975) lgh 14-18.

——, 'Scríbhneoirí Chorca Dhuibhne 2', *Comhar* (Feabhra 1975) lgh 4-6.

TAIFID

(a) OIFIG NA dTAIFEAD POIBLÍ

ED 2/197, Fóilió 11, V18-36-1, clárú ar na scoileanna náisiúnta a bunaíodh i gceanntar Chiarraí.

ED 4/185, V17-32-49, leabhar tuarastail na múinteoirí i gceantar Chiarraí don bhliain 1864.

ED 4/186, V17-32-50, leabhar tuarastail na múinteoirí i gceantar Chiarraí sna blianta 1865-66.

ED 4/187, V17-32-51, leabhar tuarastail na múinteoirí i gceantar Chiarraí sna blianta 1867-68.

ED 4/188, V17-32-52, ceann de leabhair thuarastail na múinteoirí i gceantar Chiarraí sna blianta 1869-70.

ED 4/1213, V5B-28-24, ceann eile de leabhair thuarastail na múinteoirí i gceantar Chiarraí sna blianta 1869-70.

ED 4/1214, V5B-28-25, leabhar tuarastail na múinteoirí i gceantar Chiarraí sna blianta 1871-72.

ED 4/1215, V5B-28-26, leabhar tuarastail na múinteoirí i gceantar Chiarraí sna blianta 1873-74.

ED 4/1216, V5B-28-27, leabhar tuarastail na múinteoirí i gceantar Chiarraí sna blianta 1875-76.

ED 9/1934. I measc an bhailiúcháin seo chítear 'Memorandum of Proficiency' ar scoil an oileáin sna blianta 1871-75, agus litreacha éagsúla a scríobh an tAthair Liam Mac Aogáin.

(b) OIFIG CHLÁRAITHE NA mBREITHEANNA NA bPÓSTAÍ AGUS NA mBÁSANNA, CILL ÁIRNE

Teastas breithe Bhriain Uí Cheallaigh.

(c) AN ROINN OIDEACHAIS

An dáta a chuaigh Brian Ó Ceallaigh le cigireacht.

LÁMHSCRÍBHINNÍ

(a) AN LEABHARLANN NÁISIÚNTA

LS G 592, cnuasach dánta a chruinnigh Seosamh Laoide ina leabhar nótaí.

LS G 1020, lámhscríbhinn de *An tOileánach* le Tomás Ó Criomhthain, agus dhá litir a chuir sé go dtí Brian Ó Ceallaigh.

LS G 1021, scéalta agus dialann le Mícheál Ó Gaoithín agus dialann le hEibhlín Ní Shúilleabháin chomh maith le cúpla litir a chuir Mícheál go dtí Brian Ó Ceallaigh, agus blúire de leabhar nótaí

	leis an gCeallach.
LS G 1022,	lámhscríbhinn *Allagar na hInise* agus deich gcinn de litreacha a chuir Tomás Ó Criomhthain go dtí Brian Ó Ceallaigh.
LS G 1216,	páipéirí Chormaic Uí Chadhlaigh chomh maith lena Churriculum Vitae.
LS G 1221,	páipéirí an Chadhlaigh. Dán 'An bheirt chraoidhe-chráidhteach', le Tomás Ó Criomhthain.
LS G 1222,	páipéirí an Chadhlaigh. Litir agus scéal 'Máire bhán $_7$ an duine beó', le hEibhlís Ní Shúilleabháin.
LS G 1224,	litir ó Thomás Ó Criomhthain go dtí Fionán Mac Coluim.
LS G 1227,	páipéirí an Chadhlaigh. Dhá scéal le Seán Ó Criomhthain, 'Bean a' Leasa' agus 'Bunúghadh an tobbac'.
LS G 1228,	páipéirí an Chadhlaigh. Liosta scríbhinní a chuir Tomás Ó Criomhthain go dtí Cormac.
LS G 1229,	páipéirí an Chadhlaigh. Dhá litir ó Sheán Ó Criomhthain go dtí Cormac.
LS G 1230,	páipéirí an Chadhlaigh. Scéal 'An Bheirt Phósta' le Tomás Ó Criomhthain.
LS 11,000	(22), páipéirí R.I.Best. Litreacha ó Robin Flower go dtí Best.
LS 11,001	(28), páipéirí R.I.Best. Litreacha ó Carl Marstrander go dtí Best.
LS 15,785,	deich gcinn de litreacha ó Thomás Ó Criomhthain go dtí Brian Ó Ceallaigh.
LS 24,400,	litreacha ó thimirí éagsúla go dtí Fionán Mac Coluim.

(B) ROINN BHÉALOIDEAS ÉIREANN

LS	*Seanchas ón Oileán Tiar.*
	Cóip chlóbhuailte de na litreacha a chuir Eibhlís Ní Shúilleabháin go dtí George Chambers.
LS 34,	lgh 283-284, cóip d'amhrán a cheap Tomás Ó Criomhthain don Seabhac agus a chuir sé ag triall ar Fhionán Mac Coluim.

(c) ACADAMH RÍOGA NA hÉIREANN

LS 4 B 42,	I measc an bhailiúcháin seo, tá litreacha a chuir Tomás Ó Criomhthain go dtí Seosamh Laoide.

(d) COLÁISTE NA TRÍONÓIDE

LS 4224,	I measc an bhailiúcháin seo, tá litir a chuir Flower ag triall ar Meyer faoin dáta 12.6.1913.

(e) COLÁISTE NA hOLLSCOILE, CORCAIGH

LS U 115,	Bosca 18, Páipéirí pearsanta Thorna.

(f) LEABHARLANN AN DAINGIN

Bailiúchán dar teideal 'Cnuasach Cuimhne Thomáis Uí Chriomhthain'. I measc an bhailiúcháin seo, faightear

(i) An chaibidil dhéanach de *An tOileánach*. (ii) Litir-aiste a scríobh Tomás ar Bhrian Ó Ceallaigh. (iii) Litreacha a scríobh Tomás go dtí an Seabhac agus dhá litir a dheachtaigh sé dá mhac le cur chuige. (iv) An Seabhac, 'Tomás Ó

Criomhthain, Brian Ó Ceallaigh agus mé féin'. Mar chaint ar Raidió Éireann a scríobhadh an mhír dhéanach seo.

(g) OLLSCOIL OSLO

An liosta ainmneacha a chuir Tomás go dtí Carl Marstrander.
Páipéirí Mharstrander: ina measc liosta focal Gaeilge atá leagtha amach aige de réir na háibítre.

FOINSÍ EILE

(a) CNUASAIGH PHRÍOBÁIDEACHA

(a) Niamh Bean Uí Laoithe, An Daingean. Sa bhailiúcháin seo chítear

(i) Cóip chlóbhuailte de na litreacha a chuir a máthair, Eibhlís Ní Shúilleabháin, go dtí George Chambers; (ii) Na leabhair le Gorcí a bhí ag a seanathair, Tomás Ó Criomhthain; (iii) Aistí a foilsíodh i nuachtáin éagsúla i dtaobh Thomáis.

(b) Cáit Bean Uí Chonaill, Cill Orglan. Sa chnuasach seo tá an bailiú leabhar a bhí ag Tomás Ó Criomhthain, seanathair na mná seo.

(c) Esther Bean Uí Dhonnchú, Áth Dara, Contae Luimnigh. Sa chnuasach seo faightear

(i) *Scoláire Bocht*, dírbheathaisnéis neamhfhoilsithe a hathar, Cormac Ó Cadhlaigh; (ii) Seanfhocail, ailt, dán amháin agus litir a chuir Tomás Ó Criomhthain go dtí Cormac; (iii) Dhá litir agus dán ó Eibhlís Ní Shúilleabháin go dtí é.

(b) TRÁCHTAIS NEAMHFHOILSITHE M.A.
COLÁISTE NA hOLLSCOILE, CORCAIGH

Ó Laochdha, Tomás P., 'An chómhacht a bhí ag an Athair Peadar Ó Laoghaire agus ag Pádraig Ó Conaire ar Mhuinntir a linne féin', (1941).
Uí Chroitigh, Máire Bean, 'Séadna: Cosamhlacht an tsaoghail ann leis an saoghal atá caithte', (1942).

(c) CLÁR TEILIFÍSE

Oileán Eile, clár teilifíse curtha le chéile ag Muiris Mac Conghail, a craoladh ar dtús ar R.T.E.1 ar an séú lá d'Eanáir 1985.

INNÉACS